БОРИС АКУНИН

ПЕЛАГИЯ
и
черный монах

Издательство АСТ
Москва

УДК 821.161.1-31
ББК 84(2Рос=Рус)6-44
    А 44

Серия *«Провинціальный детективъ»*

Оформление обложки – Александр Шпаков

Акунин, Борис.

А 44   Пелагия и черный монах : [роман] / Борис Акунин. –
Москва : Издательство АСТ, 2017. – 416 с. – (Провинціальный детективъ).

ISBN 978-5-17-088391-2

«Пелагия и черный монах» – второй роман увлекательнейшей трилогии
Бориса Акунина «Провинціальный детективъ» о приключениях непоседли-
вой и изобретательной монахини, способной распутать самое загадочное
преступление.

В окрестностях Ново-Араратского монастыря появляется некий призрачный черный монах, пугая и даже убивая людей. Пелагия с жаром берется
за дело и втайне от владыки Митрофания начинает собственное расследование...

УДК 821.161.1-31
ББК 84(2Рос=Рус)6-44

ISBN 978-5-17-088391-2

Пролог

ЯВЛЕНИЕ ВАСИЛИСКА

...в несколько широких шагов приблизился к монахине. Выглянул в окно, увидел взмыленных лошадей, расхристанного чернеца и грозно сдвинул свои кустистые брови.

— Крикнул мне: «Матушка, беда! Он уж тут! Где владыка?», — донесла Пелагия преосвященному вполголоса.

При слове «беда» Митрофаний удовлетворенно кивнул, как если б и не ожидал ничего иного от этого безмерно длинного, никак не желающего закончиться дня. Поманил пальцем ободранного, запыленного вестника (по манере, да и из самого крика уже ясно было, что примчавшийся невесть откуда монах именно что вестник, причем из недобрых): а ну, поднимись-ка.

Коротко, но глубоко, чуть не до земли поклонившись епископу, чернец бросил вожжи и кинулся в здание суда, расталкивая выходившую после процесса публику. Вид божьего служителя — непокрытого, с расцарапанным в кровь лбом — был настолько необычен, что люди оглядывались, кто с любопытством, а кто и с тревогой. Бурное обсуждение только что за-

кончившегося заседания и удивительного приговора
прервалось. Похоже, что намечалось, а может, уже и
произошло некое новое Событие.

Вот и всегда оно так в тихих заводях вроде нашего
мирного Заволжска: то пять или десять лет тишь да
гладь и сонное оцепенение, то вдруг один за другим
такие ураганы задуют — колокольни к земле гнет.

Нехороший гонец взбежал по белой мраморной лестнице. На верхней площадке, под весами слепоглазой
Фемиды замялся, не сразу поняв, куда поворачивать,
вправо или влево, но тут же увидел в дальнем конце
рекреации кучку столичных корреспондентов и две
чернорясные фигуры, большую и маленькую: владыку
Митрофания и рядом с ним очкастую сестрицу, что
давеча стояла в окне.

Грохоча по гулкому полу сапожищами, монах бросился к архиерею и еще издали возопил:

— Владыко, он уж тут! Близехонько! За мной грядет! Огромен и черен!

Петербургские и московские журналисты, средь которых были и настоящие светила этой профессии, при-
бывшие в Заволжск ради громкого процесса, уставились на дикообразного рясофора с недоумением.

— Кто грядет? Кто черен? — пророкотал преосвященный. — Говори ясно. Ты кто таков? Откуда?

— Смиренный чернец Антипа из Арарата, — то-
ропливо поклонился заполошный, потянулся скуфью
сорвать, да не было скуфьи, обронил где-то. — Василиск грядет, кто ж еще! Он, заступник! Со скита ис-
шел. Велите, владыко, в колокола звонить, святые
иконы выносить! Свершается пророчество Иванново!
«Се, гряду скоро, и мзда моя со мною, воздати кое-
муждо по делом его»! Коне-ец! — завыл он. — Всему
конец!

Столичные люди, те ничего, известия о конце света не испугались, только навострили уши и ближе к монаху придвинулись, а вот судейский уборщик, который уже начал в коридоре махать своей метлой, — тот от страшного крика на месте обмер, орудие свое уронил, закрестился.

А предвестник Апокалипсиса членораздельно говорить от тоски и ужаса более не мог — затрясся всем телом, и по мучнистому, обросшему бородой лицу покатились слезы.

Как всегда в критических случаях, преосвященный проявил действенную решительность. Применив древний рецепт, гласящий, что лучшее средство от истерики — хорошая затрещина, Митрофаний влепил рыдальцу своей увесистой дланью две звонкие оплеухи, и монах сразу трястись и выть перестал. Захлопал глазами, икнул. Тогда, укрепляя успех, архиерей схватил гонца за ворот и поволок к ближайшей двери, за которой располагался судебный архив. Пелагия, жалостно ойкнувшая от звука пощечин, семенила следом.

На архивариуса, собравшегося было побаловаться чайком по случаю окончания присутствия, епископ только бровью двинул — чиновника как ветром сдуло, и духовные особы остались в казенном помещении втроем.

Владыка усадил всхлипывающего Антипу на стул, сунул под нос стакан с едва початым чаем — пей. Выждал, пока монах, стуча о стекло зубами, смочит стиснувшееся горло, и нетерпеливо спросил:

— Ну, что там у вас в Арарате стряслось? Сказывай.

Корреспонденты так и остались перед запертой дверью. Постояли некоторое время, на все лады повторяя загадочные слова «василиск» и «Арарат», а потом понемногу стали расходиться, так и оставленные в полнейшей озадаченности. Оно и понятно — люди всё были приезжие, в наших заволжских святынях и легендах не сведущие. Местные, те сразу бы сообразили.

Однако, поскольку и среди наших читателей могут случиться люди посторонние, в Заволжской губернии никогда не бывавшие и даже, возможно, о ней не слышавшие, прежде чем описать разговор, который произошел в архивном помещении, сделаем некоторые разъяснения, могущие показаться чересчур пространными, но для ясности дальнейшего повествования совершенно необходимые.

* * *

С чего бы уместнее начать?

Пожалуй, с Арарата. Вернее, с Нового Арарата, Ново-Араратского монастыря, прославленной обители, что находится на самом севере нашей обширной, но малонаселенной губернии. Там, среди вод Синего озера, по своим размерам более похожего на море (в народе его так и называют: «Сине-море»), на лесистых островах, издревле спасались от суеты и злобы святые старцы. По временам монастырь приходил в запустение, так что на всем архипелаге по уединенным кельям и пустынькам оставалась лишь малая горстка отшельников, но вовсе не угасал никогда, даже в Смутное время.

У такой живучести имелась одна особенная причина, именуемая «Василисков скит», но о ней мы расскажем чуть ниже, ибо скит всегда существовал как бы наособицу от собственно монастыря. Последний же в девятнадцатом столетии, под воздействием благоприятных условий нашего мирного, спокойно устроенного времени стал что-то уж очень пышно расцветать — сначала благодаря моде на северные святыни, распространившейся среди состоятельных богомольцев, а в совсем недавнюю пору радением нынешнего архимандрита отца Виталия II, именуемого так, потому что в прошлом столетии в обители уже был настоятель того же прозванья.

Этот незаурядный церковный деятель привел Новый Арарат к доселе небывалому процветанию. Будучи приукажен заведовать тихим островным монастырем, высокопреподобный справедливо рассудил, что мода — особа ветреная и, пока она не обратила свой взор в сторону какой-либо иной, не менее почтенной обители, надобно извлечь из притока пожертвований всю возможную пользу.

Начал он с замены прежней монастырской гостиницы, ветхой и худосодержанной, на новую, с открытия превосходной постной кухмистерской, с устроения лодочных катаний по протокам и бухточкам, чтоб приезжие из числа состоятельных людей не спешили уезжать из благословенных мест, которые по своим красотам, чистоте воздуха и общей природной умиленности никак не уступают лучшим финским курортам. А потом, искусно расходуя образовавшийся излишек средств, принялся понемногу создавать сложное и весьма доходное хозяйство, с механизированными фермами, иконописной фабрикой, рыболовной флотилией, коптильнями и даже скобяным заводиком, изготовляющим лучшие во всей России оконные задвижки. Построил и водопровод, и даже рельсовую дорогу от пристани к складам. Кое-кто из опытных старцев заропта́л, что жить в Новом Арарате стало неспасительно, но голоса эти звучали боязливо и наружу почти вовсе не просачивались, заглушаемые бодрым стуком кипучего строительства. На главном острове Ханаане настоятель возвел множество новых зданий и храмов, которые поражали массивностью и великолепием, хотя, по мнению знатоков архитектуры, не всегда отличались непогрешительным изяществом.

Несколько лет назад ново-араратское «экономическое чудо» приезжала исследовать специальная правительственная комиссия во главе с самим министром торговли и промышленности многоумным графом Литте — нельзя ли позаимствовать опыт столь успешного развития для пользы всей империи.

Оказалось, что нельзя. По возвращении в столицу граф доложил государю, что отец Виталий является адептом сомнительной экономической теории, полагающей истинное богатство страны не в природных ресурсах, а в трудолюбии населения. Хорошо архимандриту, когда у него население особенное: монахи, выполняющие все работы под видом монастырского послушания, да еще безо всякого жалования. Стоит такой работник у маслобойной машины или, скажем, токарного станка и не думает ни о семье, ни о бутылке — знай себе душу спасает. Отсюда и качество продукции, и ее немыслимая для конкурентов дешевизна.

Для Российского государства эта экономическая модель решительно не годилась, но в пределах вверенного отцу Виталию архипелага явила поистине замечательные плоды. Пожалуй, монастырь со всеми его поселками, мызами, хозяйственными службами и сам напоминал собою небольшое государство — если не суверенное, то, во всяком случае, обладающее полным самоуправлением и подотчетное единственно губернскому архиерею преосвященному Митрофанию.

Монахов и послушников на островах при отце Виталии стало числиться до полутора тысяч, а население центральной усадьбы, где кроме братии проживало еще и множество наемных работников с чадами и домочадцами, теперь не уступало уездному городу, особенно если считать паломников, поток которых, вопреки опасениям настоятеля, не только не иссяк, но еще и многократно увеличился. Теперь, когда монастырская экономика прочно встала на ноги, высокопреподобный, верно, охотно обошелся бы и без богомольцев, которые лишь отвлекали его от неотложных дел по управлению ново-араратской общиной (ведь среди паломников попадались знатные и влиятельные особы, требующие особенного обхождения), но тут уж ничего поделать было нельзя. Люди шли и ехали из дальнего далека, а после еще плыли через огромное Синее озеро на монастырском пароходе не для того, чтобы посмотреть на промышленные свершения рачительного пастыря, а чтоб поклониться ново-араратским святыням и первой из них — Василискову скиту.

Сей последний, впрочем, для посещений был совершенно недоступен, ибо находился на малом лесистом утесе, носящем название Окольнего острова и расположенном прямо напротив Ханаана, но только не обжитой его стороны, а пустынной. Богомольцы, прибывавшие в Новый Арарат, имели обыкновение опускаться у воды на колени и благоговейно взирать на островок, где обретались святые схимники, молители за всё человечество.

Однако про Василисков скит, а также про его легендарного основателя, как и было обещано, расскажем пообстоятельней.

* * *

Давным-давно, лет шестьсот, а может и восемьсот назад (в точной хронологии «Житие святого Василиска» несколько путается) брел через дремучие леса некий отшельник, про которого достоверно известно лишь, что звали его Василиском, что лет он был немалых, жизнь прожил трудную и в начале своем какую-то особенно неправедную, но на склоне лет озаренную светом истинного раскаяния и жажды Спасения. Во искупление прежних, преступно прожитых лет взял монах обет: обойти всю землю, пока не сыщется места, где он сможет лучше всего послужить Господу. Иногда в каком-нибудь благочестивом монастыре или, наоборот, среди безбожных язычников ему казалось, что вот оно, то самое место, где должно остаться смиренному иноку Василиску, но вскорости старца брало сомнение — а ну как некто другой, пребывая там же, послужит Всевышнему не хуже, и, подгоняемый этой мыслью, которая безусловно ниспосылалась ему свыше, монах шел дальше и нигде не находил того, что искал.

И вот однажды, раздвинув густые ветви ельника, он увидел перед собой синюю воду, начинавшуюся прямо от края леса и уходившую навстречу хмурому небу, чтобы сомкнуться с ним. Прежде Василиску видеть так много воды не приходилось, и в своем простодушии он принял это явление как великое чудо Господне, и преклонил колена, и молился до самой темноты, а потом еще долго в темноте.

И было иноку видение. Огненный перст рассек небо на две половины, так что одна сделалась светлая, а другая черная, и вонзился во вспенившиеся воды. И громовой голос возвестил Василиску: «Нигде боле не ищи. Ступай туда, куда показано. Там место, от коего до Меня близко. Служи Мне не среди человеков, где суета, а среди безмолвия, и через год призову тебя».

В спасительном своем простодушии монах и не подумал усомниться в возможности осуществления этого диковинного требования — идти в середину моря, и пошел, и вода прогибалась под ним, но держала, чему Василиск, памятуя о евангельском водохождении, не очень-то и удивлялся. Шел себе и шел, читая «Верую» — всю ночь, и после весь день, а к вечеру стало ему страшно, что не найдет он среди водной пустыни того места, куда указал перст. И тогда чернецу было явлено второе чудо кряду, что в житиях святых бывает нечасто.

Когда стемнело, старец увидел вдали малую огненную искорку и повернул на нее, и со временем узрел, что это сосна, пылающая на вершине холма, а холм восстает прямо из воды, и за ним еще земля, пониже и пошире (это был нынешний Ханаан, главный остров архипелага).

И поселился Василиск под опаленной сосной в пещере. Прожил там некоторое время в полном безмолвии и непрестанном мысленном молитвочтении, а год спустя Господь исполнил обещанное — призвал раскаявшегося грешника к Себе и дал ему место у Своего Престола. Скит же, а впоследствии образовавшийся по соседству монастырь был назван Новым Араратом в ознаменование горы, которая единственно осталась возвышаться над водами, когда «разверзошася вси источницы бездны и хляби небесные», и спасла праведных.

«Житие» умалчивает, откуда преемники Василиска узнали про Чудо о Персте, если старец хранил столь неукоснительное молчание, но будем снисходительны к древнему преданию. Делая уступку скептицизму нашего рационалистического века, допускаем даже, что святой основатель скита добрался до островов не чудодейственным водохождением, а на каком-нибудь плоту или, скажем, на выдолбленном бревне — пускай. Но вот вам факт неоспоримый, проверенный многими поколениями и, если угодно, даже подтверждаемый документально: никто из схимников, селившихся в подземных кельях Василискова скита, не ожидал Божьего призвания долгое время. Через полгода, через год, много через полтора все избранники, алкавшие спасения, достигали желаемого и, оставив позади кучку костяного праха, возносились из царства земного в Иное, Небесное. И дело тут не в скудной пище, не в суровости климата. Известны ведь многие другие скиты, где отшельники свершали еще не такие подвиги пустынножительства и плоть умерщвляли куда истовей, а только Господь прощал и принимал их гораздо неспешнее.

Потому и пошла молва, что из всех мест на земле Василисков скит к Богу самый ближний, расположенный на самой околице Царствия Небесного, отсюда и другое его название: Окольний остров. Некоторые, кто на архипелаг впервые приехал, думали, что это он так назван из-за близости к Ханаану, где все храмы и пребывает архимандрит. А он, островок этот, не от архимандрита, он от Бога был близко.

Жили в том ските всегда только трое особенно заслуженных старцев, и для ново-араратских монахов не было выше чести, чем завершить свой земной путь в тамошних пещерах, на костях прежних праведников.

Конечно, далеко не все из братии рвались к скорому восшествию в Иное Царство, потому что и среди монахов многим земная жизнь представляется более привлекательной, чем Следующая. Однако же в волонтерах недостатка никогда не бывало, а напротив имелась целая очередь жаждущих, в которой, как и положено для всякой очереди, случались ссоры, споры и даже нешуточные интриги — вот как иным монахам не терпелось поскорее переплыть узкий проливчик, что отделял Ханаан от Окольнего острова.

Из трех схимников один считался старшим и посвящался в игумены. Только ему скитский устав раз-

решал отворять уста — для произнесения не более, чем
пяти слов, причем четыре из них должны были непременно происходить из Священного Писания и лишь
одно допускалось вольное, в котором обычно и содержался главный смысл сказанного. Говорят, в древние
времена схиигумену не позволялось и этого, но после
того, как на Ханаане возродился монастырь, пустын-
ники уже не тратили время на добывание скудного
пропитания — ягод, кореньев и червей (более ничего
съедобного на Окольнем острове отродясь не водилось), а получали все необходимое из обители. Теперь святые отшельники коротали время, вырезая
кедровые четки, за которые паломники платили монастырю немалые деньги — бывало, до тридцати рублей за одну низку.

Раз в день к Окольнему подплывала лодка — заб-
рать четки и доставить необходимое. К лодке выходил
скитоначальник и произносил короткую цитацию, в
которой содержалась просьба, обычно практического
характера: доставить неких припасов, или лекарств,
или обувь, или теплое покрывало. Предположим, старец говорил: «Принесе ему и даде *одеяло*» или «Да
принесется вода *грушева*». Тут начало речений взято
из Книги Бытия, где Исаак обращается к сыну своему
Исаву, а последнее слово подставлено по насущной
надобности. Лодочник запоминал сказанное, переда-
вал слово в слово отцу эконому и отцу келарю, а те уж
проникали в смысл — бывало, что и неуспешно. Взять
хоть ту же «воду грушеву». Рассказывают, однажды
схиигумен мрачно изрек, показывая посох одного из
старцев: «Излияся вся утроба его». Монастырское начальство долго листало Писание, обнаружило эти странные слова в «Деяниях апостолов», где описано самоубийство презренного Иуды, и ужасно перепугалось,

решив, что схимник свершил над собой худший из смертных грехов. Три дня звонили в колокола, строжайше постились и служили молебны во очищение от скверны, а после оказалось, что со старцем всего лишь приключилась поносная хворь и схиигумен просил прислать грушевого отвара.

Когда старейший из пустынников говорил лодочнику: «Ныне отпущаеши раба Твоего», это означало, что один из отшельников допущен к Господу, и на образовавшуюся вакансию тут же поступал новый избранник, из числа очередников. Иногда роковые слова произносил не схиигумен, а один из двух прочих молчальников. Так в монастыре узнавали, что прежний старец призван в Светлый Чертог и что в скиту отныне новый управитель.

Как-то раз, тому лет сто, на одного из схимников напал приплывший с дальних островов медведь и принялся драть несчастного. Тот возьми да закричи: «Братие, братие!» Прибежали двое остальных, прогнали косолапого посохами, но после жить с нарушившим обет молчания не пожелали — отослали в монастырь, отчего изгнанный стал скорбен духом и вскоре помер, больше ни разу не растворив уст, но был ли допущен пред Светлые Господни Очи или пребывает среди грешных душ, неизвестно.

Что еще сказать про пустынников? Ходили они в черном одеянии, которое представляло собой род груботканого мешка, перетянутого вервием. Куколь у схимников был узок, опущен на самое лицо и сшит краями в ознаменование полной закрытости от суетного мира. Для глаз в этом остроконечном колпаке проделывались две дырки. Если паломники, молившиеся на ханаанском берегу, видели на островке кого-то из святых старцев (это бывало крайне редко и почиталось за особую удачу), то взору наблюдающих представал некий черный куль, медленно передвигающийся средь мшистых валунов — будто и не человек вовсе, а бесплотная тень.

Ну а теперь, когда рассказано и про Новый Арарат, и про скит, и про святого Василиска, пора вернуться в судебный архив, где владыка Митрофаний уже приступил к допросу ново-араратского чернеца Антипы.

* * *

«Что со скитом неладно, наши уж давно говорят. (Так начал свой невероятный рассказ немного успокоившийся от оплеух и чаю брат Антипа.) В самое Преображение, к ночи, вышел Агапий, послушник, на косу постирать исподнее для старшей братии. Вдруг видит — у Окольнего острова на воде как бы тень некая. Ну, тень и тень, мало ль чего по темному времени привидится. Перекрестился Агапий и знай себе дальше полощет. Только слышит: будто звук тихий над водами. Поднял голову — Матушка-Богородица! Черная тень висит над волнами, оных словно бы и не касаясь, и слова слышно, неявственно. Агапий разобрал лишь: «Проклинаю» и «Василиск», но ему и того довольно было. Побросал недостиранное, понесся со всех ног в братские келии и давай кричать — Василиск, мол, воротился, собою гневен, всех проклятию предает.

Агапий — отрок глупый, в Арарате недавно, и веры ему ни от кого не было, а за брошенное белье, волною смытое, его отец подкеларь еще и за виски оттаскал. Но после того стала черная тень и другим из братии являться: сначала отцу Иларию, старцу весьма почтенному и воздержному, потом брату Мельхиседеку, после брату Диомиду. Всякий раз ночью, когда луна. Слова всем слышались различные: кому проклятие, кому увещевание, а кому и вовсе нечленораздельное — это уж смотря в какую сторону ветер дул, но видели все одно и то ж, на чем перед самим высокопреподобным Виталием икону целовали: некто черный в одеянии до пят и остроконечном куколе, как у островных старцев, парил над водами, говорил слова и грозно перст воздевал.

Архимандрит, доведавшись про чудесные явления, братию разбранил. Сказал, знаю я вас, шептунов. Один дурак ляпнет, а другие уж и рады звонить. Истинно говорят, чернец хуже бабы болтливой. И еще ругал всяко, а потом строжайше воспретил после темна на ту сторону Ханаана ходить, где Постная коса к Окольнему острову тянется».

Здесь преосвященный прервал рассказчика:

— Да, помню. Писал мне отец Виталий про глупые слухи, сетовал на монашеское дурноумие. По его суждению, проистекает это от безделья и праздности, отчего он испрашивал моего благословения привлекать на общинополезные работы всю братию вплоть до иеромонашеского чина. Я благословил.

А сестра Пелагия, воспользовавшись перерывом в повествовании, быстро спросила:

— Скажите, брат, а сколько примерно саженей от того места, где видели Василиска, до Окольнего острова? И далеко ли в воду коса выходит? И еще: где именно тень парила — у самого скита или все же в некотором отдалении?

Антипа поморгал, глядя на суелюбопытную монашку, но на вопросы ответил:

— От косы до Окольнего саженей с полста будет. А что до заступника, то допрежь меня его только издали видали, с нашего берега толком и не разглядеть. Ко мне же Василиск близехонько вышел, вот как отсюда до той картинки.

И показал на фотографический портрет заволжского губернатора на противоположной стене, до которой было шагов пятнадцать.

— Уже не «тень некая», а так-таки сам заступник Василиск? — рыкнул на монаха епископ громоподобно и свою густую бороду пятерней ухватил, что служило у него знаком нарастающего раздражения. — Прав Виталий! Вы, чернецы, хуже баб базарных!

От грозных слов Антипа вжал голову в плечи и говорить далее не мог, так что пришлось Пелагии придти ему на помощь. Она поправила свои железные очочки, убрала под плат выбившуюся прядку рыжих волос и укоризненно молвила:

— Владыко, сами всегда говорите о вредности скороспелых заключений. Дослушать бы святого отца, не перебивая.

Антипа еще пуще напугался, уверенный, что от этакой дерзости архиерей вовсе в озлобление войдет, но Митрофаний на сестру не рассердился и гневный блеск в глазах поумерил. Махнул иноку рукой:

— Продолжай. Да только смотри, без вранья.

И рассказ был продолжен, хоть и несколько отягощенный оправданиями, в которые счел нужным пуститься устрашенный Антипа.

«Я ведь почему архимандритова наказа ослушался. У меня послушание травником состоять и братию лечить, кто ходить к мирскому лекарю за грех почитает. А у нас, монастырских травников, ведь как — всякую траву нужно всенепременно в день особого заступника собирать. На Постной косе, что напротив скита, самое травное место на всем Ханаане. И кирьяк произрастает от винного запойства по заступничеству великомученика Вонифатия, и охолонь-трава от блудныя страсти по заступничеству преподобной Фомаиды, и

лядуница в сохранение от злого очарования по заступничеству священномученика Киприяна, и много иных
целительных растений. Я уж и так из-за воспрещения
ни почечуйника, ни драгоморы, которые на ночной росе
рвать нужно, не собирал. А на великомученицу Евфи-
мию, что от трясовичной болезни бережет, шуша-по-
здняя расцветает, ее, шушу эту, и брать-то можно в
одну только ночь во весь год. Разве можно было пропу-
стить? Ну и ослушался.

Как вся братия ко сну отошла, я потихоньку во
двор, да за ограду, да полем до Прощальной часовни,
где схимников перед помещением во скит запирают, а
там уж и Постная коса близко. Сначала боязно было,
всё крестился, по сторонам оглядывался, а потом ничего, осмелел. Шушу-позднюю искать трудно, тут привычка нужна и немалое старание. Темно, конечно, но
у меня при себе лампа была, масляная. Я ее с одной
стороны тряпицей завесил, чтоб не увидали. Ползаю
себе на карачках, цветки обрываю и уж не помню ни
про архимандрита, ни про святого Василиска. Спустился к самому краю гряды, дальше уж только вода да
кое-где камни торчат. Хотел поворачивать обратно.
Вдруг слышу из темноты...»

От страшного воспоминания монах сделался бле-
ден, часто задышал, стал клацать зубами, и Пелагия
подлила ему из самовара кипятку.

«Благодарствую, сестрица... Вдруг из темноты голос, тихий, но проникновенный, и каждое слово ясно
слышно: «Иди. Скажи всем». Я повернулся к озеру, и
стало мне до того ужасно, что уронил я и лампу, и
травосборную суму. Над водою — образ смутный, узкий, будто на камне кто стоит. Только никакого камня там нет. Вдруг... вдруг сияние неземное, яркое, много
ярче, чем от газовых лампад, что у нас в Ново-Арарате

нынче на улицах горят. И тут уж предстал он предо мною во всей очевидности. Черный, в рясе, за спиною свет разливается, и стоит прямо на хляби — волна мелкая под ногами плещется. «Иди, — речет. — Скажи. Быть пусту». Молвил и перстом на Окольний остров показал. А после шагнул ко мне прямо по воде — и раз, и другой, и третий. Закричал я, руками замахал, поворотился и побежал что было мочи...»

Монах завсхлипывал, вытер нос рукавом. Пелагия вздохнула, погладила страдальца по голове, и от этого Антипа совсем расклеился.

— Побежал к отцу архимандриту, а он лается грубобранными словами — не верит, — плачущим голосом стал жаловаться он. — Посадил в скудную, под замок, на воду и корки. Четыре дни там сидел, трясся и целоденно молился, вся внутрення ссохлась. Вышел — шатаюсь. А мне уж от высокопреподобного новое послушание уготовлено: из Ханаана на Укатай, самый дальний остров, плыть и впредь там состоять, при гадючьем питомнике.

— Зачем это — гадючий питомник? — удивился Митрофаний.

— А это архимандрита доктор Коровин надоумил, Донат Саввич. Хитрого ума мужчина, высокопреподобный его слушает. Сказал, гадючий яд нынче у немцев в цене, вот мы теперь аспидов и разводим. Яд из ихних мерзких пастей давим и в немецкую землю шлем. Тьфу! — Антипа перекрестил рот, чтоб не осквернится злым плеванием, и полез рукой за пазуху. — Только опытнейшие и богомудрейшие из старцев, тайно собравшись, приговорили мне на Укатай не ехать, а самовольно бежать из Арарата к вашему преосвященству и всё, что видел и слышал, донести. И письмо мне с собою дали. Вот.

Владыка, насупившись, взял серый листок, нацепил пенсне, стал читать. Пелагия не церемонясь заг-
лядывала ему через плечо.

Преосвященнейший и пречестнейший владыко!
Мы, нижепоименованные иноки Ново-Араратского
общежительного монастыря, смиренно припадаем к
стопам Вашего преосвященства, моля, чтоб в премуд-
рости своей Вы не обратили на нас своего архипас-
тырского гнева за своеволие и дерзновенность. Если
мы и посмели ослушаться нашего высокопреподобней-
шего архимандрита, то не из стропотности, а единственно из страха Божия и ревности служения Ему. Без-
временно-мечтанен труд жития земного, и человеки
падки на пустые вымыслы, но всё, что поведает Вашему преосвященству брат Антипа — истинная правда,
ибо сей инок известен средь нас как брат нелживый,
нестяжательный и к суетным мечтаниям не расположенный. А также и все мы, подписавшиеся, видели то
же, что и он, хоть и не в такой близости.

Отец Виталий ожесточил против нас свое сердце и нам не внимает, а между тем в братии разброд
и шатание, да и страшно: что может означать тягостное это знамение? Пошто святой Василиск, храни-
тель сей славной обители, перстом грозится и на
свой пресветлый скит хулу кладет? И слова «быть
пусту» — к чему они? О ските ли сказаны, о монастыре ли, либо же, быть может, в еще более широком
значении, о чем нам, малоумным, и помыслить боязно? Лишь Вашему преосвященству дозволено и
возможно толковать эти страшные видения. Потому
и молим Вас, пречестнейший владыко, не велите ка-
рать ни нас, ни брата Антипу, а пролейте на сие ужасное происшествие свет Вашей мудрости.

Просим святых молитв Ваших, низко кланяемся и остаемся недостойные Ваши сомолитвенники и многогрешные слуги

Иеромонах Иларий
Иеромонах Мельхиседек
Инок Диомид.

— Отцом Иларием писано, — почтительно пояснил Антипа. — Ученейший муж, из академиков. Если б пожелал, мог бы игуменом быть или даже того выше, но вместо этого у нас спасается и мечтает в Василисков скит попасть, он на очереди первый. А теперь такое для него огорчение...

— Знаю Илария, — кивнул Митрофаний, разглядывая прошение. — Помню. Неглуп, искренней веры, только очень уж истов.

Архиерей снял пенсне, оценивающе осмотрел гонца.

— А что это ты, сын мой, такой ободранный? И почему без шапки? Не от самого же Арарата ты лошадей гнал? По воде это вряд ли и возможно, если, конечно, ты не способен к водохождению навроде Василиска.

Этой шуткой епископ, верно, хотел ободрить монаха и привести его в более спокойное состояние, необходимое для обстоятельной беседы, но результат вышел прямо обратный.

Антипа вдруг вскочил со стула, подбежал к узкому оконцу хранилища и стал выглядывать наружу, бессвязно бормоча:

— Господи, да как же я забыл-то! Ведь он уж тут, поди, в городе! Пресвятая Заступница, сбереги и защити!

Оборотился к владыке и зачастил:

— Я лесом ехал, к вам поспешал. Это мне исправ-ник, как я в Синеозерске с корабля сошел, свою ко-ляску дал, чтоб в Заволжск скорей прибыть. Уже и в Синеозерске про явление Василиска слышали. А как стал я к городу подъезжать, вдруг над соснами *он*!

— Да кто он-то? — в сердцах воскликнул Митро-фаний.

Антипа бухнулся на колени и пополз к преосвя-щенному, норовя ухватить за полу.

— Он самый, Василиск! Видно, за мной припустил, семиверстными шагами или по воздуху! Черный, ог-ромный, поверх деревьев глядит и глазища пучит! Я лошадей-то и погнал. Ветки по лицу хлещут, ветер свищет, а я всё гоню. Хотел вас упредить, что уж близ-ко он!

Сообразительная Пелагия догадалась первой, в чем дело.

— Это он про памятник, отче. Про Ермака Тимофе-евича.

Здесь нужно пояснить, что в позапрошлый год, по велению губернатора Антона Антоновича фон Гагге-нау, на высоком берегу Реки поставили величествен-ный монумент «Ермак Тимофеевич несет благую весть Востоку». Этот памятник, самый большой во всем По-речье, составляет теперь особенную гордость нашего города, которому ничем другим перед именитыми со-седями, Нижним Новгородом, Казанью или Самарой, похвастать и нечем. Должно же у каждой местности свое основание для гордости быть! У нас вот теперь есть.

Некоторыми историками считается, что знамени-тый сибирский поход, последствиям которого империя обязана большей частью своих необъятных земельных владений, Ермак Тимофеевич начал именно из нашего края, в память чего и воздвигнут бронзовый исполин. Этот ответственный заказ был доверен одному заволжскому скульптору, возможно, не столь даровитому, как иные столичные ваятели, зато истинному патриоту края и вообще очень хорошему человеку, горячо любимому всеми заволжанами за душевную широту и добросердечие. Шлем покорителя Сибири у скульптора и в самом деле получился несколько похожим на монашеский клобук, что и привело бедного брата Антипу, незнакомого с нашими новшествами, в суеверное заблуждение.

Это еще что! Прошлой осенью капитан буксира, тянувшего за собой баржи с астраханскими арбузами, выплыв из-за излучины и увидев над кручей пучеглазого истукана, с перепугу посадил всю свою флотилию на мель, так что потом по Реке несколько недель плыли зелено-полосатые шары, устремившись в родные широты. И это, заметьте, капитан, а какой спрос с убогого инока?

Объяснив Антипе ошибку и кое-как успокоив его, Митрофаний отправил монаха в епархиальную гостиницу дожидаться решения его участи. Ясно было, что возвращать беглеца к суровому ново-араратскому архимандриту невозможно, придется приискать место в какой-нибудь иной обители.

Когда же епископ и его духовная дочь остались наедине, владыка спросил:

— Ну, что думаешь про сию нелепицу?

— Верю, — без колебания ответила Пелагия. — Я смотрела брату Антипе в глаза, он не лжет. Описал, как видел, и ничего не прибавил.

Преосвященный задвигал бровями, подавляя неудовольствие. Сдержанно произнес:

— Ты это нарочно сказала, чтоб меня подразнить. Ни в каких призраков ты не веришь, уж мне ль тебя не знать.

Однако тут же спохватился, что попал в ловушку, расставленную лукавой помощницей, и погрозил ей пальцем:

— А, это ты в том смысле, что он сам верит в свои бредни. Примерещилось ему нечто, по-научному именуемое галлюцинацией, он и принял за подлинное событие. Так?

— Нет, отче, не так, — вздохнула монахиня. — Человек это простой, не вздорный, или, как сказано в письме, «к суетным мечтаниям не расположенный». У таких людей галлюцинаций не бывает — слишком мало фантазии. Я думаю, ему воистину явился некто и говорил с ним. И потом, не один Антипа этого Черного Монаха видел, есть ведь другие очевидцы.

Терпение никогда не входило в число достоинств губернского архиерея, и, судя по багровой краске, залившей высокий лоб и щеки Митрофания, теперь оно было исчерпано.

— А про взаимное внушение, примеры которого в монастырях столь нередки, ты позабыла? — взорвался он. — Помнишь, как в Мариинской обители сестрам стал бес являться: сначала одной, потом другой, а после и всем прочим? Расписывали его во всех подробностях и слова пересказывали, которых честным инокиням узнать неоткуда. Сама же ты и присоветовала тогда нервно-психического врача в монастырь послать!

— То было совсем другое, обычная женская истерика. А тут свидетельствуют опытные старцы, — возразила монахиня. — Непокойно в Новом Арарате, добром это не кончится. Уже и до Заволжска слухи про Черного Монаха дошли. Надо бы разобраться.

— В чем разбираться-то, в чем?! Неужто ты вправду в привидения веришь? Стыдись, Пелагия, суеверие это! Святой Василиск уж восемьсот лет как преставился, и незачем ему вокруг острова по водам крейсировать, безмозглых монахов стращать!

Пелагия смиренно поклонилась, как бы признавая полное право епископа на гневливость, но в голосе ее смирения было немного, а уж в словах и подавно:

— Это в вас, владыко, мужская ограниченность говорит. Мужчины в своих суждениях чересчур полагаются на зрение в ущерб прочим пяти чувствам.

— Четырем, — не преминул поправить Митрофаний.

— Нет, владыко, пяти. Не все, что есть на свете, возможно уловить зрением, слухом, осязанием, обонянием и вкусом. Есть еще одно чувство, не имеющее названия, которое даровано нам для того, чтобы мы могли ощущать Божий мир не только лишь телом, но и душой. И даже странно, что я, слабая умом и духом черница, принуждена вам это изъяснять. Не вы ли множество раз говорили об этом чувстве и в проповедях, и в частных беседах?

— Я имел в виду веру и нравственное мерило, которое всякому человеку от Бога дано! Ты же мне про какую-то фата-моргану толкуешь!

— А хоть бы и про фата-моргану, — упрямо качнула головой монахиня. — Вокруг и внутри нашего мира есть и другой, невидимый, а может, даже не один. Мы, женщины, чувствуем это лучше, чем мужчины, потому что меньше боимся чувствовать. Ведь вы же, владыко, не станете опровергать, что есть места, от которых на душе светло (там обычно Божьи храмы возводят), а есть и такие, от которых по душе мурашки? И причины никакой нет, а только ускоришь шаг да еще и перекреститься. Я всегда вот так мимо Черного Яра пробегала, с ознобом по коже. И что же? На том самом месте пушку и нашли!

Этот аргумент, приведенный Пелагией в качестве неоспоримого, требует пояснения. Под Черным Яром, расположенным в полуверсте от Заволжска, два года тому отрыли клад: старинную бронзовую мортирку, сплошь набитую червонцами и самоцветами, — видно, лежала в земле с тех времен, когда гулял по здешним краям пугачевский «енарал» Чика Зарубин, произведенный самозванцем в графы Чернышевы. То-то, поди, слез и крови пролил, собирая этакое сокровище. (Заметим кстати, что на те самые деньги и на том самом месте возведен великолепный монумент, до полусмерти напугавший брата Антипу.)

Но довод про пушку преосвященного не убедил. Митрофаний только рукой плеснул:

— Ну, про озноб это ты после себе напридумывала.

И препирались так архиерей и его духовная дочь еще долго, так что чуть вовсе не разругались. Поэтому конец спора о суеверии мы опустим и перейдем сразу к его практическому завершению, произошедшему уже не в судебном архиве, а на епископском подворье, во время праздничного чаепития.

* * *

На чаепитие, устроенное назавтра в честь благополучного исхода судебного процесса, преосвященный позвал кроме сестры Пелагии еще одного из своих духовных чад, товарища окружного прокурора Матвея Бенционовича Бердичевского, также причастного к состоявшемуся триумфу справедливости. На столе рядом с самоваром стояла бутылка кагора, а уж сластей было истинное изобилие: и пряники, и цукаты, и всякие варенья, и непременные яблочные зефирки, до которых владыка был великий любитель.

Сидели в трапезной, где на стенах висели копии с двух любимейших Митрофанием икон: чудотворной «Умягчение злых сердец» и малоизвестной «Лобзание Христа Спасителя Иудой», великолепно написанных, в дорогих серебряных окладах. Поместил их тут преосвященный не просто так, а со значением — в напоминание себе о главном в христианской вере: всепрощении и приятии Господом любой, даже самой подлой души, потому что нет таких душ, для которых не существует совсем никакой надежды на спасение. Об этом, в особенности о всепрощении, архиерей в силу страстности характера был склонен забывать, знал за собой этот грех и стремился преодолеть.

Поговорили об окончившемся процессе, вспоминая разные его повороты и перипетии, потом о грядущем прибавлении в семействе Бердичевского — будущий отец беспокоился из-за того, что ребенок выйдет по счету тринадцатым, а владыка над юристом посмеивался: мол, из вас, выкрестов-неофитов, вечно самые мракобесы получаются, и корил Матвея Бенционовича за суеверие, постыдное для просвещенного человека.

Отсюда, от суеверия, беседа естественным образом повернула на Черного Монаха. Следует отметить, что первым об этом таинственном явлении заговорил не кто-нибудь, а товарищ окружного прокурора, который, как мы помним, при объяснении в архиве не присутствовал и даже вовсе о нем не знал.

Оказалось, что про вчерашнюю гонку, устроенную ново-араратским монахом по улицам, уже говорит весь город. Известно стало и про явление Василиска, и про недобрые предзнаменования. Брат Антипа, нахлестывая лошадей, мало того что переехал кошку влиятельной заволжской жительницы Олимпиады Савельевны Шестаго, но еще и кричал всякие тревожные слова — «Спасайтесь, православные!», «Василиск грядет!» и прочее, а также требовал сообщить, где найти архиерея.

Получалось, что сестра Пелагия давеча была права: без последствий произошедшее оставить невозможно. С этим, остыв после вчерашнего раздражения, преосвященный уже не спорил, но по части принятия мер среди пирующих обнаружилось несогласие.

Все свои многочисленные успехи на архипастырском поприще Митрофаний приписывал Господу, смиренно признавая себя только видимым орудием невидимо действующей Силы, и на словах был совершеннейший фаталист, любил повторять: «Ежели Богу угодно, то непременно сбудется, а если Богу не угодно, то и мне не надобно». Но на деле больше руководствовался максимой «На Бога надейся, а сам не плошай» и, надо сказать, плошал редко, не обременял Господа лишними заботами.

Нечего и говорить, что епископ сразу же загорелся ехать в Новый Арарат сам, чтобы вразумить и пресечь (вероятие какой-либо подлинной мистики допустить он решительно отказывался и видел в Василисковом явлении либо повальное замутнение рассудка, либо чью-то каверзу).

Осмотрительный Матвей Бенционович владыку от поездки отговаривал. Высказывался в том смысле, что слухи — материя трудносмиряемая и опасная. На каждый роток не накинешь платок. Административное вмешательство в подобных случаях дает такой же эффект, как если тушить пожар керосином — только пуще огонь распалить. Предложение Бердичевского было следующее: преосвященному на острова ни в коем случае не плыть и вообще делать вид, будто ничего там особенного не происходит, а потихоньку послать в Новый Арарат толкового и тактичного чиновника, который во всем разберется, найдет источник слухов и представит исчерпывающий доклад. Ясно было, что под «толковым чиновником» Матвей Бенционович имеет в виду себя, являя всегдашнюю готовность забыть обо всех текущих делах и даже семейных обстоятельствах, если может принести пользу своему духовному наставнику.

Что до Пелагии, то, соглашаясь с Бердичевским относительно нецелесообразности архиерейской инспекции, монахиня не видела резона и в откомандировании на острова светского человека, который, во-первых, может не понять всей тонкости монастырского быта и монашеской психологии, а во-вторых... Нет, лучше уж привести этот второй аргумент дословно, чтобы он целиком остался на совести полемистки.

— В вопросах, касающихся непостижимых явлений и душевного трепета, мужчины слишком прямолинейны, — заявила Пелагия, быстро пощелкивая спицами — после третьего стакана чаю она, испросив у владыки позволения, достала вязанье. — Мужчины нелюбопытны ко всему, что им представляется неважным, а в неважном подчас таится самое существенное. Где нужно что-нибудь построить, а еще лучше сломать — там мужчинам равных нет. Если же нужно проявить терпение, понимание, а возможно, и сострадание, то лучше доверить дело женщине.

— Так женщина при виде призрака сразу в обморок бухнется или того пуще истерику закатит, — поддразнил инокиню архиерей. — И не выйдет никакого толку.

Пелагия посмотрела на поползший вкривь и вкось ряд, вздохнула, но распускать не стала — пусть уж будет, как будет.

— Нипочем женщина в обморок не упадет и истерики не устроит, если рядом мужчин нет, — сказала она. — Женские обмороки, истерики и плаксивость — это все мужские выдумки. Вам хочется нас слабыми да беспомощными представлять, вот мы под вас и подстраиваемся. Для дела было бы лучше всего, если б вы, отче, благословили дать мне отпуск недельки на две, на три. Я бы съездила на Ханаан, поклонилась тамошним святыням, а заодно и посмотрела, что за призрак у них там витает над водами. В училище же с моими девочками пока позанимались бы сестра Аполлинария и сестра Амвросия. Одна гимнастикой, другая литературой, и всё отлично бы устроилось...

— Не выйдет, — с видимым удовольствием прервал мечтания духовной дочери преосвященный. — Или ты забыла, Пелагиюшка, что на Арарат монахиням хода нет?

И этим инокине сразу рот закрыл.

В самом деле, по суровому ново-араратскому уставу черницам и послушницам путь на острова был заказан. Постановление это древнее, трехсотлетней давности, но и поныне исполнялось неукоснительно.

Так было не всегда. В старину на Ханаане рядом с мужским монастырем располагалась и женская обитель, только от этого соседства стали происходить всякие соблазны и непотребства, поэтому, когда патриарх Никон, радея о восстановлении чести иноческого сословия, повсеместно устрожил монастырские уставы, Ново-Араратскую женскую обитель упразднили и монахиням на Синем озере появляться запретили. Мирянкам на богомолие можно, и многие ездили, а Христовым невестам — нельзя, для них другие святыни есть.

Пелагия, кажется, хотела что-то возразить Митрофанию, но, взглянув на Бердичевского, промолчала. Таким образом дискуссия о Черном Монахе, затеянная триумвиратом умнейших людей Заволжской губернии, зашла в тупик.

Разрешил затруднение, как обычно и случалось в подобных случаях, преосвященный Митрофаний — во всегдашней своей парадоксальной манере. У владыки была целая теория о полезности парадоксов, которые имеют свойство опрокидывать слишком уж громоздкие построения человеческого разума, тем самым открывая неожиданные и подчас более короткие пути к решению проблематических задач. Архиерей любил взять и огорошить собеседника какой-нибудь неожиданной фразой или невообразимым решением, предварительно приняв вид самой мудрой и строгой сосредоточенности.

Вот и теперь, когда доводы были исчерпаны, не приведя ни к какому выводу, и наступило удрученное молчание, владыка нахмурил белый, в три вертикальные морщины лоб, смежил веки и стал перебирать сандаловые четки своими замечательно белыми и ухоженными пальцами (к рукам Митрофаний относился с подчеркнутой заботливостью и почти никогда не появлялся вне помещения без шелковых перчаток, объясняя это тем, что духовное лицо, прикасающееся к Святым Дарам, должно наблюдать руки как можно уважительней).

Посидев так с минуту, преосвященный снова открыл свои синие глаза, в которых сверкнула искорка, и сказал тоном непререкаемости:

— Алеша поедет, Ленточкин.

Матвей Бенционович и Пелагия только ахнули.

* * *

Даже если нарочно постараться, вряд ли было бы возможно выдумать более парадоксального кандидата для тайной инспекции по деликатнейшему внутрицерковному делу.

Алексей Степанович Ленточкин, которого из-за юности лет и румяной припухлости щек за глаза называли не иначе как Алешей (а многие так и в глаза — он не обижался), появился у нас в городе недавно, но сразу попал в число особенных архиереевых фаворитов.

Для того, впрочем, имелись и вполне извинительные основания, поскольку Алексей Степанович был сыном старинного товарища владыки, который, как известно, до пострига служил кавалерийским офицером. Этот сослуживец Митрофания погиб майором на последней Турецкой войне, оставив вдову с двумя малютками, дочкой и сыном, и почти без всяких средств к существованию.

Мальчик Алешенька рос каким-то очень уж смышленым, так что в одиннадцать лет запросто производил интегральные исчисления, а к двадцати сулился выйти прямиком в гении по естественной либо по математической части.

Ленточкины жили не в Заволжске, а в большом университетском городе К., тоже расположенном на Реке, но ниже по течению, так что когда Алеше пришло время определяться на учебу, его не только приняли в тамошний университет безо всякой платы, но даже еще и назначили именную стипендию, чтобы учился и взращивал свой талант во славу родного города. Без стипендии учиться он бы не смог, даже и бесплатно, потому что семья была совсем недостаточная.

К двадцати трем годам, когда до окончания курса оставалось не столь уж далеко, Алексей Степанович окончательно вышел на линию нового Эвариста Галуа или Михаэла Фарадея, что признавали все окружающие и о чем он сам говорил не тушуясь. Однако же кроме большущих способностей юноша обладал еще и огромным самомнением, что не редкость у рано созревших талантов. Был он непочтителен к авторитетам, дерзок, остер на язык и заносчив, что, как известно, тому же Эваристу Галуа помешало достичь зрелого возраста и поразить мир всем блеском своего многосулящего гения.

Нет, Алексея Степановича не застрелили на дуэли, подобно юному французу, но попал и он в историю, вышедшую ему боком.

Однажды он посмел не согласиться с отзывом на свой не то химический, не то физический трактат — отзывом, начертанным рукой самого Серафима Викентьевича Носачевского, светила отечественной науки, а также тайного советника и проректора К-ского университета. В этом отзыве маститый ученый недостаточно восхитился выводами даровитого студента, чем привел Ленточкина в бешенство. Молодой человек приписал к отзыву Носачевского пренахальную ремарку и отослал тетрадь обратно.

Ученый оскорбился ужасно (в ремарке подвергались сомнению сделанные им открытия и вообще ценность вклада его превосходительства в науку) и, применив административную власть, велел наглеца именной стипендии лишить.

Выходка Алексея Степановича, конечно, была возмутительна, но, учитывая молодость и несомненную одаренность студента, Носачевский мог бы обойтись и менее суровой карой. Лишение стипендии означало, что Ленточкину придется из университета уходить и срочно поступать на какую-нибудь службу — хоть счетоводом в пароходство, а стало быть, всем великим мечтам конец и могильный крест.

Жестокость проректорова вердикта многие осуждали, некоторые подбивали Алексея Степановича пойти повиниться — мол, Носачевский суров да отходчив, но гордость не позволила. Юноша избрал другой путь, вообразив себя рыцарем, вступившим в единоборство с драконом. И сразил-таки змея смертоносным ударом. Отомстил так, что пришлось господину тайному советнику...

Но не станем забегать вперед. История достойна того, чтобы рассказать ее по порядку.

У Серафима Викентьевича Носачевского имелась одна слабость, известная всему городу, — болезненное сластолюбие. Сей жрец науки, хоть и достиг немалых уже лет, не мог спокойно видеть хорошенькой мордашки или кудрявого завиточка над ушком — разом превращался в козлоногого сатира, причем не делал различия меж приличными дамами и кокотками самого последнего разбора. Если такая безнравственность и была прощаема обществом, то лишь из уважения к корифею К-ской учености, да еще потому, что Носачевский свои эскапады напоказ не выставлял, соблюдал разумную приватность.

Вот в эту-то пяту наш юный Парис его и поразил.

Был Алеша чудо как хорош собой, но не мужественной, а скорее девичьей красотой: кудрявый, густобровый, с пушистыми, изящно загнутыми ресницами, с персиковым пушком на пунцовых щеках — одним словом, из той породы красавчиков, что очень долго не стараются, лет до сорока сохраняя свежий цвет лица и глянцевость кожи, зато потом быстро начинают жухнуть и морщиниться, будто надкушенное и позабытое яблоко.

В свои невеликие годы Алеша казался еще юнее действительного возраста — чистый паж Керубино. Поэтому, когда он нарядился в сестрино выходное платье, нацепил пышный парик, приклеил мушку да подкрасил помадой губы, из него получилась такая убедительная чертовка, что плотоядный Серафим Викентьевич никак не мог оставить ее без внимания, тем более что соблазнительная девица как нарочно всё прогуливалась близ особняка его превосходительства.

Выслал Носачевский к фланерке камердинера. Тот доложил, что мамзель точно из гулящих, но с большим разбором, по Парижской улице прохаживается не с целью заработка, а для моциона. Тогда сатир велел слуге срочно затянуть себя в корсет, надел атласный жилет и бархатный сюртук в золотистую искорку и отправился вести переговоры самолично.

Чаровница смеялась, стреляла поверх веера блестящими глазками, но идти к Серафиму Викентьевичу отказалась и вскоре удалилась, совершенно закружив ученому мужу голову.

Два дня он никуда не отлучался из дому, всё выглядывал из окна, не появится ли нимфа вновь.

Появилась — на третий. И на сей раз поддалась на уговоры, на посулы сапфирового колечка в придачу к двумстам рублям. Но поставила условие: чтоб кавалер снял в гостинице «Сан-Суси», заведении роскошном, но несколько сомнительном в смысле репутации, самый лучший номер и явился туда на свидание к десяти часам вечера. Счастливый Носачевский на все это согласился и без пяти минут десять, с преогромным букетом роз, уже стучался в дверь заранее снятого апартамента.

В гостиной горели две свечи и пахло восточными благовониями. Стройная высокая фигура в белом протянула к проректору руки, но тут же со смехом отпрянула и затеяла с изнывающим от страсти Носачевским легкий флирт в виде игривого бегания вокруг стола, а когда Серафим Викентьевич совсем запыхался и попросил пощады, был явлен ультиматум: беспрекословно выполнять все распоряжения победительницы.

Его превосходительство охотно капитулировал, тем более что кондиции звучали соблазнительно: красавица сама разденет любовника и введет его в будуар.

Трепеща от сладостных предвкушений, Носачевский дал легким, стремительным пальцам снять с себя все одежды. Не противился он и когда фантазерка завязала ему глаза платком, надела на голову кружевной чепчик, а ревматическое колено обмотала розовой подвязкой.

— Идем в обитель грез, мой утеночек, — шепнула коварная искусительница и стала подталкивать ослепшего проректора в сторону спальни.

Он услышал скрип открывающейся двери, затем получил весьма ощутимый толчок в спину, пробежал несколько шагов и чуть не упал. Створка сзади захлопнулась.

— Пупочка! — недоуменно позвал Серафим Викентьевич. — Лялечка! Где же ты?

В ответ грянул дружный хохот дюжины грубых глоток, и нестройный хор завопил:

> К нам приехал наш любимый
> Серафим Викентьич да-ра-гой!

И после, уже совсем безобразно, с мяуканьем и под-
вываньем:

> Сима, Сима, Сима,
> Сима, Сима, Сима,
> Сима-Сима-Сима-Сима,
> Сима, пей до дна!

Носачевский в ужасе сорвал повязку и увидел, что
на бескрайней кровати а-ля Луи-Кенз рядком сидят
студенты К-го университета, из самых пьющих и отча-
янных, нагло разглядывают непристойную наготу своего попечителя, дуют прямо из горлышка драгоценное
шампанское, а фрукты и шоколад уже успели сожрать.

Только теперь несчастному проректору стало ясно,
что он пал жертвой заговора. Серафим Викентьевич
кинулся к двери и стал рвать ручку, но открыть ее не
мог — мстительный Алеша запер изнутри. На улюлю-
канье и крики через служебную дверь прибежали ко-
ридорные, а потом и городовой с улицы. В общем, вышел самый отвратительный скандал, какой только
можно вообразить.

То есть в официальном отношении никакого скан-
дала не было, потому что конфузную историю замяли,
но уже назавтра о «бенефисе» тайного советника со
всеми эпатирующими и, как водится, еще преувели-
ченными подробностями знали и город К., и К-ская
губерния.

Носачевский подал в отставку по собственной воле
и уехал из К. навсегда, ибо оставаться не было никакой возможности. Посреди самого серьезного, даже
научного разговора собеседник вдруг начинал багро-
веть, раздуваться от сдерживаемого хохота и усиленно
прочищать горло — видно, представлял себе проректора не при анненской звезде, а в чепчике и розовой под-
вязке.

История имела для Серафима Викентьевича и иные печальные последствия. Мало того, что с тех пор он совершенно утратил интерес к прекрасному полу, но еще и начал неавантажно трясти головой, нервически дергать глазом, да и былой научной блистательности в нем больше не наблюдалось.

Но и шалуну проказа с рук не сошла. Разумеется, все тотчас узнали, кто сыграл с проректором этакую шутку (Алексей Степанович со товарищи не больно-то и таили, чьего авторства сия реприза), и губернское начальство дало бывшему студенту понять, что ему будет лучше переменить место жительства.

Тогда-то безутешная мать и написала нашему преосвященному, моля взять непутевого отпрыска майора Ленточкина в Заволжск под свой пастырский присмотр, приспособить к какому-нибудь делу и отучить от глупостей и озорства.

Митрофаний согласился — сначала в память о боевом товарище, а после, когда познакомился с Алексеем Степановичем поближе, уже и сам был рад такому подопечному.

* * *

Ленточкин-младший пленил строгого епископа бесшабашной дерзостью и полным пренебрежением к своему во всех отношениях зависимому от владыки положению. То самое, чего ни от кого другого Митрофаний ни за что бы не снес — непочтительность и прямая насмешливость, — в Алексее Степановиче владыку не сердило, а лишь забавляло и, возможно, даже восхищало.

Начать с того, что Алеша был безбожник — да не из таких, знаете, агностиков, каких сейчас много развелось среди образованных людей, так что уж кого и

ни спросишь, чуть не каждый отвечает: «Допускаю
существование Высшего Разума, но полностью за сие
не поручусь», а самый что ни на есть отъявленный
атеист. При первой же встрече с преосвященным на
архиерейском подворье, прямо в образной, под лучис-
тыми взорами евангелистов, праведников и великому-
чениц, между молодым человеком и Митрофанием произошел спор о всеведении и милосердии Господа,
закончившийся тем, что епископ выгнал богохульни-
ка взашей. Но после, когда остыл, велел снова послать
за ним, напоил бульоном с пирожками и говорил уже
по-другому: весело и приязненно. Приискал молодому
человеку подходящую должность — младшего консис-
торского аудитора, определил на квартиру к хорошей,
заботливой хозяйке и велел бывать в архиерейских
палатах запросто, чем Ленточкин, не успевший обза-
вестись в Заволжске знакомствами, пользовался безо
всяких церемоний: и трапезничал, и во владычьей биб-
лиотеке часами просиживал, и даже подолгу болтал
перед Митрофанием о всякой всячине. Очень многие
почли бы за великое счастье послушать речи епископа, чья беседа была не только назидательна, но и в
высшей степени усладительна, Ленточкин же все больше разглагольствовал сам — и Митрофаний ничего, не
пресекал, а слушал с видимым удовольствием.

    Произошло это сближение вне всякого сомнения из-
за того, что среди всех человеческих качеств владыка
чуть ли не самые первые места отводил остроте ума и
неискательности, а Ленточкин обладал этими характе-
ристиками в наивысшей степени. Сестра Пелагия, которая с самого начала невзлюбила Алексея Степановича (что ж, ревность — чувство, встречающееся и у особ
иноческого звания), говорила, что Митрофаний благово-

лит к мальчишке еще и из духа соревновательности — хочет расколоть сей крепкий орешек, пробудить в нем Веру. Когда монахиня уличила владыку в суетном честолюбии, тот не стал спорить, но оправдался, говоря, что грех это небольшой и отчасти даже извиняемый Священным Писанием, ибо сказано: «Глаголю вам, яко тако радость будет на небеси о единем грешнице кающемся, нежели о девятидесятих и девяти праведник, иже не требуют покаяния».

А нам думается, что кроме этого похвального устремления, имеющего в виду спасение живой человеческой души, была еще и психологическая причина, в которой преосвященный скорее всего сам не отдавал себе отчета. Будучи по своему монашескому званию лишен сладостного бремени отцовства, Митрофаний все же не вполне изжил в себе соответствующий эмоциональный отросток сердца, и если Пелагия до известной степени стала ему вместо дочери, то вакансия сына до появления Алексея Степановича оставалась незанятой. Проницательный Матвей Бенционович, сам многодетный и многоопытный отец, первым обратил внимание сестры Пелагии на возможную причину необычайной расположенности преосвященного к дерзкому юнцу и, хоть в глубине души был, конечно, уязвлен, но нашел в себе достаточно иронии, чтоб пошутить: «Владыка, может, и рад бы был меня в сыновьях держать, но ведь тогда пришлось бы в придачу дюжину внуков принимать, а на такой подвиг мало кто отважится».

Находясь в обществе друг друга, Митрофаний и Алеша более всего напоминали (да простится нам столь непочтительное сравнение) большого старого пса с задиристым кутенком, который, резвясь, то ухватит родителя за ухо, то начнет на него карабкаться, то цапнет мелкими зубками за нос; до поры до времени великан сносит сии приставания безропотно, а когда щенок слишком уж разботвится, слегка рыкнет на него или прижмет к полу мощной лапой — но легонько, чтоб не сокрушить.

На следующий день после знаменательного чаепития епископу пришлось уехать по неотложному делу в одно из отдаленных благочиний, но своего решения Митрофаний не забыл и сразу по возвращении вызвал Алексея Степановича к себе, а еще прежде того послал за Бердичевским и Пелагией, чтобы объяснить им свои резоны уже безо всякой парадоксальности.

— В том чтоб именно Ленточкина послать, обоюдный смысл имеется, — сказал владыка своим советчикам. — Во-первых, для дела лучше, чтобы химерами этими занялась не какая-нибудь персона, тяготеющая к мистицизму [тут преосвященный покосился на духовную дочь], а человек самого что ни на есть скептического и даже материалистического миропонятия. По складу своего характера Алексей Степанович склонен во всяком непонятном явлении докапываться до сути и на веру ничего не принимает. Умен, изобретателен, да и весьма нахален, что в данном случае может оказаться кстати. А во-вторых, — Митрофаний воздел палец, — полагаю, что и для самого посланного эта миссия будет небесполезна. Пусть увидит, что есть люди — и многие, кому духовное дороже плотского. Пусть подышит чистым воздухом святой обители. Там в Арарате, я слышал, воздух особенный: вся грудь звенит от восторга, будто выдыхаешь из себя скверное, а вдыхаешь райскую амброзию.

Архиерей потупил взор и присовокупил тише, словно нехотя:

— Мальчик-то он живой, пытливый, но в нем стержня нет, который человеку единственно Вера дает. Кто умом поскуднее и чувствами потусклее, может, пожалуй, и так обойтись — проживет как-нибудь, а Алеше без Бога прямая гибель.

Бердичевский с Пелагией тайком переглянулись и по разом возникшему молчаливому уговору возражать владыке не стали — это было бы неуважительно, да и жестоко.

А вскоре явился и Алексей Степанович, не подозревавший о том, какие дальние виды составил на него владыка.

Поздоровавшись с присутствующими, Ленточкин тряхнул каштановыми кудрями, доходившими чуть не до плеч, и весело поинтересовался:

— Что это вы, Торквемада, всю свою инквизицию созвали? Какую такую муку для еретика удумали?

Говорим же, острейшего ума был юноша — сразу сообразил, что собрание неспроста, да и особенное выражение лиц тоже приметил. А что до «Торквемады», то это у Алексея Степановича такая шутка была — называть отца Митрофания именем какой-нибудь исторической персоны духовного звания: то кардиналом Ришелье, то протопопом Аввакумом, то еще как-нибудь в зависимости от поворота беседы и настроения епископа, в котором и вправду можно было обнаружить и государственный ум французского дюка, и неистовую страстность раскольничьего мученика, да, пожалуй, и грозность кастильского истребителя скверны.

Митрофаний на шутку не улыбнулся, с нарочитой сухостью рассказал о тревожных явлениях в Новом

Арарате и без лишних слов разъяснил молодому человеку смысл поручения, закончив словами:

— По должностной инструкции консисторский аудитор не только бухгалтерией ведает, но и прочими епархиальными делами, требующими особенной проверки. Вот и езжай, проверяй. Я на тебя полагаюсь.

Историю про блуждающего по водам Черного Монаха Алексей Степанович вначале слушал с недоверчивым удивлением, будто опасался, что его разыгрывают, и даже раза два вставил язвительные ремарки, но потом понял, что разговор серьезный, и комиковать перестал, хоть по временам не без игривости задирал бровь кверху.

Дослушав, помолчал, покачал головой и, кажется, отлично понял «обоюдность» резонов, стоявших за неожиданным решением покровителя.

Алексей Степанович улыбнулся пухлыми губами, отчего на румяных щеках образовались славные ямочки, и восхищенно развел руками:

— Ну, вы и хитрец, епископ Отенский. Единым махом двух лапенов побивахом? Желаете знать мое мнение про эти ваши мистерии? Я так думаю, что...

— «Я» — последняя буква алфавита, — перебил мальчишку преосвященный, которому сравнение с Талейраном понравилось еще меньше, чем уподобление великому инквизитору.

— Зато «аз» — первая, — бойко огрызнулся Ленточкин.

Митрофаний нахмурился, давая весельчаку понять, что тот заходит чересчур далеко.

Перекрестил юношу, тихо молвил:

— Поезжай. И да хранит тебя Господь.

ЧАСТЬ ПЕРВАЯ

ХАНААНСКИЕ ЭКСПЕДИЦИИ

Экспедиция первая.

ПРИКЛЮЧЕНИЯ НАСМЕШНИКА

Алексей Степанович собирался недолго и уже на второй день после разговора с преосвященным отбыл в свою секретную экспедицию, получив строжайшее указание посылать реляции не реже чем раз в три дня.

Дорога до Нового Арарата с учетом ожидания парохода в Синеозерске и последующего плавания занимала дня четыре, а первое письмо пришло ровно через неделю, то есть выходило, что, несмотря на весь свой нигилизм, Алеша — порученец надежный, в точности исполняющий предписанное.

Владыка был очень доволен и такой пунктуальностью, и самим отчетом, а более всего тем, что не ошибся в мальчугане. Призвал к себе Бердичевского и сестру Пелагию, прочитал им послание вслух, хоть временами и морщился от невозможной разухабистости стиля.

* * *

Первое письмо Алексея Степановича

Достославному архиепископу Турпену от верного паладина, посланного сражаться с чародеями и сарацинами

О пастырь многомудрый и суровый,
Гроза закоренелых суеверий,
Светило веры и добротолюбья,
Защитник сирых и гонитель гордых!
К твоим стопам смиренно повергаю
Я свой рассказ простой и безыскусный.
Аой!

Когда, трясяся на возке скрипучем,
Влачился я Заволжским королевством
И сосчитал на сем пути прискорбном
Колдобины, а также буераки
Числом пятнадцать тысяч сто один,
Не раз о вашем я преосвященстве
Помыслил нехорошее и даже
Кощунственное нечто восклицал.
Аой!

Но лишь вдали под солнцем засверкало
Зерцало вод священна Синя Моря,
Сраженный сим пленительным пейзажем,
О тяготах я сразу позабыл
И, помолясь, на пыхающий дымом
Корабль переместился белоснежный,
Что в память Василиска наречен.
Аой!

И долгой ночью, лунной и холодной,
Я зяб под худосочным одеялом.
Когда же вежды я сомкнуть пытался,
Немедленно вторгались в сон мой чуткий
Диковинная ругань капитана,
Матросов богомольных песнопенья
И колокола звон почасовой.

В общем, если перейти от утомительного стихо-
сложения на отрадную прозу, на ново-араратский
причал я сошел невыспавшимся и злым, как черт.
Ой, простите, отче, — само написалось, если же вы-
марывать, то получится неаккуратно, а вы этого не
любите, так что черт с ним, с чертом, passons*.

По правде сказать, кроме корабельных шумов мне
еще не давала уснуть книга, которую вы на проща-

---

* пропустим (фр.)

нье подложили в корзинку с несравненными архиерейскими ватрушками, невиннейше присовокупив: «Ты на название, Алеша, не смотри и не пугайся, это не духовное чтение, а романчик — чтоб тебе время в дороге скоротать». О, коварнейший из жрецов вавилонских!

Название — «Бесы» — и изрядная толщина «романчика» меня, действительно, напугали, и читать его я взялся лишь на пароходе, под плеск волн и крики чаек. За ночь прочел до половины и, кажется, понял, к чему вы подсунули мне сей косноязычный, но вдохновенный трактат, прикидывающийся беллетристикой. Разумеется, не из-за бессмысленного проходимца Петруши Верховенского и его карикатурных товарищей-карбонариев, а из-за Ставрогина, в примере которого вы, должно быть, видите для меня смертельную опасность: заиграться юберменшеством, да и превратиться в горохового шута или, по вашей терминологии, «погубить свою бессмертную душу».

Мимо цели, éminence*. У нас с байроническим господином Ставрогиным имеется принципиальное различие. Он безобразничает оттого, что в бога верует (так и вижу, как вы нахмурили свой лоб на этом месте — ну хорошо, пускай будет «в Бога»), и обижается: как же это Ты на меня, шалуна, Своего отеческого взора не обращаешь, не пожуришь, ножкой не притопнешь. А я еще вот что натворю, да еще вот как напакощу. Ау! Где Ты? Проснись! Не то гляди — воображу, будто Тебя нет вовсе. Ставрогину среди обычных людей скучно, ему наивысшего Собеседника подавай. Я же, в отличие от растлителя дево-

* ваше преосвященство *(фр.)*

чек и соблазнителя идиоток, ни в Бога, ни в бога не
верю и на том стою твердо. Мне общества людей
совершенно достаточно.

Ваш прежний литературный намек был повернее,
это когда вы мне на день ангела сочинение графа
Толстого «Война и мир» презентовали. На Болкон-
ского я больше похож — конечно, не в отношении
барства, а по интересу к бонапартизму. Мне вот двадцать четвертый год, а Тулона что-то не видно, даже
и в отдаленной перспективе не предполагается. Только у князька столь непомерное честолюбие развилось от сытости и блазированности, ведь все мыс-
лимые пряники Фортуны — знатность, богатство,
красота — достались ему запросто, по праву рожде-
ния, так что ничего иного кроме как стать всенарод-
ным кумиром ему и желать уже не оставалось. Я же,
напротив, происхожу из сословия полуголодного и
завистливого, что, кстати говоря, роднит меня с На-
полеоном куда больше, чем толстовского аристок-
рата, и повышает мои шансы на императорскую корону. Шутки шутками, но сытому в Бонапарты труднее
вскарабкаться, чем голодному, ибо наполненный
желудок располагает не к юркости, но к философ-
ствованию и мирной дреме.

Впрочем, я заболтался. Вы ждете от меня не раз-
глагольствований о литературе, а шпионского доне-
сения о вашей вотчине, охваченной смутой.

Спешу успокоить ваше святейшество. Как это
обычно бывает, неблагополучная местность издалека смотрится куда страшнее, чем вблизи. Сидючи в
Заволжске, можно вообразить, будто в Новом Арарате все только и говорят, что о Черном Монахе,
обычное же проистечение жизни полностью месме-
ризовано.

Ничего подобного. Жизнь тут пульсирует и побуль-
кивает оживленней, чем в вашей губернской столице,
а про святого Вурдалака, то есть, entschuldigen*, Василиска я никаких пересудов пока не слышал.

Новый Арарат меня поначалу разочаровал, ибо в
утро прибытия над озером повисли тучи, излившие-
ся на острова мерзким холодным дождем, и с палубы парохода я увидел ландшафт цвета «мокрая
мышь»: серые и скользкие колокольни, ужасно по-
хожие на клистирные трубки, да унылые крыши городка.

Памятуя о том, что все мои расходы будут опла-
чены из ваших сокровищниц, я велел носильщику
отвести меня в самую лучшую местную гостиницу,
которая носит гордое название «Ноев ковчег». Ожидал увидеть нечто бревенчатое, постно-лампадное,
где, как и положено в Ноевом ковчеге, из всякого
скота и из всех гадов будет по паре, но был приятно
удивлен. Гостиница устроена совершенно на евро-
пейский манер: номер с ванной, зеркалами и лепни-
ной на потолке.

Среди постояльцев большинство составляют петербургские и московские барыньки платоническо-
го возраста, но вечером в кофейне первого этажа я
увидел за столиком такую Принцессу Грезу, какие в
тихом Заволжске не водятся. Не знаю, бывало ли такое во всемирной истории отношений между полами,
но я влюбился в прекрасную незнакомку прямо со спины, еще до того, как она повернулась. Представьте
себе, благочестивый пастырь, тонкую фигурку в бон-
тоннейшем платье черного шелка, широкую шляпу
со страусиными перьями и нежную, гибкую, осле-

---

* прошу прощения *(нем.)*

пительную в своем совершенстве шею, похожую на
суживающуюся кверху алебастровую колонну.

Почувствовав мой взгляд, Принцесса обернулась
в профиль, который я разглядел не вполне отчетливо, поскольку лицо ее высочества было прикрыто
дымчатой вуалеткой, но достало и того, что я увидел: тонкий, с едва заметной горбинкой нос, влажно
блеснувший глаз... Вы знаете эту женскую особен-
ность (ах, да, впрочем, откуда, с вашим-то целиба-
том!) обзирать боковым зрением, не очень-то и поворачиваясь, широчайший сектор прилегающей
местности. Мужчине пришлось бы и шею, и плечи
развернуть, а этакая прелестница чуть скосит глазом и вмиг всё нужное узрит.

Уверен, что Принцесса разглядела мою скром-
ную (ну хорошо — пусть нескромную) особу во всех
деталях. И отвернулась, заметьте, не сразу, а сначала легким движением коснулась горла и только
потом уже снова поворотила ко мне свой царственный затылок. О, как много означает этот жест, этот
непроизвольный взлет пальчиков к источнику дыхания!

Ах да, забыл упомянуть, что красавица сидела в
кофейне одна — согласитесь, это не совсем принято и тоже меня заинтриговало. Возможно, она кого-
то ждала, а может быть, просто смотрела в окно, на
площадь. Воодушевленный пальчиками, моими тай-
ными союзниками, я бросил все свои математиче-
ские способности на то, чтоб найти решение задачи:
как бы поскорей свести знакомство с сей ново-араратской Цирцеей, но не успел вычислить сей интег-
рал. Она вдруг порывисто встала, уронила на стол
серебряную монетку и быстро вышла, метнув на меня
из-под вуалетки еще один угольно-черный взгляд.

Кельнер сказал, что эта дама бывает в кофейне часто. Значит, у меня еще будет шанс, подумал я и от нечего делать стал воображать всякие соблазнительные картины, про которые вам как особе духовного звания знать необязательно.

Лучше поделюсь своими впечатлениями от острова.

Ну и в странное же место вы меня отправили, ребе. Центральную площадь, где расположена гостиница, будто вырезали ножницами из какого-нибудь Баден-Бадена: ярко покрашенные каменные дома в два и даже три этажа, прогуливается чистая публика, вечером светло, почти как днем. Повсюду самые что ни на есть мирские и даже, я бы сказал, суетные заведения с невообразимыми названиями: мясоедная ресторация «Валтасаров пир», парикмахерская «Далила», сувенирная лавка «Дары волхвов», банковская контора «Лепта вдовицы» и прочее подобное. Но пройдешь от площади всего несколько минут и словно попадаешь на брега Невы вскоре после основания нашей чахоточной столицы, году этак в 1704-м: бегают рабочие с тачками, забивают в болотистую землю столбы, пилят бревна, роют ямы. Все бородатые, в черных рясах, но с засученными рукавами и в клеенчатых фартуках, просто живое осуществление революционной мечты — принудить паразитическое клерикальное сословие к общественно полезному труду.

По нескольку раз на дню, в самых неожиданных местах, встречаешь повелителя всей этой муравьиной рати архимуравья Виталия Второго (sic!), который и вправду похож на Петра Великого: долговязый, грозный, стремительный, шагает так широко, что ряса пузырем надувается и свита сзади еле поспевает. Не поп, а ядро, которым выпалили из пушки. Вот бы вас, инок Пересвет, против него на прямую наводку вывести да посмотреть, кто кого одолеет. Я бы, наверное, все равно на вас поставил — архимандрит, может, и поскорострельней, да у вас калибр покрупнее.

Здесь на островах, кажется, научились небывалому на Руси искусству производить деньги из всего и даже из ничего. У нас ведь обыкновенно наоборот бывает: чем больше золотой руды или алмазов под ногами валяется, тем разорительней убытки, а тут Виталий надумал негодную каменистую землю на Праведническом мысу к делу приспособить, и сразу же обнаружилось, что камни там не обыкновенные, но священные, ибо окроплены кровью святых мучеников, которых там прикончили триста лет назад рейтары шведского графа Делагарди. У камней и правда цвет красно-бурый, но, полагаю, не от крови, а вследствие вкраплений марганца. Впрочем, это неважно, а важно то, что паломники ныне сами от валунов куски откалывают и с собой увозят. Стоит там особый монах с киркой и весами. Хочешь киркой попользоваться — плати пятиалтынный. Хочешь святой камень с собой унести — взвесь и бери, по девяносто девять копеек фунт. Так у Виталия негодный участок потихоньку очищается, и монастырской казне выгода. Каково удумано?

Или вот вода. Целая рота монахов разливает здешнюю колодезную воду по бутылкам, закрывает крышками, наклеивает этикетки «Ново-араратская святительская влага, благословлена высокопреподобным о. Виталием», после эту H_2O оптовым образом переправляют на материк — в Питер и особенно в богомольную Москву. А в Арарате для удобства паломников выстроено чудо чудное, диво дивное, называется «Автоматы со святой водой». Стоит деревянный павильон, и в нем хитроумные машины, изобретение местных Кулибиных. Опускает человек в прорезь пятак, монета падает на клапан, заслоночка открывается, и наливается в кружку священная влага. Есть и подороже, за гривенник: там подливается еще малиновый сироп, какого-то особенного «тройного благословения». Говорят, летом туда очередь стоит, а мне не повезло — с середины осени павильон закрывают, чтоб хитрая техника не поломалась от ночных заморозков. Ничего, рано или поздно Виталий додумается внутрь паровую машину для обогрева поставить, тогда будут ему автоматы и зимой плодоносить.

Это еще что! Несколько десятин самой лучшей загородной земли архимандрит уступил под частную психическую лечебницу, за что получает не то пятьдесят, не то семьдесят тысяч ежегодно. Владеет сим скорбным заведением некий Донат Коровин, из тех самых Коровиных, которым принадлежит половина уральских рудников и заводов. Кузены доктора, стало быть, сосут кровь и пот из братьев во Христе, а Донат Саввич, напротив, врачует израненные души. Правда, говорят, принимает в свою чудесную больницу лишь немногих избранных, чье сумасшествие эскулапу-миллионщику представляется интересным с научной точки зрения.

Видел я его лечебницу. Ни стен, ни запоров, сплошь лужайки, рощицы, кукольные домики, пагодки, беседочки, пруды с ручейками, оранжереи — райское местечко. Хотел бы я этак вот полечиться недельку-другую. Метода у Коровина самая что ни на есть передовая и для психиатрии даже революционная. К нему из Швейцарии и, страшно вымолвить, самой Вены поучиться ездят. Ну, может, не поучиться, а так, полюбопытствовать, но все равно ведь лестно.

Революционность же состоит в том, что своих пациентов Коровин держит не взаперти, как это издавна принято в цивилизованных странах, а на полной воле, гуляй где хочешь. Это придает ново-араратской уличной толпе особенную пикантность: поди-ка разбери, кто из встречных нормальный человек, приехавший на острова помолиться, очиститься душой и попить святой водички, а кто сумасброд и коровинский клиент.

Иногда, правда, ломать голову не приходится. К примеру, не успел я сойти с парохода, как ко мне приблизился колоритнейший типаж. Вообразите бороденку пучком при полностью обритых усах, под мышкой закрытый зонт (а, напомню, брызгал пакостный ледяной дождик), беретка стиля «Доктор Фауст», на длиннющем носу — огромные очки с толстенными фиолетовыми стеклами.

Сей Фауст или, вернее, капитан Фракасс уставился на меня с самым бесцеремонным видом, покрутил какие-то металлические рычажки на оправе своих окуляров и пробормотал до чрезвычайности встревоженным тоном: «Ай-ай. Грудная клетка — холодная серо-зеленая гамма, лоб — горячая, пунцовая. Очень, очень опасно. Берегитесь своего рассудка». Потом повернулся к моему соседу по каюте, пухлому господину из московских присяжных поверенных, и тоже сказал ему гадость: «А у вас бурая эманация от левого мозгового полушария. Не пейте вина и не ешьте жирного, иначе познакомитесь с господином Кондратием». Адвокат в Арарате не впервые, ездит полакомиться свежекопчеными сигами и монастырской клюквенной, попить святой желудочной водички и подышать воздухом. Гостиница «Ноев ковчег» — его рекомендация. К странному пророчеству фиолетового Фракасса мой чичероне отнесся с полнейшей невозмутимостью и объяснил мне про психическую лечебницу, прибавив: «Вы, мсье Ленточкин, не пугайтесь, буйных Донат Саввич у себя не держит».

В тот же день, обедая в grill-кухмистерской «Всесожжение», я разговорился с одним любопытным субъектом, тоже имеющим касательство к коровинской клинике. Вы знаете мою теорию о том, что подкреплять организм калориями, в то время как глаза и мозг ничем не заняты, — пустая трата времени, посему я вкушал жареного судака, не отрывая глаз от вашего романа. Вдруг подходит к моему столику некий человек самой благородной наружности и говорит: «Извините, сударь, что отрываю вас от двойного удовольствия поглощения пищи телесной и духовной, но я заметил на корешке имя писателя. Это ведь вы сочинение господина Достоевского читаете?» Простота обращения искупалась такой приятной, обезоруживающей улыбкой, что рассердиться не было никакой возможности. «Да, — отвечаю, — это роман «Бесы». Не читали?» Тут он весь прямо задрожал, препотешно задергал щекой. «Нет, — говорит, — не читал, но много про него слышал. Здесь на острове есть библиотека и книжный магазин, но архимандрит светских книг продавать не благословляет. Он, конечно, по-своему совершенно прав, но так не хватает хороших романов и новых пьес».

Слово за слово, разговорились. Он присел за мой стол и вскоре уже рассказывал историю своей жизни, довольно необычную. Звать его Лев Николаевич, и по всему видно, что человечек славный, мухи не обидит и ни о ком дурного не скажет. Я сам-то, как вы знаете, не таков и постников не люблю, но этот самый Лев Николаевич меня чем-то расположил.

Он сразу и честно признался, что прежде жил в коровинской больнице, куда был привезен из Санкт-Петербурга в тяжелейшем, почти невменяемом состоянии после каких-то ужасных потрясений, воспоминания о которых полностью истерлись из его памяти. Доктор говорит, что так оно и к лучшему, нечего старое ворошить, а надобно строить жизнь заново. Теперь Лев Николаевич совсем выздоровел, но уезжать с Ханаана не хочет. И к Коровину привязался, и мира боится. Так и сказал: «Мира боюсь — не подломил бы опять. А здесь тихо, покойно, Божья красота и все люди очень хорошие. Чтоб на большой земле жить, нужно силу иметь — такую силу, с которой можно всю тяжесть мира на себя принять и не согнуться. Велик тот, кто может повторить за Иисусом: «Иго мое благо, и бремя мое легко есть». Но сказано ведь и так: «Не должно возлагать на слабого бремена неудобоносимые». Я слаб, мне лучше жить на острове». Он вообще типаж оригинальный, этот бывший петербуржец. Вот бы вам с ним потолковать, вы бы друг другу понравились. А рассказываю я вам про Льва Николаевича потому, что «Бесы» ваши теперь у него. Так и не узнаю, чем там у Верховенского заговор закончился. Жалко, конечно, но больно жадно Лев Николаевич на книжку смотрел — видно было, что хочет попросить, да не осмеливается. Ну, я ему и отдал. Все равно мне чтением романов заниматься недосуг, я же прислан сюда экзорцистом от Священной Инквизиции.

Вы, шейх-уль-ислам, не думайте, что я тут только по ресторанам и кофейням рассиживаю да на Принцесс Грез глазею (о прелестная, где ты?). Я уже весь Ханаан облазил, а Окольний остров со всех сторон в бинокль обсмотрел — чуть из лодки в воду не сверзся. Видел всех трех отшельников, как они из норы своей вылезают и моцион делают. В три погибели согнуты, еле ковыляют — не люди, кроты какие-то. Могу похвастаться: схиигумен (у него по краю куколя белая кайма) удостоил меня своим святейшим вниманием — клюкой погрозил, чтоб близко не подплывал.

Как я разузнал, зовут главного крота отец Израиль, и биографии он самой что ни на есть интригующей. До пострижения был богатым и праздным барином из тех, что от безделья и блазированности выдумывают себе какое-нибудь hobby, отдаются прихоти со всей страстью и тратят на нее всю свою жизнь и состояние. Этот избрал себе увлечение не столь редкое, но из всех возможных самое затягивающее — коллекционировал женщин, и такой был по этой части ходок, что один отставной проректор из моих прежних знакомцев против него показался бы истинным серафимом. Любознательность сего новоявленного Дон Гуана была столь ненасытна, что он якобы даже составил географический атлас сравнительной женской анатомии, для чего ездил в специальные сладострастные вояжи по разным странам, в том числе и экзотическим вроде Аннама, Гавайского королевства или Черной Африки. А сколько он совратил добропорядочнейших матрон и перепортил неприступнейших девиц в пределах нашего православного отечества, и исчислить невозможно, потому что обладал неким особенным талантом заколдовывать женские сердца. Тут ведь еще и репутация важна. На иного мухортика дамы и не взглянули бы, но стоит разнестись вести, что он опасный соблазнитель, и в нем враз сыщут что-нибудь привлекательное и даже неотразимое: глаза, или руки, или, если уж совсем ничего выдающегося нет, придумают какую-нибудь магнетическую ауру.

Эх, это я от зависти брюзжу. Недурно бы этак пожить, как старец Израиль: прокуролесить все сочные годы, а как приестся да здоровьишко поистаскается, кинуться бессмертную душу спасать — да с такой же страстью, с какой прежде грешил. Только у схиигумена больно великий должок перед Небесным Заимодавцем образовался, уже два года сидит Израиль в этой райской прихожей, шестерых сожителей схоронил, а все никак не расплатится. Говорят, за восемьсот лет никто еще на Окольнем острове так долго не заживался — вот какой это великий грешник.

На сем заканчиваю предписанные речи и призываю на твой светоносный лик, о повелитель, благословение Аллаха.

Раб лампы Алексей Ленточкин.

P.S. Ну а теперь, когда вы уж совсем решили, что в этом письме я буду лишь развлекать вас болтовней о здешних курьезностях, перейду собственно к делу.

Знайте же, мудрейший из мудрейших, что разгадка ребуса о вашем Черном Монахе у меня почти что в кармане. Да-да. И разгадка эта, кажется, получится прекомичной. То есть мне уже понятно, в чем состоит сам фокус, неясно лишь, кто это забавляется разыгрыванием Василиска и с какой целью, но ответ на эти вопросы я раздобуду нынче же, потому что по всем приметам ночь будет лунная.

Распорядок этих трех дней у меня был такой: утром я подолгу спал, потом пускался в сухопутные и мореплавательные экспедиции, а по наступлении темноты садился в засаду на Постной косе, что вытянута в сторону Окольнего острова. Никаких сверхъестественных событий не наблюдал, но это, вероятно, оттого, что ночи были вовсе безлунные, черные, а святой, как известно, предпочитает небесную иллюминацию. От нечего делать я попрыгал с камня на камень, поплавал взад-вперед на качайке (это такая лодчонка местной конструкции, взятая мною в аренду у одного местного жителя) — хотел понять, не возможно ли пристроиться на каком-нибудь из валунов так, чтоб казалось, будто стоишь на воде. Пристроиться-то очень даже возможно, но вот перемещаться, даже на два-три шага, никак нельзя, в этом я совершенно убедился и стал склоняться к тому, что монахи с перепугу водохождение нафантазировали. Но на третью ночь, то есть вчера, обнаружилось одно пикантнейшее обстоятельство, которое всё разъяснило. Но молчание, молчание. Более ни слова.

Эффектней будет, когда я опишу вам всю подоплеку целиком, и произойдет это не далее как завтра. Через два часа, как стемнеет и взойдет луна, я отправляюсь на поединок с призраком. А поскольку битва с потусторонним миром чревата гибелью или, на самый лучший исход, помрачением рассудка, предусмотрительно отправляю это свое письмо с вечерним пакетботом. Томитесь теперь до завтрашней почты, архиепископ Реймсский, изнывайте от любопытства и нетерпения.

Мечом перепоясавшись булатным
И облачившись в верную кольчугу,
На бой с непобедимым великаном
Сбирается воитель дерзновенный.
И если суждено ему в сраженьи
Свою лихую голову сложить,
Молитвой помяни его, владыко,
А ты, Принцесса Греза из кофейни,
Слезами труп героя ороси.
Аой!

* * *

Вот какое это было письмо. Поначалу Матвей Бенционович и Пелагия слушали с улыбкой — их развесе-
лило уподобление преосвященного реймсскому архиепископу Турпену, неутомимому истребителю мавров
и соратнику Роланда Ронсевальского. К концу же про-
странной эпистолы выражение лиц у монахини и товарища прокурора сделалось озадаченным, и Бердичевский даже обозвал интересничающего Алексея
Степановича «стервецом». Порешили не поддаваться
на Алешину провокацию и ни в какие предположения
относительно загадочных намеков, содержащихся в
постскриптуме, не пускаться, а дождаться завтрашней
ново-араратской корреспонденции и тогда уж всё обсу-
дить в подробностях.

Но в почте, прибывшей на следующий день, письма от Ленточкина не было. Не пришло оно ни во второй день, ни в третий, ни в четвертый. Преосвященный встревожился до чрезвычайности и стал думать,
не отписать ли отцу Виталию о пропавшем эмиссаре, а
если не сделал этого, то лишь из-за неудобства: пришлось бы признаться архимандриту, что Алексей Степанович был послан в Арарат тайком от настоятеля.

На седьмой день, когда осунувшийся, измученный
бессонницей Митрофаний уже готовился отправиться

на Синее озеро самолично (от страха за Алешу владыке стало не до дипломатических осложнений), письмо наконец пришло, но было оно совсем в ином роде, чем первое. Епископ опять призвал к себе советчиков и прочитал им полученное послание, однако вид имел уже не довольный, как в прошлый раз, а недоуменный. На сей раз не было никаких вступлений или обращений, Алеша сразу переходил к делу.

* * *

Второе письмо Алексея Степановича

Знаю, что задержался с продолжением сверх всякой меры, но тому есть нешуточные основания. Вот именно: *не шуточные*. Черный Монах — не фокусы какого-нибудь ловкого мошенника, как я предполагал вначале, тут другое. Пока сам не пойму, что именно.

Лучше расскажу в последовательности событий. Во-первых, чтоб не сбиться, а во-вторых, хочется самому разобраться, как всё происходило, что было сначала и что потом. А то голова идет кругом.

Отправив вам предыдущее письмо и плотно поужинав (неужели прошла всего неделя? Кажется, что месяцы или даже годы), я пошел на Постную косу, как на веселый пикник, заранее предвкушая, какую каверзу устрою предполагаемому мистификатору, решившему попугать мирных мнихов. Расположился меж двух больших валунов, на заранее примеченном месте, со всем комфортом. Подстелил прихваченное из гостиницы одеяло, в термосе у меня плескался чай с ромом, в свертке были заготовлены сладкие пирожки из замечательной местной кондитерской «Искушение Св. Антония». Сижу себе, закусываю да посмеиваюсь, ожидая восхода луны. На

озере темным-темно, ни лешего (верней, ни водяного) не разглядишь, и только смутно проступает пятно Окольнего острова.

Но вот по глади пролегла желтая дорожка, и цвет
ночи сделался из монотонно чернильного перелив-
чатым, тьма поджалась, уползла на края неба, а по-
середке воссияла луна. И в тот же самый миг прямо
передо мною, отчасти загородив бледный диск ночного светила, появился узкий черный силуэт. Готов
поклясться чем угодно: только что, секунду назад,
его там не было, и вдруг вот он — остроконечный,
вытянутый кверху, слегка покачивающийся. И не совсем там, где я ожидал (там из воды едва высовыва-
ется плоский камень), а немножко сбоку, где никаких камней нет.

Я в первый миг поразился только этому: откуда
он мог взяться? Хоть до восхода луны и темно было,
но не так же темно, чтоб я в дюжине шагов человека
не разглядел!

По плану, как только покажется «Василиск», я должен был подняться из своего укрытия, в длинном
плаще с капюшоном, очень похожем на одеяние схимника, и замогильным голосом взвыть: «Се аз, пре-
святый Василиск! Тьфу на тебя, самозванец!» То-то,
думал я, напугаю пугальщика — шлепнется со своего камня в воду.

Но при виде странной черной фигуры, как бы ви-
сящей над озером, со мной что-то произошло —
причем в самом явственном, физиологическом смысле. Я ощутил необъяснимый холод, разлившийся по
всей моей коже, а руки и ноги не то чтобы утратили
подвижность (я отлично помню, как поставил термос
на землю и коснулся рукой совершенно ледяного
лба), но двигались медленно и с трудом, как под

водой. Никогда в жизни ничего подобного не испытывал.

Из-за спины безмолвного силуэта заструился свет, гораздо ярче лунного. Нет, я не сумею этого хорошо описать, потому что «заструился» — неправильное выражение, а как разъяснить лучше, я не знаю. Только что ничего не было, лишь лунное сияние — и вдруг словно озарился весь мир, так что я сощурился и рукой глаза прикрыл.

Я почти оглох от застучавшей в ушах кровяной пульсации, но все равно явственно услышал четыре слова, хотя произнесены они были очень тихо: «Не спасение, но тлен» — и черная фигура указала рукой на Окольний остров. Когда же она двинулась прямо по воде в мою сторону, оцепенение с меня спало, и я самым позорным образом, с криком и, кажется, даже всхлипыванием пустился наутек. Вот какого храброго паладина вы себе выбрали, недальновидный князь церкви.

Потом, когда добежал до часовни, стало стыдно. Если это все-таки какой-то особенно хитрый розыгрыш, то нельзя допускать, чтоб из меня делали дурака, сказал себе я. А если не розыгрыш... То, значит, Господь Боженька существует, вселенная создана за семь дней, в небе летают ангелы, а небесные светила обращаются вокруг Земли. Поскольку всё это совершенно невозможно, то и Василиска никакого нет. Придя к такому заключению, я весьма решительно зашагал в обратном направлении и вернулся на косу, но ни загадочного сияния, ни черного силуэта там уже не увидел. Громко топая для храбрости и насвистывая песенку про попа, у которого была собака, я прошел по берегу взад и вперед. Окончательно убедил себя в незыблемой материальности мира, подобрал термос и гостиничное имущество, после чего вернулся в «Ковчег».

Но отчета решил не писать, пока не увижу Василиска еще раз и не удостоверюсь либо в том, что это кунштюк, либо в том, что я спятил и мое место в лечебнице у доктора Коровина.

Как назло, две последующие ночи выдались пасмурные. Я гулял по осточертевшим улицам Арарата, пил святую газировку и ямайский кофе, от нечего делать читал всякую ерунду в монастырской читальне. Но третья ночь, наконец, сулила быть лунной, и я с замиранием сердца приготовился снова идти на косу. За время вынужденного безделья я так истерзал себе нервы ожиданием и внутренними спорами, что накануне экспедиции смелость меня почти совсем оставила. Однако пропускать такой случай было нельзя, и я принял решение, показавшееся мне поистине Соломоновым.

В прошлом письме я уже писал про присяжного поверенного из Москвы, поклонника копченых сигов и свежего воздуха. Фамилия его Кубовский, на Ханаан он приезжает каждую осень, уже в течение нескольких лет. Говорит, ноябрь здесь особенно хорош. Поселились мы в одной гостинице и несколько раз обедали вместе, причем он съедал и выпивал раз в пять больше, чем я (а ведь аппетит у меня недурной, что может засвидетельствовать ваш повар и мой благодетель Кузьма Савельевич). Кубовский — человек трезвого и даже кинического склада мыслей, без какого-либо интереса к сверхъестественному. Он, например, склонен любые проявления человеческой психологии толковать исключительно с точки зрения принятия, переваривания и эвакуации пищи. К примеру, увидит меня в задумчивости по поводу тайны

Черного Монаха и говорит: «Э-э, голубчик, это вам нужно остренького поесть, вся меланхолия и пройдет». Или показываю я ему издали романтическую даму, что чуть было не отвлекла меня от вашего задания (ах, Принцесса Греза, до тебя ли мне теперь?), а Кубовский качает головой: «Ишь бледная какая, бедняжка. Поди, кушает плохо, непитательно, а от этого происходит вялость желудка и запоры. Тут севрюжки хорошо с клюквенным сиропом, и после непременно стопулечку итальянской граппы либо французского кальвадоса. Кишечник и оживится». Ну, в общем, вам понятно, что это за субъект. Вот я и придумал: возьму его с собой под предлогом ночного променада, полезного для пищеварения. Во-первых, в компании не так страшно будет, во-вторых, ежели Василиск — галлюцинация, то адвокат ее не увидит, а в-третьих, если тут цирковой трюк, то этакого прозаика на мякине не проведешь. Предупреждать своего спутника нарочно не стал — для чистоты опыта.

В том, видно, и заключалась моя ошибка и моя вина.

Всё произошло в точности, как давеча. Я нарочно Кубовского лицом к Окольнему острову усадил и сам смотрел не отрываясь на то самое место. Никого там не было, никого и ничего, это несомненно. Но стоило луне пробиться сквозь легкие облака, как на воде появился уже знакомый мне призрак, который почти сразу же окутался ослепительным сиянием.

Голоса на сей раз я не услышал, потому что мой киник — он как раз собирался отправить в рот шоколадную бонбошку — заорал диким голосом и с неожиданным проворством бросился бежать. Я не поспевал за ним (да-да, едва по коже разлился тот самый омерзительный могильный холод, как я утра-

тил всю свою решимость) и, верно, не догнал бы до
самой городской окраины, если бы на середине пути
Кубовский вдруг не повалился ничком. Я присел над
ним и увидел, что он хрипит, закатывает глаза, на-
мерения вскочить и бежать дальше не проявляет...

Он умер. Не там, на дороге, а уже утром, в монастырском лазарете. Излияние крови в мозг. Иными
словами, к присяжному поверенному явился тот самый господин Кондратий, о котором предупреждал
фиолетовый Фауст.

Как по-вашему, владыко, кто убил бедного обжо-
ру — я или Черный Монах? Даже если и он, то все
равно я получаюсь соучастник.

Прямо из лазарета, когда милосердные братья
(бородатые, в белых халатах поверх черных ряс) унес-
ли покойника на ледник, я отправился в лечебницу
доктора Коровина и, хоть час был ранний, потребо-
вал немедленной встречи со светилом нервно-психических болезней. Сначала ни в какую не хотели пускать без рекомендаций, но вы меня знаете: если
нужно, я в игольное ушко пролезу. У меня имелось к
светилу два вопроса. Первый: возможна ли группо-
вая зрительно-слуховая галлюцинация? Второй: не
сошел ли я с ума?

Коровин сначала озаботился вторым вопросом и
ответил на него не ранее, чем через час. Задавал
мне вопросы про папеньку, маменьку и прочих пра-
щуров вплоть до прадедушки Пантелеймона Леноч-
кина, скончавшегося от белой горячки. Потом светил мне в зрачки, стучал молотком по суставам и
заставлял рисовать геометрические фигуры. В конце
концов объявил: «Вы совершенно здоровы, только сильно чем-то напуганы до истероидного состояния. Ну-с,
теперь можно послушать и про галлюцинации». Я рас-

сказал. Он внимательно выслушал, кивая, а потом предложил следующее объяснение, на тот момент полностью меня удовлетворившее.

«В осенние ночи на островах, — сказал Коровин, — из-за особой озонированности воздуха и эффекта водяного зеркала нередки всякого рода оптические обманы. Иной раз, особенно в лунном освещении, можно увидеть, как по озеру движется черный столб, который поэтической или религиозной натуре, пожалуй, напомнит монаха в схимническом одеянии. На самом же деле это обыкновеный смерчок». «Что?» — не понял я. «Смерчок, маленький смерч. Он может быть локальным: повсюду безветрие, а в одном месте из-за прихотей давления вдруг образовался воздушный поток, и довольно быстрый. Подхватит с берега опавшие листья, сор, закружит их, завертит конусом — вот вам и Черный Монах. Особенно если вы уже ожидаете его увидеть».

Я вышел от доктора почти совсем успокоенным и только жалел злополучного Кубовского, но чем больше удалялся от лечебницы, тем громче во мне звучал голос сомнения. А неземной свет? А слова, которые я расслышал так явственно? Да и не мог то быть вихрь — и двигался медленно, всего на несколько шагов, и контуры были очень уж четки.

Дальнейшие события подтвердили, что смерч и озонированность воздуха к делу касательства не имеют.

Загубив человека, Василиск словно с цепи сорвался и пределами Постной косы ограничиваться перестал.

Следующей ночью он явился брату Клеопе, лодочнику, который единственный из всех араратских жителей может наведываться в Василисков скит: раз в день отвозит схимникам необходимое и забирает сделанные четки. Ночью, когда Клеопа брел в монастырь от какого-то своего приятеля, Василиск предстал перед ним прямо у братского кладбища. Мощно толкнул лодочника в грудь, так что тот грохнулся оземь, и громовым голосом воспретил плавать на Окольний остров, ибо «место то проклято».

Сенсационность события была несколько ослаблена в силу общеизвестной невоздержанности брата Клеопы к вину — он и в ту ночь возвращался в келью пьяненький. Даже и сам очевидец не мог побожиться, что святой ему не привиделся. Тем не менее, слух сразу же распространился по всему Ханаану.

А еще через две ночи произошло событие уже несомненное, повлекшее за собой самые тяжкие, даже трагические последствия.

Брата Клеопу призрак напугать не смог, так как тот плавает в скит среди бела дня, а к ночи, когда является Черный Монах, обыкновенно бывает уже нетрезв и ничего не страшится. Но кроме этого в пролив, отделяющий Ханаан от Окольнего острова, еще частенько наведывается бакенщик, в обязанности которого входит расставлять фарватерные вехи, часто перемещаемые течением и ветром. Бакенщик этот не монах, а мирянин. Живет он в маленькой избе на северном, почти не населенном берегу Ханаана, с молодой женой, сильно беременной. Вернее, жил, так как теперь изба стоит пустая.

Позавчера за полночь бакенщик и его жена проснулись от громкого стука в стекло. Увидели в залитом лунным светом окне черный куколь и сразу поняли, кто к ним пожаловал. Ночной гость погрозил окаменевшим от ужаса супругам пальцем и потом тем же перстом, с душераздирающим скрежетом, начертал что-то на стекле (как после выяснилось, крест — старинный, восьмиконечный).

Затем призрак исчез, но у женщины от потрясения случился выкидыш, и, пока муж бегал за помощью, несчастная истекла кровью. Бакенщик же рассказал монастырским властям о ночном видении и принялся сколачивать два гроба: один жене, второй себе, ибо твердо сказал, что жить далее он не желает. Вечером сел в лодку, выплыл на простор и, привязав к шее камень, бросился в воду — с берега это многие видели. Утопленника искали, но не нашли, так что второй гроб остался невостребованным.

Город теперь не узнать. То есть днем он такой же многолюдный, как прежде — никто из паломников бежать с острова не торопится, поскольку любопытство и тяга к таинственному в людях сильней благоразумия и страха, но ночью улицы совершенно вымирают. Про Василисков скит говорят нехорошее. Мол, нет страшнее места, чем то, где раньше благость была, а потом *прохудилась* — будь то брошенная церковь, либо оскверненное кладбище, и уж тем более спасительный скит. Среди братии и местных жителей крепнет суждение, что заступника надо послушать и схимников с Окольнего увезти — не то Черный Монах осерчает еще пуще.

Архимандрит прошел по всему Ханаану с крестным ходом, а избушку бакенщика окропил святой водой, но все равно к тому месту теперь никто не ходит. Я, впрочем, наведался (правда, утром, при солнечном сиянии). Видел пресловутый крест, накарябанный на стекле. Даже потрогал пальцем.

Вы только не подумайте, кудесник Мерлин, что ваш рыцарь окончательно перетрусил. Я готов рассмотреть версию, что вселенная не исключительно материальна, но это означает не капитуляцию, а перемену методики. Кажется, придется снять одни доспехи и надеть другие. Но сдаваться я не намерен и о помощи вас пока не прошу.

                                    Ваш Ланселот Озерный.

                              * * *

Это во всех отношениях удивительное письмо произвело на участников совещания неодинаковое впечатление.

— Храбрится, а сам до смерти напуган, — сказал епископ. — По себе помню, как это страшно, если мир с ног на голову переворачивается. Только у меня наоборот было: я с детства верил, что миром владеет дух, и когда впервые заподозрил, что Бога никакого нет, а есть одна только материя, то-то мне тоскливо, то-то бесприютно сделалось. Тогда и в монахи пошел, чтоб всё обратно с головы на ноги поставить.

— Как? — поразился Бердичевский. — Это у вас, *у вас* такие сомнения бывали? А я полагал, что...

Он смешался и не договорил.

— Что только у тебя? — закончил за него Митрофаний с невеселой усмешкой. — А что у меня одна лишь святость внутри? Нет, Матвей, одна святость только у скучных разумом бывает, а человеку мыслящему тяжкие искушения в испытание ниспосылаются. Благ не тот, кто не искушается, а тот, кто преодолевает. Никогда и ни в чем не сомневающийся мертв душой.

— Так вы, отче, верите в эти чудеса? — спросила сестра Пелагия, отрываясь от вязания. — В привидение, в хождение по воде и прочее? Раньше вы иначе говорили.

— Что мальчик имеет в виду под переменой доспехов? — задумчиво пробормотал преосвященный, будто не расслышав. — Непонятно... Ах, до чего ж интересны и многосмысленны пути Господни!

Пелагия же высказала замечание психологического свойства:

— По прошлому письму я предположила, что ваш посланник увлекся той соблазнительной дамой и про поручение ваше забыл, оттого и перерыв в корреспонденции. Здесь же про нее всего одно упоминание, мимоходом. Не знаю, правду ли Алексей Степанович пишет про призрака, но совершенно ясно, что молодой человек и в самом деле перенес сильнейшее потрясение. Иначе он ни за что не забыл бы о такой привлекательной особе.

— У женщин одно на уме, — досадливо поморщился архиерей. — Вечно вы преувеличиваете свое воздействие на мужчин. На свете есть загадки потаинственней, чем романтичные незнакомки в вуалетках. Ох, выручать надо мальчугана. Помощь ему нужна, хоть он и отказывается.

Тут Матвей Бенционович, слушавший рассуждения владыки и его духовной дочери с удивленно поднятыми бровями, не выдержал:

— Так вы это серьезно? Право, отче, я на вас удивляюсь! Неужто вы приняли эти басни за чистую монету? Ведь Ленточкин водит вас за нос, разыгрывает самым бесстыдным образом! Разумеется, все эти дни он проволочился за своей «принцессой», а теперь выдумывает сказки, чтоб над вами потешиться. Это же очевидно! Я одного не возьму в толк — как вы могли послать с ответственной миссией беспутного молокососа? С вашим-то знанием людей!

В словах товарища окружного прокурора были и логика, и здравый смысл, так что Митрофаний даже смутился, а Пелагия хоть и покачала головой, но спорить не стала.

Так и разошлись, не приняв никакого решения. Драгоценное время было упущено попусту. Это стало ясно двумя днями позднее, когда пришло третье письмо.

Из-за осенних ливней дороги были размыты, почтовая карета сильно запоздала, и епископу доставили конверт уже на ночь глядя. Невзирая на это, владыка немедленно послал за Бердичевским и Пелагией.

* * *

Третье письмо Алексея Степановича

Эврика! Метод найден!

Самое трудное было отказаться от материалистической системы координат, ошибочно двухмерной. Она игнорирует третье измерение, которое я условно назову мистическим — уверен, что со временем подыщется другой, менее эмоциональный термин. Но сначала нужно разработать систему исследования и измерительную технику. Современная наука этим совершенно не занимается, будучи полностью согласной с вашим обожаемым Экклесиастом, сказавшим: «Кривое не может сделаться прямым и чего нет, того нельзя сосчитать». А между тем, основоположник научного прогресса Галилей полагал иначе. Он сформулировал главный догмат ученого так: «Измерить всё, что поддается измерению, а что не поддается — сделать измеряемым».

Стало быть, необходимо сделать измеряемым мистическое.

Пускай материалистическая наука такой задачи не признаёт, но ведь прежде, до наступления Эпохи Разума, была и другая наука, магическая, которая в течение веков пыталась исчислить то, что принято именовать сверхъестественным. И, насколько мне известно, кое-чего на этом поприще достигла!

Эта предпосылка, до которой я додумался лишь третьего дня, и вывела меня к решению задачи.

Кажется, я уже писал, что в монастыре есть библиотека, где собрано множество новых и старинных книг религиозного содержания. Я бывал там и ранее, перелистывая от нечего делать какой-нибудь «Алфавит духовный», Иоанна Лествичника, Ефрема Сирина или «Ново-Араратский патерик», но теперь принялся искать с толком и целью.

И что же? На второй день, то есть вчера, нашел книгу 1747 года издания, перевод с латинского: «Об умилостивлении духов добрых и одолении духов злых». Стал читать и затрепетал! То самое, что мне нужно! В точности! (Это совпадение, кстати говоря, является еще одним доказательством реальности мистического измерения.)

В старой книге черным по белому написано: «А ежели дух бесплотный где плотное [то есть, выражаясь по-современному, материальное] поминание по себе оставит, то сей знак подобен хвосту, ухвативши за коий, духа возможно уловить и из бесплотности на свет вытянуть». Пространные и наивные рассуждения о погрешимости Сатаны, который, в отличие от вездесущего Господа, иногда делает упущения, а потому может и должен быть побеждаем, я пересказывать не стану и перейду к сути.

Итак, если некая субстанция, принадлежащая к мистическому измерению, по неосмотрительности

оставила в нашем материальном мире некий веще-
ственный знак своего присутствия, то этот физический след может быть использован человеком, чтобы вытянуть фантом в вещный мир, воспринимаемый
нашими органами чувств. Вот что главное!

Дальше, на нескольких страницах, в трактате обстоятельно излагается, что для этого нужно сделать.

Ровно в полночь, когда третье измерение совме-
щается с двумя первыми, в результате чего, очевидно, происходит трансформация времени (то есть в
земном смысле оно как бы останавливается), нужно
встать перед знаком, сотворить крестное знамение
и произнести слова магической формулы «Прииди,
дух нечистый (или «дух святый» — это смотря по надобности), на след, иже оставил, на то у Гавриила с
Лукавым уговор есть». При этом взыскующий должен быть совершенно наг и не иметь на себе ни ко-
лец, ни нательного креста, ни каких-либо иных по-
сторонних предметов, ибо каждый из них, даже
самый маленький, в миг трансформации многократно утяжеляется и сковывает движения.

Формула не только заставит неосмотрительного
духа немедленно предстать перед взыскующим, но
и убережет его от опасности. А если дух все же пожелает отомстить (правда, такое случается только
со злыми духами, а Василиск, судя по всему, принадлежит к категории духов добрых), то защититься
от нападения можно простым восклицанием: «Credo,
credo, Domine!» (Полагаю, сгодится и русское «Верую, верую, Господи!» — тут ведь не в звуках дело, а
в смысле.)

Материальный знак имеется: крест, начертанный
на окне избы бакенщика. Ночью там поблизости ни
души, так что наготой я никого не эпатирую (да и

потом, можно же сначала войти внутрь, а раздеться уже после). Магическую формулу я выучил, молитву запомнить тоже нетрудно.

Попробуем, ведь попытка не пытка. В худшем случае выставлю себя болваном — ничего, не страшно.

Не выйдет — буду дальше искать, как сделать неизмеряемое измеряемым.

Нынче ночью пойду. Не поминайте лихом, отче. А если что, то пусть в ваших молитвах хоть изредка будет поминаться

любивший и уважавший вас
Алеша Ленточкин.

* * *

Ехать в Новый Арарат, и немедленно — это владыка объявил сразу по прочтении письма как уже принятое и обдуманное решение, даже не предложив своим советчикам высказаться. Впрочем, Бердичевский и Пелагия, кажется, от растерянности не очень-то и знали, что говорить.

Зато Митрофаний, пока дожидался их прихода, всё уже придумал.

— Мальчик совсем заплутал в тумане, — сказал он. — Каюсь, виноват. Хотел в нем духовное зрение пробудить, да вспышка получилась слишком яркой — от нее он вовсе ослеп. Надо Алешу оттуда забирать, хоть бы даже и силком — это самое первое. А уж потом разбираться в ново-араратских чудесах. Здесь потребен человек военного склада: решительный, без фанаберий и излишнего воображения. Ты, Матвей, не годишься.

Матвей Бенционович себя человеком военного склада отнюдь не считал, но все равно немного обиделся.

— Это кто ж у нас, владыко, человек без воображения? — поинтересовался он с самым легчайшим оттенком язвительности, уверенный, что архиерей имеет в виду самого себя.

Ответ был неожиданным:

— Не думай, не я. Я духовное лицо и могу оказаться непротивителен к мистическим впечатлениям. Если уж Ленточкин не устоял... — Митрофаний покачал головой, как бы вновь удивляясь непрочности Алешиного нигилизма. — Лагранж поедет.

Этот выбор на первый взгляд был не менее неожиданным, чем предыдущий, когда епископ надумал отправить по внутрицерковным делам мальчишку-безбожника.

То есть, с одной стороны, заволжский полицмейстер Феликс Станиславович Лагранж по самой своей должности мог бы показаться вполне уместной кандидатурой для произведения быстрой и решительной операции, но это если не знать подоплеки. А подоплека была такая, что господин полковник числился у преосвященного в штрафниках и еще совсем недавно по настоянию владыки чуть даже не угодил под суд за кое-какие не слишком авантажные дела. Однако в самое последнее время Лагранж был почти что прощен и даже стал ходить к архиерею на исповедь. Тут, надо полагать, снова взыграло уже поминавшееся честолюбие Митрофания, которому не столь интересно было пастырствовать над душами просветленными, а непременно хотелось достучаться до душ черствых и глухих.

Матвей Бенционович открыл было рот, чтобы возразить, но тут же сомкнул губы обратно. Ему пришло в голову, что, на второй взгляд, объявленный избранник не столь уж и плох, потому что... Но об этом как раз заговорил и владыка:

— Феликс Станиславович хоть и ходит ко мне на исповедь, но делает это, как в караул заступает или на развод, словно бы исполняя предписания артикула. Отрапортует мне со всей дотошностью, сколько раз матерно выругался и у каких непотребных девиц побывал, получит отпущение грехов, щелкнет шпорами, поворот кругом и марш-марш. Он из той редкой породы людей, которым вера совершенно ни к чему. Впрочем, — улыбнулся Митрофаний, — полковник, верно, очень оскорбился бы, если б кто назвал его материалистом — пожалуй, и в морду бы дал. А служака он исполнительный, свое полицейское дело знает и храбрец, каких мало. Завтра вызову его, попрошу съездить — не откажет.

Так владыка и поступил: вызвал, проинструктировал, и полицмейстеру, конечно, в голову не пришло упрямиться — он принял пожелание преосвященного беспрекословно, как принял бы приказ от губернатора или директора полицейского департамента. Пообещал прямо с утра, передав дела помощнику, отправиться в путь.

Но прежде того, вечером, особый нарочный доставил из Нового Арарата новое письмо, которое совершенно потрясло владыку, Бердичевского и Пелагию, хотя в то же время многое и разъяснило.

Да, впрочем, что пересказывать своими словами, только путать. Вот он, этот документ. Как говорится, комментарии излишни.

Ваше преосвященство,

Не уверен, что Вы именно тот, кому следует адресовать это письмо, но ни местожительство, ни родственные обстоятельства молодого человека, остановившегося в ново-араратской гостинице «Ноев ковчег» под именем Алексея Степановича Ленточкина, никому здесь не известны. В нумере, который он занимал, на столе обнаружен конверт с надписью «Преосвященному о. Митрофанию, Архиерейское подворье, Заволжск» и рядом чистый листок бумаги, как если бы Ленточкин намеревался написать Вам письмо, но не успел. Потому-то я и обращаюсь к Вам, владыко, в надежде, что Вы знаете этого юношу, сумеете известить родственников о приключившемся с ним несчастье и сообщите мне любые подробности о его предшествующей жизни, так как это очень важно для выбора правильной методы лечения.

Г-н Ленточкин (если это его настоящее имя) страдает острейшей формой умственного помешательства, исключающей возможность его транспортировки с острова. Нынче на рассвете он прибежал в принадлежащую мне психиатрическую лечебницу, пребывая в столь плачевном состоянии, что я был вынужден оставить его у себя. На вопросы не отвечает, только все время бормочет: «Credo, credo, Domine» и по временам произносит лихорадочные, сбивчивые монологи бредового содержания. Помимо очевидной нецелесообразности перевозки больного с места на места, характер его мании интересен мне как медику. Полагаю, что Вам доводилось слышать о моей клинике, но, возможно, Вы не знаете, что я берусь лечить не любые умственные расстройства, а лишь те, что плохо изучены психиатрической наукой. Случай Ленточкина именно таков.

Не стану обременять Вас печальными деталями, ибо все же не вполне уверен, что Вы знакомы с моим новообретенным пациентом. Учитывая религиозную

тематику его бреда (невразумительного и почти бес-
связного), легко предположить, что Ленточкин вознамерился написать губернскому архиерею так же,
как иные мои подопечные пишут государю импера-
тору, папе римскому или китайскому богдыхану.

Если же Вы все-таки знаете, как связаться с род-
ственниками Ленточкина, то поспешите. По опыту я
знаю, что состояние таких больных, за редчайшими
исключениями, ухудшается очень быстро и вскорости заканчивается летальным исходом.

Остаюсь почтительный
слуга Вашего преосвященства,
Донат Саввич Коровин, доктор медицины.

Экспедиция вторая.

ПРИКЛЮЧЕНИЯ ХРАБРЕЦА

В связи с новым, прискорбным поворотом событий (даже удивительно, что заранее не предугаданным такими умными людьми), вновь возник спор, кому ехать. В конце концов владыка настоял на прежнем своем решении, и в Новый Арарат был командирован полицмейстер, однако этому итогу предшествовал резкий спор между отцом Митрофанием и сестрой Пелагией — Матвей Бенционович в вопросе о Лагранже придерживался нейтралитета и потому больше отмалчивался.

Спор был о Гордиевом узле. Началось с того, что архиерей уподобил полковника Лагранжа решительному Александру, который, не сумев распутать хитроумный узел, попросту разрубил его мечом и тем отлично вышел из конфузной ситуации. По мнению преосвященного, именно так в случае затруднения поступит и Лагранж, который как человек военный не станет пасовать ни перед какой головоломкой, а пойдет напролом, что в таком казусном деле может оказаться самым действенным приемом.

— Мне вообще сдается, — сказал владыка, — что чем сложнее и запутанней положение, тем проще из него выход.

— О, как вы ошибаетесь, отче! — в чрезвычайном волнении вскричала Пелагия. — Какие опасные вы говорите слова! Если так рассуждаете вы, мудрейший и добрейший из всех известных мне людей, то чего же ожидать от земных правителей? Они-то и без того при малейшем затруднении склонны хвататься за меч. Разрубить Гордиев узел заслуга невеликая, любой дурак бы смог. Да только ведь после этого Александрова подвига на свете одним чудом меньше стало!

Митрофаний хотел возразить, но монахиня замахала на него руками, и пастырь изумленно уставился на свою духовную дочь, ибо никогда еще не видел от нее такой непочтительности.

— Не бывает простых выходов из сложных положений! Так и знайте! — запальчиво воскликнула инокиня. — А военные ваши только всё ломают и портят! Там, где потребны такт, осторожность, терпение, они влезают со своими сапогами, саблями, пушками и такое натворят, что после долго лечить, латать и поправлять приходится.

Епископ удивился:

— Что ж, по-твоему, военные вовсе не нужны?

— Отчего же, нужны. Когда супостат напал и требуется отечество защищать. Но ничего другого им доверять нельзя! Никакого гражданского и тем более духовного дела! А у нас ведь в России военным чего только не поручают! Для того, чтоб наладить неисправное в тонком механизме, сабля — инструмент негодный. И полковника вашего в Арарат посылать — все равно что запускать слона в фарфоровую лавку!

— Ничего, — отрезал Митрофаний, обидевшись за военное сословие. — Ганнибал на слонах Альпы преодолел! Да, Феликс Станиславович миндальничать не станет. Он все острова вверх дном перевернет, но сыщет мне злодея, который Алешу до желтого дома довел! Призрак, не призрак — Лагранжу все равно. И кончено. Иди, Пелагия. Я своего решения не переменю.

Отвернулся и даже не благословил монахиню на прощанье, вот как осерчал.

* * *

На верхней палубе колесного парохода «Святой Василиск», деловито шлепавшего лопастями по темной воде Синего озера, стоял представительный, хорошей комплекции господин в шерстяной клетчатой тройке, белых гетрах, английском кепи с наушниками и заинтересованно рассматривал свое отражение в стекле одной из кают. Панорама подернутой вечерним туманом бухты и мерцающих огней Синеозерска пассажира не привлекала, он был повернут к этому лирическому пейзажу спиной. Подвигался и так, и этак, чтобы проверить, хорошо ли сидит пиджак, тронул свои замечательно подкрученные усы, остался доволен. Разумеется, синий, шитый золотом мундир был бы во стократ лучше, подумал он, но настоящий мужчина недурно смотрится и в статском платье.

Дальше любоваться на себя стало невозможно, потому что в каюте зажегся свет. То есть сначала в темноте прорезалась узкая щель, быстро превратившаяся в освещенный прямоугольник, и обрисовался некий силуэт; потом прямоугольник исчез (это закрыли дверь в коридор), но в следующую же секунду вспыхнул газовый рожок. Привлекательная молодая дама отняла руку от рычажка, сняла шляпку и рассеянно поглядела на себя в зеркало.

Усатый пассажир и не подумал отойти — напротив, придвинулся еще ближе к стеклу и окинул стройную фигуру дамы внимательным взглядом знатока.

Тут обитательница каюты наконец повернулась к окну, заметила подглядывающего господина, ее бровки взметнулись кверху, а губки шевельнулись — надо полагать, она воскликнула «ах!» или еще что-нибудь в том же смысле.

Красивый мужчина нисколько не смутился, а галантно приподнял кепи и поклонился. Дама вновь бесшумно задвигала губами, теперь уже более продолжительно, но значение неслышных снаружи слов опять угадывалось без труда: «Что вам угодно, сударь?»

Вместо того чтоб ответить или, еще лучше, удалиться, пассажир требовательно постучал костяшками пальцев по стеклу. Когда же заинтригованная путешественница приспустила раму, сказал ясным и звучным голосом:

— Феликс Станиславович Лагранж. Простите за прямоту, мадам, я ведь солдат, но при взгляде на вас у меня возникло ощущение, будто кроме нас на этом корабле никого больше нет. Лишь вы да я, а больше ни души. Ну не странно ли?

Дама вспыхнула и хотела молча закрыть раму обратно, но, повнимательней взглянув на приятное лицо солдата и в особенности на его круглые, до чрезвычайности сосредоточенные глаза, вдруг как бы задумалась, и момент проявить непреклонность был упущен.

Вскоре полковник и его новая знакомая уже сидели в салоне среди паломников (все сплошь исключительно приличная публика), пили крюшон и разговаривали.

Собственно говорила главным образом Наталья Генриховна (так звали даму), полицмейстер же рта почти не раскрывал, потому что на первой стадии знакомства это лишнее — только загадочно улыбался в душистые усы и обожал собеседницу взглядом.

Порозовевшая дама, жена петербургского газетного издателя, рассказывала, что, устав от суетной столичной жизни, решила омыться душой, для чего и отправилась на священный остров.

— Знаете, Феликс Станиславович, в жизни вдруг наступает миг, когда чувствуешь, что так более продолжаться не может, — откровенничала Наталья Генриховна. — Нужно остановиться, оглянуться вокруг, прислушаться к тишине и понять про себя что-то самое главное. Я потому и поехала одна — чтобы молчать и слушать. И еще вымолить у Господа прощение за все вольные и невольные прегрешения. Вы меня понимаете?

Полковник выразительно поднял брови: о да!

Час спустя они прогуливались по палубе, и, прикрывая спутницу от свежего ветра, Лагранж свел дистанцию меж своим мужественным плечом и хрупким плечиком Натальи Генриховны до несущественной.

Когда «Святой Василиск» вышел из горла бухты на черный простор, ветер вдруг сделался резок, в борт принялись шлепать сердитые белозубые волны, и полковнику пришлось то и дело подхватывать даму за талию, причем каждый следующий раз его рука задерживалась на упругом боку чуть дольше.

Матросы-монахи в поддернутых подрясниках бегали по палубе, укрепляя расплясавшиеся спасательные шлюпки, и привычной скороговоркой бормотали молитву. На мостике виднелась массивная фигура капитана, тоже в рясе, но при кожаной фуражке и с широким кожаным поясом поперек чресел. Капитан кричал в рупор хриплым басом:

— Порфирий, елей те в глотку! Два шлага зашпиль!

На корме, где меньше неистовствовал ветер, гуляющие остановились. Окинув взором бескрайние бурные воды и низко придвинувшееся черно-серое небо, Наталья Генриховна содрогнулась:

— Боже, как страшно! Словно мы провалились в дыру меж временем и пространством!

Лагранж понял: пора начинать атаку по всему фронту. Оробевшая женщина — все равно что дрогнувший под картечью неприятель.

Провел наступление блестяще. Сказал, перейдя на низкий, подрагивающий баритон:

— В сущности я чудовищно одинок. А так, знаете, иногда хочется понимания, тепла и... ласки, да-да, самой обыкновенной человеческой ласки.

Опустил лоб на плечо даме, для чего пришлось слегка согнуть колени, тяжко вздохнул.

— Я... Я отправилась в Арарат не затем, — смятенно прошептала Наталья Генриховна, словно бы отталкивая его голову, но в то же время перебирая пальцами густые волосы Феликса Станиславовича. — Не делать новые грехи, а замаливать прежние...

— Так заодно уж всё разом и замолите, — привел полковник аргумент, неопровержимый в своей логичности.

Еще через пять минут они целовались в темной каюте — пока еще романтично, но пальцы полицмейстера уже определили дислокацию пуговок на платье Натальи Генриховны и даже потихоньку расстегнули верхнюю.

Среди ночи Феликс Станиславович очнулся от сильного толчка, приподнялся на локте и увидел совсем близко испуганные женские глаза. Хоть узкое ложе не было приспособлено для двоих, полковник, как впрочем и всегда, почивал самым отличным образом, и если уж пробудился, то, значит, удар был в самом деле нешуточный.

— Что такое? — Лагранж спросонья не вспомнил, где он, но сразу посмотрел на дверь. — Муж?

Дама (как бишь ее звали-то?) тихонько выдохнула:

— Мы тонем...

Полковник тряхнул головой, окончательно проснулся и услышал рев шторма, ощутил сотрясание корабельного корпуса — даже странно стало, как это любовников до сих пор не вышвырнуло из кровати.

— Уроды сыроядные! — послышался откуда-то сверху рев капитана. — Саддукеи скотоложные! Чтоб вас, ехидн, Молох познал!

Отовсюду — и снаружи, и с нижней палубы, доносились отчаянные крики и рыдания, это боялись пассажиры.

Наталья Генриховна (вот как ее звали) с глубокой убежденностью сказала:

— Это мне за кощунство. За грехопадение на пути в святую обитель.

И жалобно, безнадежно заплакала.

Лагранж успокаивающе потрепал ее по мокрой щеке и быстро, по-военному, оделся.

— Куда вы? — в ужасе воскликнула паломница, но дверь захлопнулась. Через полминуты полицмейстер был уже на шлюпочной палубе.

Придерживая рукой кепи, так и рвавшееся в полет, он в два счета оценил ситуацию. Ситуация была ватер-клозетная.

Капитан метался вокруг рубки, тщетно пытаясь поднять на ноги полдюжины матросов, которые стояли на коленях и молились. Феликс Станиславович разобрал: «Под Твою милость прибегаем, Богородице Дево...» Рулевое колесо в рубке поматывалось туда-сюда, как пьяное, и пароход рыскал носом меж высоченных волн, несясь неведомо куда.

— Что это вы руль бросили, Нахимов?! — кинулся Лагранж к капитану.

Тот рассек воздух огромным кулачищем.

— Одному не вывернуть! Пароходишко дрянь, на большой волне курса не держит! Я говорил архимандриту! Эту кастрюлю сделали, чтоб по Неве дамочек катать, а тут Сине-море! Нас на Чертов Камень несет, там мели!

В тот же миг пароход вдруг дернулся и встал как вкопанный. Оба — и полицмейстер, и капитан — налетели на стенку рубки, чуть не упали. Корабль немножко поерзал и начал медленно поворачиваться вокруг собственной оси.

— Всё, сели! — в отчаянии вскричал капитан. — Если сейчас нос по волне не повернуть, через четверть часа на бок ляжем, и тогда всё, пиши пропало! У, козлы смердячие! — Он замахнулся на свою молящуюся команду. — Рыло бы им начистить, да нельзя мне, я обет давал ненасильственный!

Феликс Станиславович сосредоточенно наморщил лоб.

— А если начистить, тогда что?

— Всем вместе на трос приналечь — развернули бы. А, что уж теперь!

Капитан всплеснул руками и тоже бухнулся на колени, загнусавил:

— Прими, Господи, душу раба Твоего, на Тя бо упование возложиша Творца и Зиждителя и Бога нашего...

— Приналечь? — деловито переспросил полковник. — Это мы быстро.

Он подошел к ближайшему из монахов, наклонился к нему и задушевно сказал:

— А ну-ка, вставайте, отче, не то евхаристию набок сворочу.

Молящийся не внял предупреждению. Тогда Феликс Станиславович рывком поставил его на ноги и в два счета исполнил свое свирепое намерение. Оставил святого человека в изумлении плеваться красной юшкой и тут же принялся за второго. Минуты не прошло — все палубные матросы были приведены в полную субординацию.

— За что тут тянуть-то? — спросил Лагранж у остолбеневшего от такой распорядительности капитана.

И ничего, Господь милостив, навалились все разом, повернули нос корабля, куда следовало. Никто не потоп.

* * *

Перед расставанием, когда пароход уже стоял у новоараратского причала, брат Иона (так звали капитана) долго не выпускал руку Феликса Станиславовича из своей железной клешни.

— Бросьте вы свою службу, — гудел Иона, глядя в лицо полковнику ясными голубыми глазками, удивительно смотревшимися на широкой и грубой физиономии. — Идите ко мне старпомом. Право, отлично бы поплавали. Тут, на Синем море, интересно бывает, сами видели. И душу бы заодно спасли.

— Разве что в смысле пассажирок, — тронул усы полицмейстер, потому что к трапу как раз вышла Наталья Генриховна — построжевшая лицом и сменившая легкомысленную шляпку на постный черный платок. Носильщик нес за ней целую пирамиду чемоданов, чемоданчиков и коробок, умудряясь удерживать всю эту Хеопсову конструкцию на голове. Остановившись, паломница широко осенила себя крестом и поклонилась в пояс благолепному городу — вернее его освещенной набережной, потому что самого Нового Арарата по вечернему времени было не рассмотреть: «Василиск» полдня проторчал на мели, дожидаясь буксира, и прибыл на остров с большим опозданием, уже затемно.

Лагранж галантно поклонился соучастнице романтического приключения, но та, видно, уже изготовившаяся к просветлению и очищению, даже не повернула головы к полковнику, так и прошествовала мимо.

Ах, женщины, улыбнулся Феликс Станиславович, отлично понимая и уважая спасительное устройство дамской психики.

— Ладно, отче, увидимся, когда поплыву обратно. Думаю, денька через два-три, вряд ли позднее. Как полагаете, погода к тому времени нала... — снова повернулся он к капитану, однако не договорил, потому что брат Иона глядел куда-то в сторону и лицо у него разительным образом переменилось: сделалось одновременно восторженным и каким-то растерянным, будто бравый капитан услышал губительную песню Сирены или увидел бегущую по волнам деву, что сулит морякам забвение горестей и удачу.

Лагранж проследил за взглядом странно умолкшего капитана и, в самом деле, увидел гибкий девичий силуэт, но только не скользящий меж пенных гребней, а неподвижно застывший на пристани, под фонарем. Барышня повелительно поманила Иону пальцем, и тот сомнамбулической походкой направился к трапу, даже не оглянувшись на своего несостоявшегося старпома.

Как человек любопытный и по складу характера, и по должности, а также пылкая натура, неравнодушная к женской красоте, Феликс Станиславович подхватил свой желтый саквояж патентованной свинячьей кожи и потихоньку пристроился капитану в хвост или, как говорят моряки, в кильватер. Чутье и опыт подсказали полковнику, что при такой дивной фигурке и уверенной осанке лицо встречающей не может оказаться некрасивым. Как же было не удостовериться?

— Здравствуйте, Лидия Евгеньевна, — робко пробасил Иона, приблизившись к незнакомке.

Та властно протянула руку в высокой серой перчатке — но, как выяснилось, не для поцелуя и не для рукопожатия.

— Привезли?

Капитан извлек что-то, совсем маленькое, из-за пазухи своего монашеского одеяния и положил на узкую ладонь, но что именно, полковник подглядеть не успел, потому что в этот самый миг барышня повернула к нему голову и легким движением приподняла вуаль — очевидно, чтоб лучше рассмотреть незнакомца. На это ей хватило двух, самое большее трех секунд, но этого кратчайшего отрезка времени хватило и Лагранжу — чтобы остолбенеть.

О!

Полицмейстер схватился рукой за тугой воротничок. Какие огромные, бездонные, странно мерцающие глаза! Какие впадинки под скулами! А изгиб ресниц! А скорбная тень у беззащитных губ! Черт подери!

Отодвинув плечом зуброобразного брата Иону, Лагранж приподнял кепи.

— Сударыня, я здесь впервые, никого и ничего не знаю. Приехал поклониться святыням. Помогите человеку, который много и тяжко страдал. Посоветуйте, куда вначале направить стопы горчайшему из грешников. К монастырю? К Василискову скиту? Или, быть может, в какой-нибудь храм? Кстати, позвольте отрекомендоваться: Феликс Станиславович Лагранж, полковник, в прошлом кавалерист.

Лицо красавицы уже было прикрыто невесомым ажуром, но из-под края вуалетки было видно, как прелестный рот скривился в презрительной гримасе.

Оставив хитроумный, психологически безошибочный апрош полицмейстера безо всякого внимания, девушка, которую капитан назвал Лидией Евгеньевной, спрятала сверточек в ридикюль, грациозно повернулась и пошла прочь.

Брат Иона тяжело вздохнул, а Лагранж заморгал. Это было неслыханно! Сначала петербургская коза не удостоила прощанием, теперь еще и это унижение!

Забеспокоившись, полковник достал из жилетного кармана удобное зеркальце и проверил, не приключилось ли с его лицом какой-нибудь неприятности — внезапной нервной экземы, прыща или, упаси Боже, повисшей из носу сопли. Но нет, внешность Феликса Станиславовича была такой же красивой и приятной, как всегда: и мужественный подбородок, и решительный рот, и превосходные усы, и умеренный, совершенно чистый нос.

Окончательно настроение полковнику испортил какой-то идиот в берете, невеликого росточка, но в гигантских темных очках. Он преградил Лагранжу дорогу, зачем-то покрутил оправу своих клоунских бриллей и пробормотал:

— Быть может, этот? Красный — это хорошо, это возможно. Но голова! Малиновая! Нет, не годится! — И, уже совсем выйдя за рамки приличного поведения, сердито замахал на полковника руками. — Идите, идите! Что вы встали? Дуб! Чугунный лоб!

Ну и городок!

* * *

Гостиница «Ноев ковчег», про которую Феликс Станиславович знал от преосвященного, была хороша всем за исключением цен. Что это такое — шесть рублей за нумер? То есть полковнику, разумеется, была вручена некая сумма из личного архиерейского фонда, вполне достаточная для оплаты даже и столь расточительного постоя, но полицмейстер проявил разумную изобретательность, вообще в высшей степени ему свойственную: записался в книге постояльцев, обозначив твердое намерение занять комнату по меньшей мере на три дня, а после, придравшись к виду из окон, останавливаться в «Ковчеге» не стал, сыскал себе пристанище поэкономней. Нумера «Приют смиренных» брали с постояльцев всего по рублю — то есть выходило пять целковых в день чистого прибытка. Отец Митрофаний не такая особа, чтоб в мелочах копаться, а если когданибудь, при проверке отчетности, сунет нос консисторский ревизор, то вот вам запись в книге: был в «Ноевом ковчеге» Ф.С.Лагранж, обозначился, а прочее ерунда и домыслы.

Переночевав в комнатенке с видом на глухую кирпичную стену монастырской рыбокоптильни, полицмейстер с утра выпил чаю и немедленно приступил к рекогносцировке. Сведения, полученные преосвященным от Алексея Степановича Ленточкина, нуждались во всесторонней тщательной проверке, ибо вызывали сомнение решительно всем, и в первую очередь личностью самого эмиссара, которого полковник немного знал и именовал про себя не иначе как «попрыгун». Мало того, что несерьезный и безответственный субъект, которому после К-ских безобразий следовало бы состоять под надзором полиции, так еще и съехал с ума. Кто его знает, когда у него в мозгах замутнение произошло — может, в Арарат он прибыл уже полностью чикчирикнутым, а тогда вообще всё враки.

Феликс Станиславович вооружился планом Нового Арарата, поделил город на квадраты и в два часа прочесал их все, прислушиваясь и приглядываясь. Примечательное заносил в особую тетрадочку.

У фонтанчика с целебной водой несколько паломников респектабельного вида и почтенного возраста вполголоса обсуждали минувшую ночь, которая выдалась светлой, хоть луна уже была на самом ущербе.

— Опять видели, — таинственно приглушив голос, рассказывал господин в сером цилиндре с траурным крепом. — Псой Тимофеевич в подзорную трубу наблюдал, с Зачатьевской колокольни. Ближе не рискнул.

— И что же? — придвинулись слушатели.

— Известно что. *Он.* Прошествовал по водам. Потом луна за облако зашла, снова вышла, а его уж нет...

Рассказчик перекрестился, все прочие последовали его примеру.

«Псой Тим.», записал Лагранж, чтоб после отыскать и опросить свидетеля. Но в ходе рекогносцировки он услышал пересуды про вчерашнее водохождение не раз и не два. Оказалось, что кроме неизвестного Псоя Тимофеевича за Постной косой с безопасного расстояния наблюдали еще несколько смельчаков, и все что-то видели, причем один утверждал, что Черный Монах не просто ходил, а *носился* над водами. Другой же и вовсе разглядел за спиной Василиска перепончатые, как у летучей мыши, крылья (сами знаете, у кого такие бывают).

В котлетной «Упитанный телец» полицмейстер подслушал спор двух пожилых дам о том, следовало ли хоронить жену бакенщика и выкинутого ею младенца в освященной земле и не произойдет ли теперь от этого какого осквернения для монастырского кладбища. Недаром третьего дня у ограды *его* видели — одна баба-просвирня, которая так напугалась, что доселе заикается. Сошлись на том, что бакенщицу еще куда ни шло, а вот некрещеный плод благоразумней было бы спалить и прах по ветру рассеять.

На скамье понадозерного сквера сидели седобородые монахи из числа старшей братии. Пристойно, вполголоса рассуждали о том, что любая сомнительность в вопросах веры ведет к шатанию и соблазну, а один ста-

рец, которого прочие слушали с особенным вниманием, призывал Василисков скит на время закрыть, дабы
посмотреть, не утишится ли заступник, и если после
сего он буйствовать перестанет, значит, надобно Окольний остров оставить в безлюдности как место нехорошее и, возможно, даже проклятое.

Полковник постоял за скамейкой, делая вид, что
любуется звездным небом (луна нынче в силу астроно-
мических причин отсутствовала). Пошел дальше.

Наслушался еще всякого. Оказывается, Василиска
по ночам видели не только на воде и у кладбища, но
даже и в самом Арарате: близ сгоревшей Космодамиа-
новской церковки, на монастырской стене, в Гефси-
манском гроте. И всем, кому являлся, Черный Монах
предостерегающе показывал в сторону Окольнего острова.

Таким образом выходило, что в изложении фактов
«попрыгун» не наврал. Некие явления, пока неуста-
новленного умысла и значения, действительно имели
место быть. Первую задачу расследования можно было
считать исполненной.

Далее очередность розыскных действий предпола-
галась такая: взять показания у доктора Коровина и
учинить допрос безумному Ленточкину, ежели он, конечно, не впал в совершенную нечленораздельность.
Ну а уж затем, собрав все предварительные сведения,
произвести засаду на Постной косе с непременным аре-
стованием призрака и установлением его подлинной
личности.

Короче говоря, невелика сложность. Случалось
Феликсу Станиславовичу распутывать клубки и по-
мудреней.

Время было уже позднее, для визита в лечебницу
неподходящее, и полковник поворотил в сторону «При-

юта смиренных», теперь уже не столько прислушиваясь к разговорам встречных, сколько просто присмат-
риваясь к ново-араратским порядкам.

Город Лагранжу определенно нравился. Чистота,
благочиние, трезвость. Ни бродяг, ни попрошаек (кто
ж их на пароход-то пустит, чтоб на остров приплыть?),
ни досадных взору заплатников. Простые люди неду-
ховного звания — рыбаки, мастеровые — в чистом,
приличном; бабы при белых платках, на лицо круглые, телом сытые. Все фонари исправно горят, тротуа-
ры из гладко струганных досок, мостовые добротные,
из дубовых плашек, и без единой выщербины. Во всей
России другого такого образцового города, пожалуй, и
не сыщешь.

Имелся у полковника к Новому Арарату и еще один,
сугубо профессиональный интерес. Как поселение, об-
разовавшееся из монастырского предместья и на церковной территории, город не попал в уездный штат и
находился под прямым управлением архимандрита, без
обычных административных органов. Из губернской
статистики Лагранжу было известно, что на островах
никогда не бывает преступлений и всякого рода зло-
счастий. Хотелось понять, как тут обходятся без полиции, без чиновников, без пожарных.

На последний вопрос ответ сыскался скоро — будто
кто нарочно вздумал устроить для заволжского полицмейстера наглядную демонстрацию.

Проходя по главной площади городка, Лагранж услышал шум, крики, заполошный звон колокола, увидел мальчишек, которые со всех ног бежали куда-то с
самым деловитым и сосредоточенным видом. Феликс
Станиславович втянул воздух своим чутким на чрез-
вычайные происшествия носом, ощутил запах дыма и
понял: пожар.

Ускорил шаг, двигаясь вслед за мальчишками. Повернул за угол, потом еще раз и точно — алым кустом, расцветшим в темноте, пылала «Опресночная», дощатый павильон ложно-классической конструкции. Полыхала азартно, неостановимо — видно, искры от жаровни попали куда не надо, а повар прозявил. Вон он, в белом колпаке и кожаном переднике, и с ним двое поварят. Бегают вокруг огненной купины, машут руками. Да что уж махать, пропало заведение, не потушишь, опытным взглядом определил полковник. На соседний бы дом не перекинулось. Эх, сюда брандспойт бы.

И тут же, прямо в ту самую минуту, как он это подумал, из-за поворота донесся звон колокольчиков, топот копыт, бодрое лязганье, и на освещенную пожаром улицу вылетели одна за другой две упряжки.

Первой была лихая вороная тройка, в которой, выпрямившись во весь рост, стоял высоченный тощий монах в лиловой скуфье, с драгоценным наперсным крестом (сам архимандрит, тотчас догадался по кресту Феликс Станиславович). А следом поспешала шестерка буланых, катившая за собой современнейшую пожарную машину, каких в Заволжске еще и не видывали. На сверкающем медными боками чудище восседали семеро монахов в начищенных касках, с баграми, кирками и топорами в руках.

Высокопреподобный соскочил наземь прямо на ходу и зычным голосом стал подавать команды, которые выполнялись пожарными с восхитившей полковника точностью.

Вмиг размотали брезентовую кишку, включили помпу на водяной бочке и сначала хорошенько окатили соседнее, еще не занявшееся строение, а после уж принялись за опресночную.

Получаса не прошло, а нешуточная опасность была полностью устранена. Монахи баграми растаскивали обгоревшие бревна; дымились мокрые, укрощенные угли; отец Виталий, похожий на победоносного полководца средь покрытого трупами поля брани, сурово допрашивал понурого повара.

Ай да поп, одобрил Лагранж. Жаль, не пошел по военной линии, получился бы отличный полковой командир. А то поднимай выше — дивизионный генерал.

Прояснился вопрос и с полицией. Откуда ни возьмись — пожар еще вовсю пылал — появился полувзвод рослых чернецов в укороченных рясах, сапогах, с белыми повязками на рукавах. Командовал ими крепкий красномордый иеромонах, по виду чистый околоточный надзиратель. У каждого на поясе висела внушительная каучуковая палица — гуманнейшее, во всех отношениях отличное изобретение Нового Света: если какого буяна этакой штуковиной по башке стукнуть, мозгов не вышибет, а в задумчивость приведет.

Монахи в два счета оцепили пожарище и подвинули толпу, для чего палицы не понадобились — зеваки безропотно вняли призывам порядкоблюстителей.

И Феликсу Станиславовичу сделалось понятно, почему на островах порядок и нет преступлений. Мне бы таких молодцов, завистливо подумал он.

Пока возвращался к месту ночлега по тихим, быстро пустеющим улицам, подвергся приступу вдохновения. Под впечатлением увиденного полковнику пришла в голову захватывающая идея общего переустройства жандармерии и полиции.

Вот бы учредить некий рыцарско-монашеский орден вроде тевтонского, дабы поставить надежный фундамент всему зданию русской государственности, мечтал Феликс Станиславович. Принимать туда самых

лучших и преданных престолу служак, чтоб давали
обет трезвости, беспрекословного послушания начальству, нестяжательства и безбрачия. Обета целомудрия,
пожалуй, не нужно, а вот безбрачие хорошо бы. Избавило бы от многих проблем. То есть, конечно, рядовые
полицейские и даже офицерство небольшого чина могут быть и не членами ордена, но высокого положения
в иерархии чтоб могли достичь только давшие обет.
Ну, как у священного сословия, где есть белое духовенство и черное. Вот когда настанут истинное царство
порядка и диктат неукоснительной законности!

Полковник так увлекся великими замыслами, ему
так вкусно цокалось каблуками по дубовой мостовой,
что он чуть не промаршировал мимо «Приюта смиренных» (что в темноте было бы нетрудно, ибо вывеска на
нумерах освещалась единственно сиянием звезд).

Благостный служитель оторвался от замусоленной
книги, несомненно божественного содержания, осуждающе посмотрел на постояльца поверх железных очков и, пожевав губами, сказал:

— К вам особа была.

— Какая особа? — удивился Лагранж.

— Женского пола, — еще суше сообщил постник. —
В большой шляпе, с сеткой на лице. Немолитвенного
вида.

Она! — понял Феликс Станиславович, услыхав про
«сетку». Его мужественное сердце забилось быстро и
сильно.

Откуда узнала, где он остановился?

Ах, немедленно ответил сам себе полицмейстер,
город небольшой, гостиниц немного, а мужчина он собою видный. Разыскать было нетрудно.

— Кто эта дама, знаешь? — спросил он, наклонившись. — Как зовут?

Хотел даже положить на конторку гривенник или пятиалтынный, но вместо этого стукнул кулаком.

— Ну!

Служитель посмотрел на исключительно крепкий кулак с уважением, неодобрительность во взгляде погасил и украсил речь словоерсами:

— Нам неизвестно. В городе встречали-с, а к нам они впервые пожаловали-с.

В это было легко поверить — нечего прекрасной и изысканной даме делать в такой дыре.

— Да они вам записку оставили. Вот-с.

Полковник схватил узкий заклеенный конверт, понюхал. Пахло пряным, острым ароматом, от которого ноздри Феликса Станиславовича истомно затрепетали.

Всего два слова: «Полночь. Синай».

В каком смысле?

Медоточащее сердце тут же подсказало полицмейстеру: это время и место встречи. Ну, про время было понятно — двенадцать часов ноль ноль минут. Но что такое «Синай»? Очевидно, некое иносказание.

Думай, приказал себе Лагранж, недаром же его превосходительство губернатор тогда сказал: «Удивляюсь, полковник, резвости вашего ума». Главное, до полуночи оставалось всего три четверти часа!

— Синай, Синай, поди узнай... — задумчиво пропел Феликс Станиславович на мотив шансонетки «Букет любви».

Служитель, все еще находившийся под впечатлением от полицмейстерова кулака, услужливо спросил:

— Синаем интересуетесь? Напрасно-с. Там в этот час никого. Николаевская молельня закрыта, раньше завтрего не попадете.

И выяснилось, что Синай — это вовсе не священная гора, где Моисей разговаривал с Господом, вернее

не только она, но еще и известная ново-араратская достопримечательность, утес над озером, где молятся святому Николаю Угоднику.

Царственная лаконичность записки впечатляла. Ни
тебе «жду», ни «приходите», ни что такое «Синай».
Непоколебимейшая уверенность, что он всё поймет и
немедленно примчится на зов. А ведь разглядывала
его всего мгновение. О, богиня!

Выяснив, как дойти до Синая (верста с лишком на
запад от монастыря), Феликс Станиславович отправился
на ночное свидание.

Его душа замирала от волшебных предчувствий, а
если что-то и омрачало восторг, то лишь стыд за убо-
жество «Приюта». Сказать, что прибыл инкогнито, с
секретной миссией, а в подробности не вдаваться, придумал на ходу полковник. Без подробностей даже еще
и лучше получится, загадочней.

Улицы Нового Арарата к ночи будто вымерли. За
все время, что Лагранж шел до монастыря, из живых существ ему встретилась всего одна кошка, и та
черная.

Мимо белых стен обители, мимо привратной церкви полковник достиг лесной опушки. Еще с четверть
часа шагал по широкой, хорошо утоптанной тропе,
понемногу забиравшей вверх, а потом деревья расступ-
пились и впереди открылся холм с островерхим терем-
ком, за которым не было ничего кроме черного, ис-
пещренного звездами неба.

Бодрой поступью Феликс Станиславович взбежал
вверх и остановился: сразу за мольней холм обры-
вался. Далеко внизу, под обрывом, плескалась вода,
поблескивали круглые валуны, а дальше простиралось
безбрежное Синее озеро, мерно покачивающее всей своей текучей массой.

Изрядный ландшафт, подумал Лагранж и снял кепи — не от благоговения перед величием природы, а чтоб английский головной убор не сдуло ветром.

Но где же она? Уж не подшутила ли?

Нет! От бревенчатой стены отделилась тонкая фигура, медленно приблизилась. Страусовые перья трепетали над тульей, вуаль порхала перед лицом легкой паутинкой. Рука в длинной перчатке (уже не серой как давеча, а белой) поднялась, придерживая край шляпы. Собственно, только эти белые порхающие руки и были видны, ибо черное платье таинственной особы сливалось с тьмой.

— Вы сильный, я сразу поняла это по вашему лицу, — сказала девушка безо всяких предисловий низким, грудным голосом, от которого Феликса Станиславовича почему-то бросило в дрожь. — Сейчас так много слабых мужчин, ваш пол вырождается. Скоро, лет через сто или двести, мужчины станут неотличимы от женщин. Но вы не такой. Или я ошиблась?

— Нет! — вскричал полицмейстер. — Вы нисколько не ошиблись! Однако...

— Вы сказали «однако»? — прервала его таинственная незнакомка. — Я не ослышалась? Это слово употребляют только слабые мужчины.

Феликс Станиславович ужасно испугался, что она сейчас повернется и исчезнет во мраке.

— Я хотел сказать: «одинокая», но от волнения оговорился, — нашелся он. — Одинокая звезда, вечная моя покровительница, привела меня на этот остров, подсказала сердцу, что здесь, именно здесь оно наконец встретит ту, что грезилась ему долгими...

— Мне сейчас не до бессмысленных красивостей, — вновь перебила красавица, и слабый свет звезд, отразившись в ее глазах, многократно усилился, заискрился. —

Я в отчаянии и лишь поэтому обращаюсь за помощью к первому встречному. Просто там, на причале, мне показалось, что... что...

Ее волшебный голос дрогнул, и из головы Лагранжа разом вылетели все заготовленные галантные тирады.

— Что? — прошептал он. — Скажите, что вам показалось? Ради бога!

— ... Что вы можете меня спасти, — едва слышно закончила она и плавно взмахнула рукой. Этот круг, прочерченный белым по черному, напомнил Феликсу Станиславовичу взмах крыла раненой птицы.

В глубочайшем волнении он воскликнул:

— Я не знаю, что за беда с вами стряслась, но — слово офицера — я сделаю всё! Всё! Рассказывайте!

— И не побоитесь? — Она испытующе заглянула ему в лицо. — Вижу. Вы храбрый.

Потом вдруг отвернулась, и прямо перед глазами полковника оказалась ее белая, нежная шея. Лагранж хотел припасть к ней губами, но не осмелился. Вот тебе и храбрый.

— Есть один человек... Страшный человек, настоящее чудовище. Он — проклятье всей моей жизни. — Девушка говорила медленно, будто каждое слово давалось ей с трудом. — Я пока не назову вам его имени, я еще слишком мало вас знаю... Скажите лишь, могу ли я на вас положиться.

— Вне всякого сомнения, — ответил полицмейстер, сразу же успокоившись. Негодяй, мучающий бедную девицу, — эка невидаль. Познакомится с полковником Лагранжем — станет как шелковый. — Он здесь, этот ваш человек? На острове?

Она оглянулась на него, дав Феликсу Станиславовичу полюбоваться своим резным профилем. Кивнула.

— Отлично, сударыня. Завтра мне нужно повидать одного местного доктора, некоего Коровина, и одного его пациента. А с послезавтрашнего дня я буду совершенно в вашем распоряжении.

Тут девушка вся повернулась к Лагранжу и покачала головой, словно не верила чему-то или в чем-то сомневалась. После долгой паузы (сколько именно она продолжалась, сказать трудно, потому что от мерцающего взгляда Феликс Станиславович оцепенел и счет времени утратил) нежные губы шевельнулись, прошелестели:

— Что ж, тем лучше.

Порывисто сняла перчатку, царственным жестом протянула руку для поцелуя.

Полковник приник ртом к благоуханной, неожиданно горячей коже. От прикосновения закружилась голова — самым натуральным образом, как после пары штофов жженки.

— Довольно, — сказала барышня, и Лагранж опять не посмел своевольничать. Даже попятился. Это надо же!

— Как... Как вас зовут? — спросил он задыхаясь.

— Лидия Евгеньевна, — рассеянно ответила она, шагнула к полковнику и поглядела куда-то поверх его плеча.

Феликс Станиславович обернулся. Оказывается, они стояли на самом краю утеса. Еще шаг назад, и он сорвался бы с кручи.

Лидия Евгеньевна простонала:

— Я здесь больше не могу! Туда, я хочу туда!

Размашистым жестом показала на озеро, а может быть, на небо. Или на большой мир, таящийся за темными водами?

Перчатка выскользнула из ее пальцев и, прочерчивая в пустоте изысканную спираль, полетела вниз.

Касаясь друг друга плечами, они наклонились и увидели внизу, на каменистом выступе белое пятнышко, покачивающееся на ветру.

Неужто придется лезть? — мысленно содрогнулся полицмейстер, но пальцы уже сами расстегивали пиджак.

— Ерунда, — бодро сказал Феликс Станиславович, надеясь, что она его остановит. — Сейчас достану.

— Да, я не ошиблась в нем, — кивнула сама себе Лидия Евгеньевна, и после этого полковник был готов не то что лезть — ласточкой кинуться вниз. Страха как не бывало.

Цепляясь за корни, острожно нащупывая ногами камни и малейшие выступы, он стал спускаться. Раза два чуть не сорвался, но уберег Господь. Подвижная белая полоска делалась все ближе. Хорошо хоть перчатка не улетела в самый низ, а зацепилась посередине обрыва.

Вот она, голубушка!

Лагранж дотянулся, сунул шелковый трофей за пазуху. Посмотрел вверх. До кромки было далеконько, ну да ничего — подниматься проще, чем спускаться.

Выбрался на вершину не скоро, весь перепачканный, искряхтевшийся, мокрый от пота.

— Лидия Евгеньевна, вот ваша жантетка! — триумфально объявил он, озираясь.

Только не было на холме никакой Лидии Евгеньевны. Исчезла.

* * *

— Так, говорите, вы его дядя по материнской линии? — переспросил Коровин, внимательно глядя на Феликса Станиславовича и почему-то задержавшись взглядом на шее визитера. — И служите, стало быть, в банке?

Лагранж чуть ли не час проторчал в кабинете у доктора, а никакого толку пока что не выходило. Донат Саввич оказался собеседником трудным, не желающим поддаваться психологической обработке, правила которой были разработаны лучшими умами Департамента полиции и Жандармского корпуса.

В полном соответствии с новейшей допросительной наукой, полицмейстер попытался в первую же минуту знакомства установить правильную иерархию, обозначить, кто «отец», а кто «сын». Крепко пожал руку худощавому, гладко выбритому доктору, пристально посмотрел ему прямо в глаза и с приятной улыбкой сказал:

— Превосходное у вас заведение. Наслышан, начитан, впечатлен. Просто счастье, что Алешик попал в такие надежные руки.

Комплимент нарочно произнес тихим-претихим голосом, чтоб оппонент сразу начал прислушиваться, мобилизовал мышцы холки и непроизвольно наклонил голову вперед. Кроме того, в соответствии с законом зеркальности, после этого Коровин должен был говорить громко, напрягая связки. На этом первый этап складывающихся отношений был бы благополучно завершен, начальное психологическое преимущество получено.

Но доктор владел методой дискурсивного позиционирования не хуже полицмейстера. Должно быть, насобачился на своих пациентах. Если б разговор происходил не на территории Доната Саввича, а в некоем строгом кабинете с портретом государя императора на стене, преимущество было бы на стороне Феликса Станиславовича, а так что ж, пришлось менять аллюр на ходу.

Когда врач энергично сжал руку полковника, взгляда не отвел, а на лестные слова еле слышно произнес:

«Помилуйте, какое уж тут счастье», Лагранж сразу
понял, что не на того напал. Хозяин усадил посетителя в чрезвычайно удобное, но низкое и несколько за-
прокинутое назад кресло, сам же уселся к письменному
столу, так что Феликс Станиславович был вынужден
смотреть на Коровина снизу вверх. Инициатива диалога тоже сразу попала к доктору.

— Очень хорошо, что вы так быстро прибыли. Ну
же, рассказывайте скорей.

— Что рассказывать? — смешался Лагранж.

— Как что? Всю жизнь вашего племянника, с самых первых дней. Когда начал держать головку, в
сколько месяцев стал ходить, до какого возраста мо-
чился в кровать. И родословную тоже, со всеми подробностями. Молодой человек у меня однажды был,
еще до раптуса, и я провел первичный опрос, но нужно сверить данные...

Проклиная себя за неудачно выбранную легенду,
полицмейстер принялся фантазировать и отвечать на
миллион разных идиотских вопросов. Перейти к делу
все никак не получалось.

— Да, служу в банке, — ответил он. — В «Волж-
ско-Каспийском», старшим конторщиком.

— Ага, конторщиком. — Донат Саввич вздохнул,
вынул из золотого портсигара с бриллиантовой монограммой папиросу, сдул с нее крошку табака. — А откуда у вас полоска на шее? Вот здесь. Такая бывает от
постоянного соприкосновения с воротником мундира у
военных... Или у жандармов.

Чертов докторишка! Битый час издевался, заставлял выдумывать всякую чепуху про детскую ветрянку
и онанистические склонности обожаемого племянника, а сам отлично все понял!

Феликс Станиславович добродушно усмехнулся и развел руками, как бы отдавая должное проницательности собеседника. Нужно было снова менять тактику.

— М-да, господин Коровин. Вас на мякине не проведешь. Вы совершенно правы. Я не конторщик Червяков. Я заволжский полицмейстер Лагранж. Как вы понимаете, человек моего положения пустяками заниматься не станет. Я прибыл сюда по чрезвычайно важному делу, хоть и в неофициальном качестве. Дело это связано...

— С неким монахом, запросто разгуливающим по водам и пугающим по ночам глупых обывателей, — подхватил ушлый доктор, выпуская колечко дыма. — Чем же, позвольте осведомиться, сей фантом заинтересовал ваше везденоссующее, то есть я хотел сказать вездесущее ведомство? Уж не усмотрели ли вы в святом Василиске пресловутый призрак, которым стращают эксплуататоров господа марксисты?

Лагранж побагровел, готовый поставить зарвавшегося лекаришку на место, но здесь приключилось одно странное обстоятельство.

День нынче, в отличие от вчерашнего, выдался солнечным и необычайно теплым, вследствие чего окна кабинета были раскрыты. Погода стояла сладчайшая. Ни облачка, ни ветерка, сплошь золото листвы и переливчатое дрожание воздуха. Однако же распахнутая створка жалюзи вдруг качнулась — совсем чуть-чуть, но от профессионального взора полицмейстера эта аномалия не ускользнула. Так-так, намотал себе на ус Феликс Станиславович. Поглядим, что будет дальше.

Присматривая краешком глаза за интересной створкой, он понизил голос:

— Нет, Донат Саввич, на призрак коммунизма Черный Монах нисколько не похож. Однако же имеют место разброд и шатание среди обывателей, а это уже по нашей части.

— Стало быть, Ленточкин — полицейский филер? — Коровин удивленно покачал головой. — Ни за что не подумаешь. Видно, способный малый, далеко пошел бы. Но теперь, увы, навряд ли. Жалко мальчишку, он очень-очень плох. А хуже всего то, что я не могу сыскать ни одного хоть сколько-то сходного медицинского прецедента. Непонятно, как подступиться к лечению. А время уходит, драгоценное время. Долго он так не протянет...

Наконец-то разговор пошел о деле.

— Что он вам рассказал о событиях той ночи? — спросил полковник и вынул блокнот.

Доктор пожал плечами:

— Ничего. Ровным счетом ничего. Не в таком был состоянии, чтоб рассказывать.

Я ему несимпатичен, мысленно констатировал Лагранж, и до такой степени, что не желает нужным это скрывать. Ничего, голубчик, фактики ты мне все равно изложишь, никуда не денешься.

Вслух говорить ничего не стал, лишь выразительно постучал карандашом по бумаге: мол, продолжайте, слушаю.

— В прошлый вторник, то есть ровно неделю назад, на рассвете меня разбудил привратник. В дом ломился ваш «племянник», всклокоченный, расцарапанный, с выпученными глазами и совершенно голый.

— Как так? — не поверил Феликс Станиславович. — Совсем голый? И по острову так шел?

— Голее не бывает. Повторял все время одно и то же: «Credo, Domine, credo!» Поскольку он уже бывал у меня прежде, когда...

Знаю, знаю, нетерпеливо покивал полковник, дальше.

— Ах, даже так? — Доктор почесал переносицу. — Хм, значит, о первом своем визите он вам доложить успел... В общем, видя, в каком он состоянии, я велел пустить в дом. Какой там! Кричит, вырывается, двое санитаров в прихожую затащить не смогли. Попробовали накинуть одеяло — ведь холодно — то же самое: бьется, срывает с себя. Сгоряча надели смирительную рубашку, но тут у него такие конвульсии начались, что я велел снять. Я вообще противник насильственных способов лечения. Не сразу, совсем не сразу я понял...

Донат Саввич снял очки, не спеша протер стеклышки и только после этого продолжил свой рассказ.

— М-да, так вот. Не сразу я понял, что имею дело с небывало острым случаем клаустрофобии, когда больной не только боится любых помещений, но даже не выносит никакой одежды... Говорю вам, очень редкий случай, я такого ни в учебниках, ни в статьях не встречал. Поэтому и оставил вашего «племянника» для изучения. К тому же и переправить его отсюда не представляется возможным. Во-первых, простудится. Да и вообще, как везти нагишом в смысле общественной нравственности? Паломники будут фраппированы, да и архимандрит меня по головке не погладит.

Феликс Станиславович наморщил лоб, переваривая удивительные сведения. Про неспокойную створку жалюзи (которая, впрочем, больше не качалась) полицмейстер и думать забыл.

— Погодите, доктор, но... где же вы его держите? Голого на улице, что ли?

Коровин рассмеялся довольным, снисходительным смешком и встал.

— Пойдемте, старший конторщик, сами увидите.

* * *

Лечебница доктора Коровина располагалась в самом лучшем месте острова Ханаана, на пологом лесистом холме, поднимавшемся к северу от городка. Лагранжа с самого начала удивило отсутствие каких-либо заборов и ворот. Дорожка, выложенная веселым желтым кирпичом, петляла меж лужаек и рощиц, где на некотором отдалении друг от друга стояли домики самой разной конструкции: каменные, бревенчатые, дощатые; черные, белые и разноцветные; со стеклянными стенами и вовсе без окон; с башенками и магометанскими плоскими крышами — одним словом, черт знает что. Пожалуй, этот диковинный поселок несколько напоминал картинку из книжки «Городок в табакерке», которую маленький Филя очень любил в детстве, но с тех пор миновало чуть не сорок лет, и вкусы Лагранжа за это время сильно переменились.

Первое впечатление, еще до знакомства с Донатом Саввичем, было такое: доверили лечить сумасшедших еще большему сумасходу. Куда только смотрят губернские попечители?

Теперь же, идя за доктором вглубь больничной территории, полковник уже не смотрел на кукольные хижины, а держал в поле зрения густые кусты боярышника, обрамлявшие дорожку. Кто-то крался там, с другой стороны, и не слишком искусно — шуршал палой листвой, похрустывал ветками. Можно было бы в два прыжка оказаться по ту сторону живой изгороди и схватить топтуна за шиворот, но Лагранж решил не торопиться.

Свернули на узкую тропинку, вдоль которой протянулись застекленные теплицы с овощными грядками, цветами и плодовыми деревцами.

А вот это похвально, одобрил полковник, разглядев за прозрачными стенами и клубнику, и апельсины, и даже ананасы. Кажется, Коровин умел жить со вкусом.

У центральной оранжереи, похожей на океанский мираж — на пышно-зеленый тропический остров, парящий над тусклыми северными водами, врач остановился.

— Вот, — показал он. — Девятьсот квадратных саженей пальм, банановых деревьев, магнолий и орхидей. Обошлась мне в сто сорок тысяч. Зато получился истинный Эдем.

И тут терпение Лагранжа наконец лопнуло.

— Послушайте, вы, врачу-исцелися-сам! — грозно выкатил он глаза. — Я что, по-вашему, на цветочки приехал любоваться? Хватит вола крутить! Где Ленточкин?!

В гневе Феликс Станиславович бывал страшен. Даже портовые полицейские, дубленые шкуры — и те коченели. Но Донат Саввич и глазом не повел.

— Как где? Там, под стеклянным небом, среди райских кущ. — И показал на оранжерею. — Сам туда забился, в первый же день. Единственно возможное для него место. Тепло, стен и крыши не видно. Проголодается — съест какой-нибудь фрукт. Вода тоже имеется, водопровод. Вы хотели его видеть? Милости прошу. Только он дичится людей. Может спрятаться — там настоящие джунгли.

— Ничего, отыщем, — уверенно пообещал полицмейстер, рванул дверь и шагнул во влажную, липкую жару, от которой сразу размок воротничок, а по спине потекла щекотная струйка пота.

Пробежал рысцой по центральному проходу, вертя головой вправо-влево.

Донат Саввич сразу же отстал.

Ага! За размашистым растением неизвестного полковнику наименования — ядовито-зеленым, с хищны-

ми красными бутонами— мелькнуло нечто телесного
цвета.

— Алексей Степаныч! — крикнул полицмейстер. —
Господин Ленточкин! Постойте!

Куда там! Качнулись широкие глянцевые листья,
послышался легкий шорох убегающих ног.

— Доктор, вы слева, я справа! — скомандовал Лагранж и ринулся в погоню.

Споткнулся о толстый, вьющийся по земле стебель,
грохнулся во весь рост. Это-то и помогло. С пола Феликс Станиславович увидел кончик ноги, высовываю-
щийся из-за волосатого ствола пальмы — шагах в десяти, не более. Вот ты где спрятался, голубчик.

Полковник встал, отряхнул локти и колени, крикнул:

— Ладно уж, Донат Саввич! Пускай. Не хочет — не
надо.

Медленно двинулся через заросли, потом прыг в сторону — и схватил голого человека за плечи.

Он самый — дворянин Алексей Степанов Леноч-
кин 23 лет, никаких сомнений. Волосы каштановые
вьющиеся, глаза голубые (в данный момент дико вы-
пученные), лицо овальное, сложение худощавое, рост
два аршина восемь вершков.

— Ну-ну, не трепещи ты, — успокоительно сказал
полицмейстер, поскольку странно было бы обращаться к сумасшедшему и голозадому на «вы». — Я от владыки Митрофания, приехал тебе помочь.

Мальчишка не вырывался, стоял смирно, только
очень уж дрожал.

— Сейчас я ему укольчик, чтоб не буянил, — раздался голос Коровина.

Оказалось, что в кармане у доктора имелась плос-
кая металлическая коробочка. В полминуты Донат
Саввич собрал шприц и заправил его прозрачной жид-

костью из маленького пузырька, но Алеша вдруг жалобно заплакал и припал к груди полицмейстера. Непохоже было, что он склонен к буйству.

— Я вижу, что ошибался и вы ему действительно
горячо любимый дядя, — хладнокровно заметил Коровин, засовывая снаряженный шприц в карман.

— Ну вас к черту, — отмахнулся Лагранж и стал
неловко гладить безумца по кудрявому затылку. — Ай-
я-яй, как нас напугали нехорошие бяки. А вот мы им
зададим. А вот мы им а-та-та. Я Василиска этого в два
счета выловлю, у меня не забалует. Только сунется,
тут ему и конец.

Ленточкин всхлипывал, но уже не так судорожно,
как вначале.

Чуть отодвинувшись, полковник вкрадчиво спросил:

— Что стряслось-то, а? Ну тогда, ночью? Ты говори, не бойся.

— Тс-с-с, — прошипел юноша, приложив палец к
губам. — Он услышит.

— Кто, Черный Монах? Ничего он не услышит. Он
днем спит, — сказал ему Феликс Станиславович, обра-
довавшись членораздельным словам. — Ты тихонечко, он и не проснется.

Пугливо покосившись на Коровина, безумец придвинулся вплотную к Лагранжу и зашептал ему на ухо:

— Крест — он не крест, а совсем наоборот. Кррррр
по стеклу, стены трррррр, потолок шшшш, и не убе-
жишь. Дверь маленькая, не пролезть. А окошки вообще, вот такусенькие. — Он показал пальцами. — До-
мок прыг-скок, избушка на курьих ножках.

Алексей Степаныч тоненько засмеялся, но тут же
его лицо исказилось от ужаса.

— Воздуха нет! Тесно! А-а-а!

Он весь задрожал и принялся бормотать:

— Credo, Domine, credo, credo, credo, credo, credo, credo, credo, credo, credo, credo, credo, credo...

Повторил латинское слово сто, а может, двести раз, и видно было, что скоро не перестанет.

Лагранж схватил мальчишку за плечи, как следует тряхнул.

— Хватит! Дальше говори!

— А что говорить, — внезапно произнес Ленточкин спокойным, рассудительным голосом. — Иди туда, в избушку на курьих ножках. В полночь. Сам все и увидишь. Только гляди, чтоб не стиснуло, а то сердце лопнет. Бамс — и брызги в сторону!

Согнулся пополам, зашелся от хохота и теперь уже повторял другое: «Бамс! Бамс! Бамс!»

— Хватит, — решительно объявил Донат Саввич. — Вы на него действуете возбуждающе, а он и так слаб.

Лагранж вытер платком пот с шеи.

— Какая еще избушка? О чем он?

— Понятия не имею. Обычный бред, — сухо ответил доктор и ловко вколол больному в ягодицу иглу.

Почти сразу же Ленточкин хохотать перестал, сел на корточки, зевнул.

— Всё, идемте, — потянул полковника за рукав Коровин. — Он сейчас уснет.

Оранжерею Лагранж покинул в глубокой задумчивости. Ясно было, что от «попрыгуна» помощи ждать нечего. Посланец преосвященного сделался совершенным идиотом. Ну да ничего, как-нибудь обойдемся и сами. День нынче ясный, значит, и ночь будет светлая. Народится новый месяц, самая пора для Черного Монаха. Сесть с вечера в засаду на этой, как ее, Постной косе. И взять голубчика с поличным, как только заявится. Что с того, что он призрак? В позапрошлом году, еще в свою бытность на прежней должности в

Привисленском крае, Феликс Станиславович лично заарестовал Стася-Кровососа, самого Люблинского Вампира. Уж на что ловок был, оборотень, а не пикнул.

Но прежде чем возвращаться в Арарат, оставалось закончить еще одно дело.

Выйдя из тропиков на отрадную северную прохладу, полицмейстер прислушался к тишине, постоял с полминуты безо всякого движения, а потом стремительно бросился в кусты и выволок оттуда упирающегося человечка — того самого соглядатая, что давеча крался вдоль дорожки, да и под окном, надо полагать, тоже он подслушивал, больше некому.

Оказалось, знакомый. Такого раз увидишь — не позабудешь: черный берет, клетчатый плащ, фиолетовые очки, бороденка клоком. Тот самый невежа с пристани.

— Кто таков? — прореветь полковник. — Зачем шпионил?

— Нам нужно! Непременно! Обо всем! — затараторил коротышка, глотая слова и целые куски предложений, так что общего смысла в трескотне не просматривалось. — Я слышал! Власти предержащие! Священный долг! А то черт знает чем! Тут смерть, а они! И никто, ни один человек! Глухие, слепые, малиновые!

— Сергей Николаевич, голубчик, успокойтесь, — ласково сказал крикуну Коровин. — У вас опять будут конвульсии. Этот господин приехал к тому молодому человеку, что живет в оранжерее. А вы что себе вообразили? — И вполголоса пояснил полковнику. — Тоже мой пациент, Сергей Николаевич Лямпе. Талантливейший физик, но с большими странностями.

— Ничего себе «со странностями», — пробурчал Феликс Станиславович, но железные пальцы разжал и пленника выпустил. — Полный умалишот, а еще на свободе разгуливает. Черт знает что у вас тут за порядки.

Скорбный духом физик умоляюще сложил руки и воскликнул:

— Страшное заблуждение! Я думал, только я! А это не я! Это кто-то еще! Тут не так! Всё не так! Но это неважно! Надо туда! — Он ткнул пальцем куда-то в сторону. — Комиссию надо! В Париж! Чтоб Маша и Тото! Пусть сюда! Они увидят, они поймут! Скажите им всем! Смерть! И еще будут!

Всё, хватит. Лагранж был сыт по горло общением с идиотами. Он неделикатно покрутил пальцем у виска и пошел прочь, но сумасшедший всё не желал угомониться. Обогнал полковника, забежал вперед, вцепился руками в свои дурацкие очки и в отчаянии простонал:

— Малиновая, малиновая голова! Безнадежен!

* * *

Чтоб не терять время, идя по плутающей меж холмов кирпичной дорожке, полицмейстер взял прямой курс на колокольню монастыря, что поблескивала золотой луковкой над верхушками деревьев. Шел негустой рощей, потом поляной, потом желто-красными кустами, за которыми вновь открылась полянка, а за ней и окончательный спуск с возвышенности на равнину, так что был отлично виден и город, и монастырь, чуть не пол-острова да еще озерный простор в придачу.

На краю полянки, в ажурной беседке, сидел какой-то человек в соломенной шляпе и куцем пиджачке. Услышав за спиной решительную поступь, незнакомец испуганно вскрикнул и проворным движением спрятал что-то под пальто, лежавшее рядом на скамейке.

Этот жест был Лагранжу отлично знаком по полицейской службе. Так застигнутый врасплох вор прячет краденое. Можно без колебаний хватать за шиворот и требовать вывернуть карманы — что-нибудь уличающее уж непременно сыщется.

Вороватый субъект оглянулся на полковника и улыбнулся мягкой, сконфуженной улыбкой.

— Простите, я думал, это... совсем другой человек. Ах, как это было бы некстати!

Тут он заметил профессионально подозрительный взгляд Феликса Станиславовича и тихонько рассмеялся:

— Вы, должно быть, подумали, что я тут орудие убийства спрятал или еще что-нибудь ужасное? Нет, сударь, это книга.

Он с готовностью приподнял пальто, под которым и в самом деле оказалась книга: довольно толстая, в коричневом кожаном переплете. Одно из двух: либо какое-нибудь похабство, либо политическое. Иначе зачем прятать?

Но полицмейстеру сейчас было не до запретного чтения.

— Какое мне дело? — раздраженно буркнул он. — Что за манера приставать с глупостями к незнакомому человеку...

И пошел себе дальше, чтоб спуститься по тропинке к городу.

Разговорчивый господин сказал ему вслед:

— Мне и Донат Саввич пеняет, что я слишком навязчив и докучаю людям. Извините.

В голосе, которым были произнесены эти слова, не было и тени обиды. Лагранж остановился как вкопанный, но не от раскаяния за грубость, а заслышав имя доктора.

Полковник вернулся к беседке, посмотрел на незнакомца повнимательней. Отметил доверчиво распахнутые голубые глаза, мягкую линию губ, детски-наивный наклон светловолосой головы.

— Вы, верно, из пациентов господина Коровина? — учтивейшим образом осведомился полицмейстер.

— Нет, — ответил блондин и опять нисколько не обиделся. — Я теперь совершенно здоров. Но раньше я точно лечился у Доната Саввича. Он и сейчас за мной приглядывает. Помогает советами, чтением вот моим руководит. Я ведь ужасно необразован, нигде и ничему толком не учился.

Кажется, предоставлялась удобная возможность собрать дополнительные сведения о колючем докторе. Сразу было видно, что этот малахольный ничего утаивать не станет — выложит всё, о чем ни спроси.

— А не позволите ли с вами немножко посидеть? — сказал Лагранж, поднимаясь на ступеньку. — Очень уж тут вид хорош.

— Да, очень хорош, я оттого и люблю здесь находиться. Мне тут давеча, когда воздух особенно прозрачен был, знаете, что на ум пришло? — Светловолосый подвинулся, давая место, и снова рассмеялся. — Посадить бы сюда какого-нибудь самого отчаянного атеиста, из тех, что всё требуют научных доказательств существования Бога, да и показать такому скептику остров и озеро. Вот оно доказательство, и других никаких ненадобно. Вы со мной согласны?

Феликс Станиславович немедленно и с жаром согласился, прикидывая, с какого бы конца вывернуть на продуктивную тему, но словоохотливый собеседник, похоже, имел на предстоящий разговор собственные виды.

— Очень кстати, что вы ко мне подсели. Я тут в одном романе много важного прочитал, ужасно хочется с кем-нибудь мыслями поделиться. И вопросов тоже много. А у вас такое умное, энергическое лицо. Сразу видно, что вы имеете обо всем твердое суждение. Вот скажите, вы какое из человеческих преступлений полагаете самым чудовищным?

Подумав и припомнив установления уголовного законодательства, полицмейстер ответил:

— Государственную измену.

Читатель романов всплеснул руками, от волнения его правая щека вся задергалась:

— О, как сходно мы с вами мыслим! Представьте, я тоже думаю, что хуже измены ничего нет и не может быть! То есть, я имею в виду даже не измену государству (хотя присягу нарушать, конечно, тоже нехорошо), а измену одного человека другому. Особенно если кто-то слабый тебе всей душой доверился. Совратить ребенка, который тебя боготворил и только тобою жил, — это ведь ужасно. Или насмеяться над каким-нибудь убогим существом, всеми притесняемым и скудоумным, которое единственно тебе во всем свете верило. Над доверием или любовью надругаться — ведь это, пожалуй, будет похуже убийства, хоть законом и не наказуется. Ведь это душу свою бессмертную погубить! Вы как про это думаете?

Феликс Станиславович наморщил лоб, ответил обстоятельно:

— Ну, за совращение малолетних по закону полагается каторга, а что до прочих видов бытового вероломства, то, если речь не идет о финансовом мошенничестве, тут, конечно, сложнее. Многие, в особенности мужчины, супружескую измену вовсе за грех не считают. Но тоже и среди нашего пола есть исключения, — оживился он, кстати вспомнив одну пикантную историю. — У меня один соученик был, некто Булкин. Добродетельнейший супруг, души в жене не чаял. Бывало, все наши после занятий на Лиговку, в веселый дом, а он неукоснительно домой — вот какой был чудак. Ему по выпуске вышло назначение в Балтийскую эскадру — разумеется, по секретной части. — Полковник запнулся, испугавшись, что выдал себя, и встревоженно поглядел на собеседника. Напрасно беспокоился — у того во взоре не возникло и облачка, смотрел все так же заинтересованно и безмятежно. — М-да, ну вот. Само собой, начались плавания, иной раз долгие, на месяцы. В порту офицеры сразу в бордель несутся, а Булкин в каюте сидит, медальон с ликом жены поцелуями осыпает. Поплавал он этак с годик, помучился и нашел отличный компромисс.

— Да? — обрадовался блондин. — А я и не думал, что тут возможен какой-нибудь компромисс.

— Булкин был голова! По аналитическим разработкам первым в классе шел! — Феликс Станиславович восхищенно покачал головой. — Ведь что удумал! Заказал театральному художнику маску из папье-маше: в точности лицо обожаемой супруги, даже и золотистый парик сверху приклеил. Отныне как придут в порт, Булкин самым первым в вертеп поспешает. Возьмет какую-нибудь, пардон, лахудру что на физию построшней и оттого, натурально, ценой подешевле, нацепит на нее маску жены и после этого совестью совершенно чист. Говорил: может, я телом от верности и отклоняюсь, но духом нисколько. И ведь прав! У товарищей, во всяком случае, вызывал уважение.

История, рассказанная Лагранжем, привела собеседника в затруднение. Он заморгал своими овечьими глазами, развел в стороны руки.

— Да, это, пожалуй, не вполне измена... Хотя я про такую любовь мало понимаю...

Всю жизнь Феликс Станиславович терпеть не мог слюнтяев, но этот чудак ему отчего-то ужасно нравился. До такой степени, что — невероятная вещь! — выпытывать у него что-либо околичным образом полковнику вдруг совсем расхотелось, он прямо сам на себя удивился.

Вместо того, чтобы расспросить идеального информанта о подозреваемом (а доктор Коровин угодил-таки к Феликсу Станиславовичу на особенную заметку), полицмейстер внезапно заговорил в совсем не свойственной ему манере:

— Послушайте, сударь, я здесь на острове второй день... То есть, строго говоря, даже первый, поскольку прибыл вчера вечером... Странное тут место, ни на что не похожее. За что ни возьмешься, к чему ни присмотришься — как туман расползается. Вы ведь здесь давно?

— Третий год.

— Стало быть, привыкли. Скажите мне откровенно, без туману, что вы думаете про всё это?

Последние два слова, неопределенные и даже странные для привыкшего к ясным формулировкам полковника, он сопроводил столь же расплывчатым жестом, как бы охватившим монастырь, город, озеро и что-то еще.

Тем не менее, собеседник его отлично понял.

— Вы про Черного Монаха?

— Да. Вы в него верите?

— В то, что многие его действительно видели? Верю и нисколько не сомневаюсь. Достаточно посмотреть в глаза людям, которые про это рассказывают. Они не лгут, я ложь сразу чувствую. Другое дело — видели ли они нечто, существующее в действительности, или же только то, что им показывали...

— Кто показывал? — насторожился Лагранж.

— Ну, не знаю. Мы ведь, каждый из нас, видим
только то, что нам показывают. Многого, что существует в действительности и что видят другие люди,
мы не видим, зато взамен иногда нам предъявляют то,
что предназначено единственно нашему взору. Это даже
не иногда, а довольно часто бывает. У меня прежде
видения чуть не каждый день случались. В этом, как
я теперь понимаю, и состояла моя болезнь. Когда какому-нибудь человеку слишком часто показывают то,
что ему одному для созерцания предназначено, верно,
в этом и приключается сумасшествие.

Э, брат, с тобой каши не сваришь, подумал заморо-
ченный полковник. Бесполезный разговор пора было
кончать — и так полдня потрачено почти впустую. Чтоб
извлечь из ненужной встречи хоть какой-то смысл,
Феликс Станиславович спросил:

— А не покажете ли вы мне, в какой стороне отсюда Постная коса, где чаще всего является призрак?

Блондин услужливо поднялся, подошел к периль-
цам, стал показывать:

— Городскую окраину видите? За ней большое поле,
потом кладбище рыбацких баркасов, вон мачты торчат. Левее белеет брошенный маяк. Бурый конус —
это Прощальная часовня, где схимников отпевают. А
дальше узенькая полоса в воду уходит, словно перстом
на островок указывает. Этот островок и есть скит, а
полоска земли — Постная коса. Вон она, между часов-
ней и избушкой бакенщика.

— Избушка? — переспросил полковник, нахмурившись. Уж не та ли, про которую толковал Ленточкин.

— Да. Где ужасное событие произошло. Даже два
события: сначала с женой бакенщика, а потом с тем
юношей, который в клинику голым прибежал. Он там,
в избушке, рассудком тронулся.

Полицмейстер так и впился в местного жителя взглядом.

— Почему вы знаете, что именно там?

Тот обернулся, захлопал светлыми ресницами.

— Ну как же. В избушке утром его одежду нашли, аккуратно сложенную. На лавке. И штиблеты, и шляпу. Стало быть, туда он еще в обыкновенном, приличном виде пришел, а выбежал уже в окончательном помрачении и, видно, бежал без остановки прямо до дома Доната Саввича.

Только теперь полковник припомнил последнее письмо Алексея Степановича, в котором, точно, говорилось о домике бакенщика и намерении молодого человека отправиться туда ночью. Впрочем, про это Феликс Станиславович читал невнимательно, поскольку было очевидно, что к моменту написания своей третьей реляции Ленточкин уже совершенно сбрендил и нес очевидную чушь.

Теперь же вот выяснялось, что не такую уж и чушь. То есть, в смысле мистики и заклинаний, конечно, бред, но что-то в избушке в ту ночь определенно произошло. Как это он давеча сказал? «Иди туда, в избушку на курьих ножках. В полночь. Сам все и увидишь. Только гляди чтоб не стиснуло, а то сердце лопнет». Ну, последнюю фразу, положим, можно отнести на счет безумия, а вот касательно места и времени очень даже есть о чем подумать.

И в этот миг в голове полицмейстера закопошилась некая идея.

* * *

К ночи план дозрел и явился на свет в такой безусловной целесообразности и простоте, что полностью оттер предыдущую диспозицию — идти на Постную косу и караулить распоясавшегося Василиска там.

Окончательному изменению намерений Лагранжа способствовало и еще одно немаловажное обстоятельство: по заходе солнца и воцарении над островом тьмы стало ясно, что новорожденный месяц еще слишком мал и тонок, не более ногтевого обрезка, и должным образом осветить Постную косу не сумеет, а значит, сидеть там в засаде никакого резона нет.

Другое дело — ветхая избушка с накарябанным на стекле восьмиконечным крестом (вернувшись в нумера, полковник прочитал письмо самым внимательным образом и все подробности запомнил). Ночь, когда туда наведался «попрыгун» с самыми печальными для себя последствиями, как выяснил у аборигенов Лагранж, была безлунной, однако это не помешало свершиться тому, что свершилось. Значит, отсутствие луны делу не помеха.

Итак: прибыть туда ровно в полночь, как написал безумец, произнести заклинание и посмотреть, что будет. Вот, собственно, и весь план.

Кто другой, может, и побоялся бы ввязываться в такое смутное, не описанное в уставах и служебных инструкциях предприятие, но только не полковник Феликс Станиславович Лагранж.

Когда полицмейстер в кромешной темноте подходил к скверной избушке (было ровно без пяти минут полночь), его сердце билось ровно, руки не дрожали и шаг был тверд.

А между тем вокруг было нехорошо. Из дальнего леса ухал филин, от воды несло холодом и жутью; в остальном же властвовала такая абсолютная, мертвая тишина, что хоть уши затыкай — послушать стук живой крови. Глаза Лагранжа, привыкшие ко мраку, различили впереди кривоватый контур бревенчатого домика, и полковнику показалось невероятным, что всего несколько дней назад здесь жила молодая и, должно быть, счастливая семья — занималась какими-то обычными делами, ждала первенца. Ничего живого, теплого, радостного в таком месте произойти не могло.

Феликс Станиславович поежился — что-то вдруг стало зябко, несмотря на шерстяную фуфайку, надетую под пиджак и жилет. На всякий (черт его знает какой) случай вынул из-под мышки «смит-вессон», сунул за брючный ремень.

Дверь была заколочена крест-накрест двумя досками. Полицмейстер просунул в щель пальцы, рванул на себя что было сил и чуть не упал — так легко выскочили гвозди из трухлявого дерева. Безмолвие нарушилось тошнотворным треском и скрежетом; с крыши, заполошно хлопая крыльями, сорвалась какая-то большая птица.

Окно Лагранж разглядел сразу: серый квадрат на черном.

Значит, нужно подойти, перекреститься и сказать: «Прииди, дух святый, на след, иже оставил, на то у Гавриила с Лукавым уговор есть». Елки-иголки, не перепутать бы.

Выставив руки, Феликс Станиславович осторожно двинулся вперед. Пальцами задел сбоку что-то деревянное, большое. Сундук? Короб?

Экспедиция третья.

ПРИКЛЮЧЕНИЯ УМНИКА

Известие о самоубийстве полковника Лагранжа достигло Заволжска лишь через три дня после самого этого ужасного события, поскольку телеграфа на островах не было и все сообщения, даже чрезвычайнейшие, доставлялись по старинке — почтой или нарочным.

В письмах настоятеля, адресованных светскому и церковному начальству губернии, сообщались лишь очень краткие сведения об обстоятельствах драмы. Тело полицмейстера было обнаружено в заброшенном доме, где прежде жила семья бакенщика, который несколькими днями ранее также наложил на себя руки. Но если в тот раз причина безумного и с точки зрения религии ничем не извинительного поступка все же была понятна, то относительно причин, побудивших к роковому шагу полицмейстера, архимандрит не брался рассуждать даже предположительно. Он особенно нажимал на то, что вовсе не знал о прибытии в Новый Арарат высокого полицейского чина (статус приезжего раскрылся лишь post-mortem, при осмотре нумера и вещей), и просил, даже требовал от губернатора разъяснений.

Что же до подробностей, то сообщалось лишь следующее. Полковник убил себя выстрелом из револьвера в грудь. Никаких сомнений в том, что это было именно самоубийство, к сожалению, не было: в руке мертвец сжимал оружие, в барабане которого отсутствовала одна пуля. Смертоносный свинец попал прямо в сердце и разорвал этот орган на куски, так что смерть, судя по всему, наступила мгновенно.

На этом письмо губернатору фон Гаггенау заканчивалось, а эпистола архиерею имела еще и довольно пространное продолжение. В нем архимандрит обращал внимание владыки на возможные последствия позорного происшествия для мира, спокойствия и репутации святой обители, и без того уже омраченных всякими тревожными слухами (это скупое выражение безусловно относилось к пресловутым явлениям Черного Монаха). По милостивому промыслу Божию, писал настоятель, знают о несчастье всего несколько лиц: обнаруживший тело пономарь, трое братьев-мирохранителей (так называлась в Арарате монастырская полиция) и служитель нумеров, где остановился самоубийца. Со всех взята клятва о молчании, но все же сомнительно, удастся ли сохранить скандальное известие в полной тайне от местных обывателей и паломников. Завершалось письмо отца Виталия словами: «...и даже пребываю в опасении, не укрепится ли за сим, прежде безмятежным островом, как некогда за Альбионом, богопротивное прозвание «Острова самоубийц», ибо в короткое время худший из смертных грехов здесь свершили уже двое».

Владыка винил в трагедии только одного себя. Ссутулившийся, разом постаревший, он сказал доверенным советчикам:

— Это всё мои гордость и самоуверенность. Никого не послушал, решил по-своему, да не единожды — дважды. Сначала Алешу погубил, теперь вот Лагранжа. И что самое невыносимое — обрек на поругание даже не бренные их тела, а бессмертные души. У первого душа сражена тяжким недугом, второй же свою и вовсе истребил. Это во стократ хуже, чем просто смерть... Ошибся я, жестоко ошибся. Думал, что человек военный по своей прямолинейности и отсутствию фантазии не может быть подвержен духовному отчаянию и мистическому ужасу. Да не учел, что люди такого склада, когда сталкиваются с явлением, нарушающим всю их простую и ясную картину мира, не гнутся, а ломаются. Тысячу раз права была ты, дочь моя, когда толковала мне про Гордиев узел. Видно, наш полковник увидел узел, развязать который ему было не под силу. Отступиться гонор не позволил, вот и рубанул по головоломному узлу сплеча. А имя сему Гордиеву узлу — Божий мир...

Здесь преосвященный не выдержал, заплакал, а поскольку по крепости характера к рыданиям расположения не имел и даже был вовсе лишен слезного дара, то вышло у него нечто неблагообразное: сначала глухой стон с горловым хрипением, потом продолжительное сморкание в платок. Но сама неумелость этого плача по загубленной душе подействовала на присутствующих сильнее любых всхлипов: Матвей Бенционович заморгал и тоже вытащил преогромный платок, а сестра Пелагия с лихвой искупила мужскую скаредность на слезоистечение — немедленно залилась реветь в три ручья.

Первым вернулся к твердости епископ.

— За душу Феликса Станиславовича буду молиться. Один, у себя в молельне. В церквах за самоубийцу просить нельзя. Хоть он и сам Бога отринул, так что прощения ему не будет, а все равно доброго поминовения достоин.

— Нет прощения? — всхлипнула Пелагия. — Ни одному из самоубийц? Никогда-никогда, даже через тысячу лет? Вы, владыко, это доподлинно знаете?

— Что я — так церковью предписано, испокон веков.

Монахиня вытерла белое, с россыпью бледных веснушек лицо, сосредоточенно сдвинула брови.

— А если кому жизненная ноша совсем невмоготу оказалась? Если у человека непереносимое горе, или мучительная болезнь, или истязают его палачи, к предательству понуждают? Таким тоже прощения нет?

— Нет, — сурово ответил Митрофаний. — А вопросы твои от малой веры. Господь знает, кому какие испытания по силе, и сверх меры ни одну душу не испытывает. Если же и пошлет тяжкую муку, то, стало быть, душа эта особенно крепкая, по крепости и экзамен. Таковы все святые великомученики. Никто из них истязаний не устрашился, рук на себя не наложил.

— Так то святые, их один на миллион. И потом, как с теми быть, кто себя погубил не из страха или слабости, а ради своих ближних? Вы вот, помню, из газеты читали про капитана парохода, который при крушении свое место в шлюпке другому уступил и через это вместе с кораблем на дно пошел. Восхищались им и хвалили.

Бердичевский страдальчески вздохнул, уже заранее зная, чем кончится эта некстати возникшая дискуссия. Пелагия доведет преосвященного своими вопросами и доводами до раздражения, произойдет ругательство и пустая трата времени. А надо бы о деле говорить.

— Восхищался — как гражданин земного мира. А как духовное лицо, обязанное печься о бессмертии души, осуждаю и скорблю.

— Так-так, — блеснула острым взглядом инокиня и нанесла архиерею удар, который британцы назвали бы неспортивным. — Ивана Сусанина, что ради спасения августейшей династии, добровольно под польские сабли пошел, вы тоже осуждаете?

Начиная сердиться, Митрофаний ухватил себя пальцами за бороду.

— Иван Сусанин, быть может, надеялся, что в последний миг сумеет от врагов в лес убежать. Если есть надежда, хоть самая крошечная, это уже не самоубийство. Когда воины в опасную атаку идут и даже, как говорится, «на верную смерть», все равно каждый на чудо надеется и Бога о нем молит. В надежде вся разница, в надежде! Пока надежда жива, жив и Бог. И ты, монахиня, обязана это знать!

Пелагия ответила на укор смиренным поклоном, однако не угомонилась.

— И Христос, когда на крест шел, тоже надеялся? — тихо спросила она.

В первый миг владыка не до конца осознал весь смысл дерзновенного вопроса и лишь нахмурился. Поняв же, поднялся во весь рост, топнул ногой и вскричал:

— Из Спасителя самоубийцу делать?! Изыди вон, Сатана! Вон!

Тут и до инокини дошло, что в своей пытливости она перешла все дозволенные пределы. Подобрав полы рясы и втянув голову в плечи, Пелагия шмыгнула за дверь, на которую указывал грозный архиереев перст.

Так и получилось, что дальнейший план действий разрабатывался уже без упрямой черницы, с глазу на глаз меж преосвященным и Матвеем Бенционовичем. Надобно учесть еще и то, что прискорбная участь, постигшая обоих архиереевых избранников, лишила Митрофания всегдашней его уверенности (да и ссора с духовной дочерью подбавила уныния), поэтому епископ больше слушал и со всем соглашался. Бердичевский же, искренне сострадая пастырю, наоборот, говорил велеречивее и горячее обычного.

— Вот мы всё про мудреные узлы рассуждаем, — говорил он. — И здесь, точно, понапутано так, что мозги набекрень. Однако же людей моего сословия недаром называют крючкотворами. Мы, судейские, мастера клубки заматывать да загогулины выписывать. Иной раз такой узелок завяжем, куда там античному Гордию. Но зато и распутывать этакие мотки никто лучше нас не умеет. Так или не так?

— Так, — с тоскливым видом подтвердил преосвященный, поглядывая на дверь — не вернется ли Пелагия.

— А коли так, то в Новый Арарат нужно ехать мне. На сей раз у нас есть прямые основания для совершенно официального, пусть даже и тайного разбирательства. Полицмейстер, наложивший на себя руки, — дело не шуточное, это уже не суеверие и не игра истерического воображения, а нечто неслыханное. С нашего Антона Антоновича из министерства спросят, да и государь от него объяснений потребует.

— Да, с губернатора, конечно, спросят, — безвольно покивал Митрофаний.

— Стало быть, нужно будет знать, что отвечать. Вам самому ехать ни в коем случае нельзя, даже не думайте. Ни по своему званию, ни по установлениям закона архиерей не может заниматься разбирательством уголовного дела о самоубийстве.

— Так едем вместе. Ты озаботишься тайным расследованием обстоятельств смерти Лагранжа, а я — Черным Монахом. — В глазах владыки вспыхнул прежний огонь, да сразу и погас. — Алешу бедного повидаю... — упавшим голосом закончил Митрофаний.

— Нет, — отрезал Бердичевский. — Хороша будет тайность, если я в Арарат с вами приеду. То-то переполоху устроим! Епископ мало того, что на встречу к Черному Монаху примчался, так еще и товарища губернского прокурора с собой прихватил. Смеху подобно. Нет уж, отче, благословите меня одного ехать.

Преосвященный нынче был явно не в себе, ослабел душой, раскис. На его ресницах опять что-то подозрительно сверкнуло. Митрофаний встал, поцеловал чиновника в лоб.

— Золото ты у меня, Матюша. И голова у тебя золотая. А больше всего ценю, что на такую жертву идти готов. Что ж я, не понимаю? Ведь Марья твоя на сносях. Поезжай, разгадай тайну. Сам видишь, тайна это страшная, да такая, что обычными способами не раскроешь. Христом-Богом молю: береги себя — и жизнь свою, и разум.

Чтоб не выдать растроганности, Матвей Бенционович ответил бравурно:

— Ничего, владыко. Бог даст, дело сделаю и к Машиным родам успею. Недаром в народе говорят: ловок жид, по веревочке бежит, всюду поспевает.

Но когда ехал в коляске домой, бравада сошла, на сердце сделалось скверно, и чем ближе к дому, тем скверней. Как сказать жене? Как в глаза смотреть?

Не стал смотреть. Сразу, прямо в прихожей, поцеловал в щеку и, прижавшись, зашептал на ухо:

— Машенька, ангел мой, тут такая оказия... Важнейшая поездка... Всего на недельку, и отказаться никак невозможно... Я постараюсь быстрей, честное благородное...

Был немедленно вытолкнут из объятий и обруган суровыми, но справедливыми словами. Ночевал в кабинете, на жестком диване, а хуже всего то, что, уезжая рано утром, так и не попрощался с женой по-хорошему. Детей — тех поцеловал и благословил, все двенадцать душ, а с непреклонной Машей не вышло.

В ящике письменного стола оставил распоряжения по поводу имущества — на всякий случай, как ответственный человек.

Ах, Маша, Маша, свидимся ли?

* * *

Раскаяние — вот чувство, всецело овладевшее товарищем прокурора на пути к синеозерскому архипелагу. Во что ввязался, следуя минутному порыву? Ради чего?

То есть ради чего или, вернее, ради кого, было понятно — ради любимого наставника и благодетеля, а также во имя установления истины, в чем и состоит служебный долг слуги правосудия. Но был еще и вопрос нравственный, даже философский: в чем первая обязанность человека — перед обществом или перед любовью. На одной чаше гражданские убеждения, профессиональная репутация, мужская честь, самоуважение; на другой тринадцать душ — одна женская и двенадцать детских (скоро, Бог даст, еще одна прибавится, вовсе младенческая). Если б одним собой рисковать, еще куда ни шло, но те тринадцать-то, которые без тебя пропадут и кто тебе, по правде сказать, много дороже всех прочих миллионов, населяющих землю, в чем они виноваты? Вот и получалось, что, как ни поверни, всё равно выходил Матвей Бердичевский предателем. Если семью на первое место поставит и от долга уклонится, то перед принципами и обществом изменник. Если же честно послужит обществу, то подлец и иуда перед Машей, перед детьми.

Уже не в первый и даже не в сотый раз Матвей Бенционович пожалел, что выбрал стезю блюстителя закона, столь стеснительную для порядочного человека. Если б состоять присяжным поверенным или юридическим консультантом, верно, не пришлось бы мучиться от нравственной невозможности выбора?

Хотя нет, опять же не в первый раз сказал себе на это Бердичевский. У всякого человека, даже не состоящего на общественной службе и ведущего приватный образ жизни, непременно бывают коллизии, когда приходится выбирать чем жертвовать. Это испытание Бог уж обязательно устроит каждому живущему, чтоб мог в себе разобраться и примерить крест по плечу — не один, так другой.

На душе было пакостно, даже если и оставить в стороне моральные терзания по поводу сделанного выбора. Дело в том, что Матвею Бенционовичу ужасно не нравились качества, открывавшиеся ему в собственной душе. Вместо того, чтобы мчаться на расследование окрыленным и одержимым жаждой истины, товарищ прокурора испытывал совсем иное чувство, деликатно именуемое малодушием, а попросту говоря, отчаянно трусил.

Это какой же страсти нужно было подвергнуться, какой невообразимый кошмар пережить, чтобы язвительный нигилист рассудка лишился, а грубый, бесстрашный полицейский сердце себе в клочки разнес? Что ж там за Молох такой угнездился, на этом проклятом острове? И разве под силу обыкновенному человеку, отнюдь не героического склада, вступить в единоборство с этакой жутью?

То есть, будучи человеком образованным и прогрессивным, Матвей Бенционович, конечно, не верил в нечистую силу, привидения и прочее. Но, с другой стороны, придерживаясь гамлетовской максимы «есть много всякого на свете, друг Гораций», не мог вполне исключать и теоретической возможности существования каких-то иных, пока еще не обнаруженных наукой энергий и субстанций.

На палубе парохода Бердичевский сидел нахохленный, несчастный, кутался в неосновательный пальмерстон с пелериной (поскольку расследование было секретным, хорошую форменную шинель с собой не взял) и вздыхал, вздыхал.

На что ни падал взгляд чиновника, ему всё решительно не нравилось. Ни кислые физиономии попутчиков-богомольцев, ни хмурые просторы великого озера, ни шаркающая побежка постноликих матросов. Капитан же был вылитый морской разбойник, даром что в рясе. Огромного роста, красномордый, зычноголосый. А орал на свою долгополую команду такое, что лучше бы уж ругался попросту, матерно. Ну что за выражение: «Кадило тебе в гузно»? А «Онаны дроченые» — каково?

В конце концов Бердичевский ушел в каюту, лег на койку, накрыл голову подушкой. Повздыхал еще некоторое время. Заснул. Видел во сне гадость.

Он, еще никакой не коллежский советник, а маленький мальчик Мордка, бежит по Скорняжной слободе, и гонится за ним толпа молчаливых бородатых монахов, размахивающих кадилами, и все ближе, ближе — топот сапожищ, хриплое дыхание; вот догнали, навалились, он кричит: «Я православный, меня сам владыка крестил!» Рвет рубашку, а крестика на груди нету, обронил. Матвей Бенционович завсхлипывал,

ударился затылком о переборку. Спросонья нащупал
нательный крестик, попил воды, снова провалился.

Наутро товарищ прокурора стоял на носу корабля с
портпледом в руке, бледный и исполненный благород-
ного фатализма: делай, что должно, а там будь, что
будет. Остров Ханаан выплывал навстречу из густого
тумана.

Сначала вовсе ничего не было. Потом из молока
вдруг выехал черный косматый горб — малая скала,
поросшая кустарником. За ней еще одна, поменьше,
еще и еще. Обрисовалась темная длинная полоса, от
которой глухим рокочущим накатом несся звон колоколов — будто через вату.

Солнце все-таки пыталось пробиться сквозь сгус-
тившийся эфир: кое-где туман переливался розовым
или даже золотистым, но это больше наверху, ближе к
небу, а понизу было серо, тускло, слепо.

Спускаясь по трапу на едва различимый причал,
Матвей Бенционович чувствовал себя так, будто нис-
ходит на бесплотное облако. Откуда-то доносились голоса, крики: «А вот кому в самолучшую гостиницу
«Ноев ковчег»!.. Нумера «Приют смиренных», дешев-
ле только задарма!» — и прочее подобное.

Бердичевский послушал-послушал и двинулся на
тонкий мальчишеский голосок, заманивавший в пансион «Земля обетованная». Сам над собой сыронизиро-
вал: куда же еще податься еврею?

На матовом фоне проступила и тут же исчезла стройная фигура в широкополой шляпе со страусовыми перьями. Прошелестело платье, процокали каблучки,
обдало ароматом духов — не «Ландыша», которым всегда пользовалась Машенька, а каким-то особенным,
тревожно-волнующим. Прямо в глаза Матвею Бенцио-

новичу вдруг ударил тонкий, будто специально нацеленный луч солнца, и туман как-то очень быстро рассеялся. То есть не то чтобы рассеялся, а словно завернулся с четырех сторон к середине, как если бы кто-то снимал со стола нечистую скатерть, намереваясь ее вытряхнуть.

И Бердичевский, опешивший от подобной стремительности, увидел, что он стоит посреди опрятной улицы с хорошими каменными домами, с деревянной мостовой, с аккуратно высаженными деревьями, по тротуарам гуляет публика, а слева, повыше города, белеют стены монастыря — безбашенные и бесколокольные, потому что скатерть тумана поднялась еще не очень далеко от земли.

Чиновник оглянулся, чтобы посмотреть на даму, одним своим появлением разогнавшую мглу, но успел увидеть на самом углу лишь острый каблучок, мелькнувший из-под шлейфа траурного платья, да качнувшееся на шляпе перо.

Сколько таких мимолетных встреч бывает в жизни, думал товарищ прокурора, шагая за гостиничным мальчишкой. То, что могло бы сбыться, да никогда не сбудется, заденет тебя шуршащим крылом по щеке, обдаст дурманом и пролетит себе дальше. И каждый день жизни — мириад упущенных возможностей, несостоявшихся поворотов судьбы. Вздыхать из-за этого нечего, надобно ценить тот путь, которым идешь.

И мысли Бердичевского приняли деловое направление.

Начать с осмотра вещей полицмейстера и (чиновник мысленно поежился) самого мертвого тела. Еще прежде того, из пансиона, послать записки архимандриту и доктору Коровину с извещением о приезде следователя и требованием немедленной встречи. Перво-

му назначить, скажем, на два пополудни, второму на
пять.

* * *

«Входное отверстие шириной с копейку, располо-
жено между шестым и седьмым ребрами, на три дюй-
ма ниже и на полдюйма левее левого соска. Выходное
отверстие на выступающем (кажется, седьмом?) позвон-
ке, расщепленном пулей; ширина примерно с пятак.
Из иных видимых повреждений имеется шишка на
дюйм правее макушки, очевидно, произошедшая от
конвульсивных ударов головой о пол уже после падения тела...»

Матвею Бенционовичу никогда еще не доводилось
составлять протоколов посмертного осмотра. В губернии для того имелись и медицинский эксперт, и полицейский следователь, и чиновники прокуратуры ран-
гом помельче. Но здесь, в Новом Арарате, за неимением
преступности и самое полиции, перепоручить тяжкое
занятие было некому. Специальную терминологию Бердичевский знал, но не очень твердо, поэтому старался
описать всё пускай своими словами, но как можно под-
робней. То и дело отрывался от работы, чтобы глот-
нуть воды.

Была у Матвея Бенционовича постыдная, а при его
профессии еще и вредная слабость — ужасно боялся
мертвецов, особенно если попадется какой-нибудь по-
луистлевший или обезображенный. Труп полковника
Лагранжа, надо отдать ему должное, выглядел еще
сравнительно пристойно. В белых недвижных чертах
лица была, пожалуй, даже значительность, если не
сказать величие — качества, физиономии полицмейстера при жизни совсем не свойственные. Куда больше
терзал чувствительное сердце Бердичевского кадавр
старого монаха, лежавший на цинковом столе по со-

седству. Начать с того, что старик был абсолютно голый, а применительно к духовной особе это естественное человеческое состояние выглядело неподобающим. Но еще хуже было то, что скончался инок во время хирургической операции на брюхе, и оттого разрезать-то его разрезали, даже успели отчасти извлечь внутренности, а зашивать обратно уже поленились. Товарищ прокурора нарочно сел к кошмарному покойнику спиной, и все равно подташнивало. О том, что приснится ближайшей ночью, лучше было не думать.

Матвей Бенционович скрипел пером и часто вытирал пот на проплешине, хотя в мертвецкой было куда как не жарко — из приоткрытой двери ледника, откуда выкатили тележку с телом полицмейстера, потягивало морозом. Наконец самая неприятная работа закончилась. Товарищ прокурора велел закатывать тележку обратно в холодную и с облегчением вышел в соседнюю комнату, где хранились вещи самоубийцы.

— Куда его? — спросил вошедший следом служитель, вытирая руки о засаленный подрясник. — На Землю повезете или тут схоронят?

Смысл вопроса до Бердичевского дошел не сразу. Когда же чиновник уразумел, что «Землей» здесь называют материк, то поневоле восхитился образностью монастырской терминологии. Будто не на островах, а на небесах живут.

— Повезем. Вот поеду обратно и заберу. Где вещи? Одежда где?

В саквояже ничего примечательного не обнаружилось. Внимание следователя привлек только впечатляющий запас фиксатуара для подкручивания усов и парижский альбомчик с непристойными фотографиями — видно, Феликс Станиславович взял с собой в дорогу полюбоваться. В иное время и в ином месте, если без свидетелей, Матвей Бенционович и сам полистал бы игривую книжицу, но сейчас настроение было не то.

Особенное внимание следователя вызвало орудие самоубийства — револьвер «смит-вессон» сорок пятого калибра. Бердичевский понюхал и поскреб изнутри ствол на предмет копоти (имелась), проверил барабан (пять пуль на месте, одна в отсутствии). Отложил.

Занялся одеждой, сложенной в стопку и пронумерованной по предметам. На предмете № 3 (пиджак) пониже левого нагрудного кармана виднелась дырка с обожженными краями, как и следовало при выстреле в упор. Матвей Бенционович сопоставил отверстие на пиджаке с отверстием на предмете № 5 (жилетка), № 6 (фуфайка), № 8 (рубашка) и № 9 (нательная рубашка). Всё совпало в точности. На обеих рубашках и отчасти на фуфайке просматривались следы крови.

Словом, картина выходила очевидная. Самоубийца держал оружие в левой руке, сильно вывернув кисть. Именно поэтому пулевой канал получился направленным вправо и кверху. Довольно странно — куда проще было бы взять длинноствольный револьвер обеими руками за рукоятку и направить дуло прямо в сердце. Впрочем, и сам поступок, мягко говоря, странен, в спокойном рассудке никто себя дырявить не станет. Вероятно, ткнул как придется, да и пальнул...

— А это что? — спросил Бердичевский, подняв двумя пальцами белую дамскую перчатку с биркой под № 13.

— Перчатка, — равнодушно ответил служитель.

Вздохнув, товарищ прокурора сформулировал вопрос точнее:

— Откуда она здесь? И почему в крови?

— А это она у них на груди, под рубашкой лежала. — Монах пожал плечами. — Мирские глупости.

Тонкий шелк при ближайшем рассмотрении тоже оказался продырявленным.

Хм. От выводов по поводу перчатки Матвей Бенционович решил пока воздержаться, но отложил интригующий предмет в сторонку, к письмам и револьверу. Сложил нужные для следствия предметы в саквояж Лагранжа (нужно же было их в чем-то нести), оставил в перечне соответствующую расписку.

Монах тихонько напевал что-то в соседней комнате, широкими стежками заштопывая брюхо старика. Прислушавшись, Бердичевский разобрал:

— «Плачу и рыдаю, егда помышляю смерть, и вижду во гробех лежащую, по образу Божию созданную нашу красоту безобразну, бесславну, не имущую вида...»

В кармане звякнул брегет: один раз погромче, два раза тихонько. Отличная машинка, настоящее чудо швейцарского механического гения, подаренная отцом Митрофанием к десятилетию свадьбы. Звяканье обозначало, что нынче час с половиной пополудни. Пора было идти к ново-араратскому настоятелю.

* * *

Разговор с отцом Виталием получился короткий и неприятный.

Архимандрит встретил губернского чиновника, уже находясь в сильном раздражении. То есть, это так и было замыслено Матвеем Бенционовичем: безапелляционным тоном письма и точным указанием часа встречи вывести ново-араратского властителя из равновесия — с одной стороны, напомнить, что есть и иная власть, повыше настоятельской, с другой же побудить Виталия к резкости и невоздержанным словам. Глядишь, так быстрее до подоплеки дела доберемся, чем с реверансами да экивоками.

Что ж, резкости Бердичевский добился, и даже чересчур.

Высокопреподобный нетерпеливо прохаживался у крыльца настоятельских палат, одетый в старую-престарую рясу, зачем-то подоткнутую чуть не до пояса, так что виднелись высокие грязные сапоги, и помахивал часами-луковицей.

— А, прокуратор, — воскликнул он, завидев Бердичевского. — Три минуты третьего. Ожидать себя заставляете? Не больно ли дерзко?

Вместо ответа и тоже не здороваясь, Матвей Бенционович ткнул пальцем на башенные часы, украшавшие пышную колокольню, по всем признакам недавнего строительства. Минутная стрелка на них еще только наметилась подобраться к двенадцати. Тут же, как нарочно, ударили куранты — в общем, вышло эффектно.

— Некогда мне разговоры разговаривать, забот полно! — еще сердитее рыкнул Виталий. — На ходу поговорим. Во-он там. — Он показал на бревенчатый сарай, видневшийся поодаль, за монастырской стеной. — Старый свинарник разбираем, новый будем ставить.

Вот когда объяснились и поддернутая ряса, и ботфорты. Аудиенция происходила на скотном дворе, где грязи и нечистот было по щиколотку — Матвей Бенционович моментально перепачкал и штиблеты, и брюки.

Монахи сдирали баграми дранку с крыши сарая, настоятель ими руководил, так что существо дела чиновник излагал под треск, грохот и крики, а Виталий, похоже, не очень-то и слушал.

Уже одного этого было бы довольно, чтоб архимандрит Бердичевскому не понравился, но скоро выявилось и еще одно обстоятельство, доведшее первоначальную антипатию до крайней степени. Цепким взглядом, слишком хорошо знакомым и понятным Матвею Бенционовичу, настоятель задержался на крючковатом носе заволжского посланца, на хрящеватых ушах, на неславянской черноте редеющих волос, и лицо отца Виталия приобрело особенное брезгливое выражение.

Дослушав про расследование самоубийства и про обеспокоенность губернских властей ново-араратскими чудесами, архимандрит хмуро сказал:

— Я человек прямой. Пишите потом кляузы, какие хотите — мне не привыкать. Только совать свой длинный нос в духовные дела не смейте. Самоубийство — пускай. Возитесь в этой мерзости, сколько угодно. А прочее не вашего ума дело.

— То есть как это?! —задохнулся от возмущения товарищ прокурора. — Да с какой стати, ваше высокопреподобие, вы мне указываете, чем...

— С такой, — перебил его отец Виталий. — Здесь на островах я всему голова, и отвечаю за всё тоже я. Тем более в вопросах, касательных духовности. Для таких материй ваша народность не подходит. И я со стороны начальства полагаю афронтом, что этакого дознателя в Арарат прислали. Тут нужно сердце чуткое, родное, полное веры, а не...

Настоятель, не договорив, сплюнул. Это было всего оскорбительней.

Бердичевский увидел, что дело идет на прямой скандал, и сдержался, не ответил на грубость грубостью.

— Во-первых, святой отец, позвольте вам напомнить слова апостола Павла о том, что нет ни иудея, ни

эллина, и все мы одно во Христе, — сказал он тихо. —
А во-вторых, я такой же православный, как и вы.

И так это у него достойно, спокойно проговорилось
(хотя внутри, конечно, всё дрожало и клокотало), что
Матвей Бенционович сам на себя залюбовался.

Только разве прошибешь достоинством озверелого
юдофоба?

— Нашу русскую веру только русский до самого
донышка понять и принять может, — кривя губы про-
цедил отец Виталий. — И уж особенно не по уму и не
по сердцу православие для иудейского высокомерия и
ячества. Прочь, прочь когти ваши от русских святынь!
Что же до вашей крещености, то про это у народа сказано: жид крещеный что вор прощеный.

С этими словами архимандрит повернулся к чиновнику спиной и, чавкая грязью, скрылся в разрушае-
мом хлеве — высокий, черный, прямой, как жердь.
Бердичевский же, весь кипя, пошел из монастыря вон.

Из-за скоротечности разговора, не занявшего и десяти минут, времени до следующей встречи, с доктором Коровиным, оставалось еще очень много. Чтобы
не тратить его попусту, а заодно и успокоить себя мо-
ционом, товарищ прокурора решил пройтись по городу, ознакомиться с его топографическими, бытовыми
и прочими особенностями.

Удивительная вещь: те самые улицы, которые при
первом знакомстве произвели на Матвея Бенционовича отрадное впечатление чистотой, ухоженностью и
порядком, теперь показались ему недобрыми, даже
зловещими. Взгляд приезжего задерживался все больше на постно поджатых губах богомолок, на чрезмер-
ном изобилии всевозможных церквей, церковок и ча-
совенок, на этническом однообразии встречающихся
лиц: ни одного смуглого, черноглазого, горбоносого или

хоть раскосого, все сплошь великорусское русоволо-
сие, сероглазие да курносие.

Никогда в жизни Бердичевский не ощущал такого
острого, безысходного одиночества, как в этом право-
славном раю. Да и раю ли? Мимо промаршировал десяток рослых монахов с дубинками у пояса — ничего
себе Эдем. Поживи-ка под властью этакого отца Виталия, мракобеса и инакоборца. В книжных лавках только духовное чтение, из газет лишь «Церковный вестник», «Светоч православия» да «Гражданин» князя
Мещерского. Ни театра, ни духового оркестра в парке,
ни, Боже сохрани, танцзала. Зато едален без счета.
Поесть да помолиться — вот и весь ваш рай, мысленно
злобствовал Матвей Бенционович.

Когда же обида и злость на архимандрита немного
умерились, по всегдашней интеллигентской привычке
audiatur et altera pars* Бердичевский стал думать, что
Виталий на его в счет, в сущности, не так уж и неправ.
Да, высокомерен умом. Да, скептик, к простодушной вере
никак не приспособленный. И если уж начистоту, до
полной откровенности с самим собою, то вся его религи-
озность зиждется на любви не к Иисусу, которого Матвей Бенционович никогда в глаза не видывал, а к преосвященному Митрофанию. То есть если предположить, что
духовным отцом Мордки Бердичевского оказался бы не
православный архиерей, а какой-нибудь премудрый шейх
или буддийский бонза, то ходить бы теперь коллежско-
му советнику в чалме либо в конической соломенной
шляпе. Только при этом вы, сударь мой, не сделали бы в
Российской империи никакой карьеры, еще и дополнительно уязвил себя Матвей Бенционович, впав в оконча-
тельное самоуничижение.

---

* слышать доводы противоположной стороны *(лат.)*

И стало ему совсем нехорошо, потому что к одиночеству земному — временному, распространявшемуся лишь на остров Ханаан — прибавилось еще и одиночество метафизическое. Прости, Господи, за маловерие и сомнение, взмолился перепуганный товарищ прокурора и завертел головой, нет ли поблизости храма, чтоб поскорей повиниться перед образом Спасителя.

Как не быть — ведь Новый Арарат, не Петербург какой-нибудь. Была тут же, рядышком, в двадцати шагах, церковка, а еще ближе — собственно, прямо перед носом у Бердичевского, на стене монастырского училища, висела большая икона под жестяным навесом, причем не какая-нибудь, а именно Спаса Нерукотворного. В этом совпадении Матвей Бенционович усмотрел знак свыше и до церкви идти не стал. Бухнулся на колени перед Спасом (все равно брюки после скотного двора были загублены, переодеть придется) и стал молиться — жарко, истово, как никогда прежде.

Господи, умолял Бердичевский, ниспошли мне веру простую, детскую, нерассуждающую, чтоб всегда меня поддерживала и ни в каких испытаниях не оставляла. Чтобы я поверил в бессмертие души и в жизнь после смерти, чтобы на смену суеумия ко мне пришла мудрость, чтобы я ежечасно не трепетал за своих домашних, а помнил о вечности, чтобы имел твердость устоять перед соблазнами, чтобы... В общем, молитва получалась долгой, ибо просьб к Всевышнему у Матвея Бенционовича имелось множество, все перечислять скучно.

Никто богомольцу не мешал, никто не пялился на приличного господина, протиравшего коленки посреди тротуара, — прохожие уважительно обходили его стороной, тем более что такого рода сцены являлись для Нового Арарата вполне обыкновенными.

Единственное, что отвлекало чиновника от душеочистительного занятия, — звонкий детский смех, доносившийся от крыльца училища. Там, в окружении стайки мальчишек, сидел какой-то мужчина в мягкой шляпе, и видно было, что ему с пострелятами весело, а им весело с ним. Бердичевский несколько раз досадливо оглядывался на шум, так что имел возможность отметить некоторые особенности физиономии чадолюбца — весьма приятной, открытой, даже, пожалуй, простоватой.

А когда Матвей Бенционович, утирая слезы, наконец поднялся с колен, незнакомец подошел к нему, учтиво приподнял шляпу и стал извиняться:

— Прошу прощения за то, что мы своей болтовней мешали вашей молитве. Дети вечно пристают ко мне с расспросами про всякую всячину. Это удивительно, до чего мало им объясняют учителя, причем про самое важное. Да они и боятся у учителей лишнее спросить, тут ведь преподаватели все сплошь монахи, и престрогие. А меня не боятся, — улыбнулся мужчина, и по этой улыбке стало видно, что бояться его точно незачем. — Вы извините, что я к вам вот так, без церемоний подошел. Я, знаете ли, до чрезвычайности общителен, а вы меня искренностью своего моления привлекли. Нечасто увидишь, чтобы образованный человек так истово, со слезами перед иконой стоял. Дома, наедине с собой, еще ладно бы, но посреди улицы! Очень вы мне понравились.

Бердичевский слегка поклонился и хотел было уйти, но пригляделся к незнакомцу повнимательней, сощурился и осторожненько так:

— Э-э, а позвольте, милостивый государь, поинтересоваться вашим именем-отчеством. Случайно не Лев Николаевич?

Уж очень по манерам и внешнему виду приятный господин был похож на любителя чтения из письма Алеши Ленточкина. Память у Бердичевского, заядлого шахматиста, была отменная, да и запомнить такое имя нетрудно — как у графа Толстого.

Мужчина удивился, но не чрезмерно — у него и без того вид был такой, будто он постоянно ожидает от действительности сюрпризов, причем по большей части радостных.

— Да, меня так зовут. А почему вы знаете?

И в этой случайной встрече просветленному Бердичевскому тоже померещился промысел Божий.

— У нас с вами имеется общий знакомый, Алексей Степанович Ленточкин. Ну, тот, что еще подарил вам одну книгу, сочинение Федора Достоевского.

Такой сверхъестественной осведомленности Лев Николаевич опять удивился, и опять не очень сильно.

— Да, отлично помню этого бедного юношу. Знаете ли вы, что с ним произошло несчастье? Он заболел рассудком.

Матвей Бенционович ничего говорить не стал, но бровями изобразил изумление: мол, да что вы?

— Из-за Черного Монаха, — понизил голос его собеседник. — Пошел ночью в одну избушку, где на окне крест нацарапан, и лишился ума. Увидел там что-то. А после, на том же самом месте, другой человек, которого я тоже немножко знал, застрелил себя из пистолета. Ой, что ж я разболтался! Это ведь тайна, — испугался Лев Николаевич. — Мне по большому секрету сказали, я слово давал. Вы никому больше не говорите, хорошо?

Так-так, сказал себе следователь и яростно потер переносицу, чтоб унять азартное пульсирование крови. Так-так.

— Никому не скажу, — пообещал он, изобразив скучливый зевок. — Но знаете что, вы мне почему-то тоже очень симпатичны. Опять же у нас, оказывается, есть общий знакомый. Не угодно ли посидеть со мною за чашкой чаю или кофею? Поговорили бы о том, о сем. Хоть бы и о Достоевском.

— Почту за счастье! — обрадовался Лев Николаевич. — Так редко, знаете ли, встретишь здесь начитанного, высококультурного человека. И потом, не всякому со мной говорить интересно. Я не умен, не образован, иногда нелепости говорю. Да вот хоть в «Добром самарянине» можно посидеть. Там подают оригинальный чай, с подкопчением. И недорого.

Он уже готов был идти — немедленно беседовать с новым знакомцем, но брегет в кармане Бердичевского звякнул четыре раза громко и один тихо. Была уже четверть пятого — вон, выходит, сколько молился-то.

— Дражайший Лев Николаевич, у меня сейчас неотложное дело, которое продлится часа два или три. Если б нам возможно было встретиться после этого... — Подержав в этом незаконченном предложении вопросительную интонацию и дождавшись кивка, товарищ прокурора продолжил. — Меня зовут Матвей Бенционович, а подробнее представлюсь при нашей вечерней встрече. Где мне вас сыскать?

— До семи я обыкновенно гуляю по городу, смотрю на людей и думаю о чем взбредет в голову, — принялся объяснять ценный свидетель. — В семь ужинаю в харчевне «Пять хлебов», потом, если нет дождя и сильного ветра — а сегодня, как видите, ясно — где-нибудь сижу на скамейке, над озером. Долго. Бывает, что часов до десяти...

— Отлично, — перебил Бердичевский. — Там и встретимся. Назовите какое-нибудь определенное место.

Лев Николаевич немного подумал.

— Давайте на набережной, близ Ротонды. Чтобы вам легче найти. Вы правда придете?

— Можете быть совершенно в этом уверены, — улыбнулся товарищ прокурора.

* * *

Матвей Бенционович вытер мокрый лоб и схватился за сердце. Тысячу раз права Машенька — нужно делать гимнастику и ездить на велосипеде, как все просвещенные люди, кто печется о телесном здоровье. Ну что это — в тридцать восемь лет уже и брюшко, и одышливость, и ловкости никакой.

— Алексей Степаныч, право, поигрались и хватит! — воззвал он к тропическим зарослям, откуда только что донесся шорох быстрых необутых ног. — Это же я, Бердичевский, вы отлично меня знаете! Прибыл к вам от владыки Митрофания!

Игра то ли в прятки, то ли в догонялки, а вернее в то и в другое сразу длилась уже порядком, и товарищ прокурора совсем выбился из сил.

Донат Саввич Коровин остался у входа в оранжерею. Покуривая сигарку, с интересом наблюдал за маневрами обеих сторон. Самого Ленточкина Матвей Бенционович еще не видел, но мальчишка точно был здесь — раза два из-за широких глянцевых листьев мелькнуло голое плечо.

— Ничего, он сейчас выдохнется, — сказал доктор. — Слабеет день ото дня. Неделю назад, когда надо было осмотр делать, санитары за ним по полчаса гонялись, даже с пальм снимали. Третьего дня хватило пятнадцати минут. Вчера десяти. Плохо.

Мог бы и мне санитаров одолжить, сердито подумал чиновник. Демонстрирует, что для мирового светила губернские власти не указ. Тоже, как настоятель, на тон письма обиделся.

Однако, в отличие от архимандрита, доктор Бердичевскому скорее нравился. Спокойный, деловитый, слегка насмешливый, без вызова. Выслушав следователя, разумно предложил: «Сначала посмотрите на вашего Ленточкина, а после вернемся сюда и побеседуем».

Но, как уже было сказано, посмотреть на Алексея Степановича оказалось совсем непросто.

Еще через несколько минут удалось загнать дикого обитателя джунглей в угол, и вот, наконец, беготня завершилась. Из-за пышного куста, усеянного противоестественно-синими цветами (дальше была уже только стеклянная стенка), высовывалась кудрявая голова с испуганно вытаращенными голубыми глазами. Мальчишка очень осунулся и растерял весь свой румянец, отметил Матвей Бенционович, а волосы спутались, обвисли.

— Не надо, — плачущим голосом сказал Алеша. — Я скоро на небу улечу. За мною Он придет и заберет. Потерпите.

По совету Доната Саввича чиновник ближе к больному подбираться не стал, чтобы не доводить до приступа. Остановился, развел руками и начал как можно мягче:

— Алексей Степаныч, я перечел ваше последнее письмо, где вы писали про магическое заклинание и про домик бакенщика. Помните ли вы, что там произошло, в доме?

Сзади хмыкнул Коровин:

— Экий вы быстрый. Сейчас он вам прямо так и расскажет.

— Не ходи туда, — тоненьким голоском сказал вдруг Алеша Бердичевскому. — Пропадешь.

Доктор подошел, встал рядом с товарищем прокурора.

— Пардон, — шепнул он. — Я был неправ. Вы на него действуете каким-то особенным образом.

Ободренный успехом, Матвей Бенционович сделал полшажочка вперед.

— Алексей Степаныч, милый вы мой, владыка из-за вас сон и покой потерял. Не может себе простить, что прислал вас сюда. Поедемте к нему, а? Он наказал мне без вас не возвращаться. Поедем?

— Поедем, — пробормотал Алеша.

— И о той ночи поговорим?

— Поговорим.

Бердичевский торжествующе оглянулся на врача: каково? Тот озабоченно хмурился.

— С вами, верно, там что-то невероятное случилось? — тихонечко, как рыбак леску, вытягивал свою линию Матвей Бенционович.

— Случилось.

— К вам явился Василиск?

— Василиск.

— И вас чем-то напугал?

— Напугал.

Доктор отодвинул следователя в сторону.

— Да погодите вы. Он же просто повторяет за вами последнее слово, разве вы не видите? Это у него в последние три дня развилось. Речитативная обсессия. Не может концентрировать внимание более чем на минуту. Он вас не слышит.

— Алексей Степаныч, вы меня слышите? — спросил товарищ прокурора.

— Слышите, — повторил Ленточкин, и стало ясно, что Донат Саввич, к сожалению, прав.

Матвей Бенционович разочарованно вздохнул.

— Что с ним будет?

— Неделя, много две, и... — Доктор красноречиво покачал головой. — Если, конечно, не произойдет чуда.

— Какого чуда?

— Если я не обнаружу способ, которым можно остановить болезненный процесс и повернуть его вспять. Ладно, идемте. Ничего вы от него не добьетесь, как и ваш предшественник.

Вернувшись в кабинет Коровина, заговорили уже не о несчастном Алексее Степановиче, а именно о «предшественнике», то есть о покойном Лагранже.

— Кажется, по роду деятельности я обязан быть неплохим физиогномистом, — говорил Донат Саввич, поглядывая то на Бердичевского, то в окно. — И ошибаюсь в людях очень, очень редко. Но ваш полицмейстер своей выходкой, признаться, поставил меня в тупик. Я бы с уверенностью поручился, что это типаж уравновешенный, с высокой саморасценкой, примитивно-предметного мировосприятия. Такие не имеют склонности ни к суициду, ни к психотравматическому помешательству. Если кончают с собой, то разве что от полной безысходности — перед угрозой позорного суда либо когда от запущенного сифилиса нос провалится и глаза ослепнут. Если сходят с ума, то от чего-нибудь пошлого и скучного: начальство по службе обошло, или выигрыш в лотерею на соседний номер выпал — был такой случай с одним драгунским капитаном. Я бы к себе такого пациента, как ваш Лагранж, ни за что не взял. Неинтересно.

Как-то само собой, без особенных усилий со стороны обоих собеседников, получилось, что первоначальная взаимная настороженность и даже колючесть сошли на нет, и разговор теперь велся между умными, уважающими друг друга людьми.

Матвей Бенционович тоже подошел к окну, посмотрел на нарядные домики, где жили подопечные Коровина.

— Содержание больных, верно, обходится вам в круглую сумму?

— Без малого четверть миллиона в год. Если поделить на двадцать восемь человек (а именно столько у меня сейчас пациентов), в среднем получится примерно по восемь тысяч, хотя, конечно, разница в расходах большая. Ленточкин мне почти ничего не стоит. Живет, как птаха божья. И, боюсь, скоро упорхнет, «улетит на небо». — Доктор печально усмехнулся.

Потрясенный невероятной цифрой, Бердичевский воскликнул:

— Восемь тысяч! Но это...

— Вы хотите сказать «безумие»? — улыбнулся Донат Саввич. — Скорее блажь миллионера. Другие богачи тратят деньги на предметы роскоши или кокоток, а у меня свое пристрастие. Это не филантропия, поскольку делаю я это не для человечества, а для собственного удовольствия. Но и на благотворительность я расходую немало, потому что из всех земных достояний превыше всего ценю собственную совесть и всячески оберегаю ее от терзаний.

— Однако же не кажется ли вам, что вашу четверть миллиона можно было бы потратить с пользой для гораздо большего количества людей? — не удержался от шпильки Матвей Бенционович.

Врач снова улыбнулся, еще благодушнее.

— Вы имеете в виду голодных и бездомных? Ну, разумеется, я не забываю и о них. Доход с доставшегося мне по наследству капитала составляет полмиллиона в год. Ровно половину я отдаю благотворительным обществам как добровольный налог на богатство или, если угодно, в уплату за чистую совесть, зато с оставшейся суммой уже поступаю по полному своему усмотрению. Вкушаю фуа-гра без всякой виноватости, а хочется играть в доктора — играю. С полной душевной безмятежностью. А вы разве пожалели бы половину своего дохода в обмен на крепкий сон, здоровый аппетит и гармонию с собственной душой?

Матвей Бенционович лишь развел руками, затруднившись ответить на этот вопрос. Не толковать же миллионщику про двенадцать детей и про выплату банковской ссуды за домик с садом.

— На самого себя я трачу сущую ерунду, тысяч двадцать—тридцать, — продолжил Коровин, — всё прочее уходит на мое увлечение. Каждый из моих пациентов — настоящий клад. Все необычные, все талантливые, про каждого можно диссертацию написать, а то и книгу. Я вам уже говорил, что беру не всякого, а с большим разбором и только тех, кто мне чем-либо симпатичен. Иначе не установить доверительной связи.

Он посмотрел на товарища прокурора, улыбнулся ему самым приязненным образом и сказал:

— Такого человека, как вы, пожалуй, взял бы. Если, конечно, у вас обнаружился бы душевный недуг.

— В самом деле? — рассмеялся Бердичевский, чувствуя себя польщенным. — Что же я, по-вашему, за человек?

Донат Саввич собрался было ответить, но здесь его взгляд опять обратился в окно, и он с заговорщическим видом объявил:

— А вот мы сейчас узнаем.

Открыл створку, крикнул кому-то:

— Сергей Николаевич! Опять подслушиваете? Ай-я-яй. Скажите лучше, при вас ли ваши замечательные очки? Отлично! Не будете ли вы столь любезны заглянуть ко мне на минуту?

Вскоре в кабинет вошел щуплый человечек, одетый в некое подобие средневековой мантии, в большом берете и с полотняной сумкой, в которой что-то постукивало.

— Что это у вас? — с интересом спросил доктор, показывая на сумку.

— Образцы, — ответил странный субъект, разглядывая Бердичевского. — Минералы. С берега. Эманационный анализ. Я объяснял. Но вы глухи. Это кто? Почему про того?

— А вот, позвольте представить. Господин Бердичевский, блюститель законности. Прибыл, чтобы расследовать наши таинственные происшествия. Господин Лямпе, гениальный физик и по совместительству мой постоялец.

— Понятно, — покосился на Коровина товарищ прокурора, а «физику» осторожно сказал. — М-м, рад, очень рад. Желаю здравствовать.

— Блюститель? Расследовать?! — закричал сумасшедший, не ответив на приветствие. — Но это... Да-да! Давно! И на вид не такой, как тот! Я сейчас, сейчас... Ах, где они? Куда?

Он так взволновался, что Матвею Бенционовичу стало не по себе — не накинется ли, однако доктор успокаивающе ему подмигнул.

— Вы ищете ваши замечательные очки? Да вот же они, в нагрудном кармане. Я как раз хотел попросить вас произвести хромоспектрографию этого господина.

— Что-что? — еще больше встревожился чиновник. — Хромо...

— Хромоспектрографию. Это одно из изобретений Сергея Николаевича. Он открыл, что каждый человек окружен некоей эманацией, невидимой зрению. Цвет этого излучения определяется состоянием внутренних органов, умственным развитием и даже нравственными качествами, — с самым серьезным видом стал объяснять Коровин. — Очки господина Лямпе способны делать сей призрачный ореол видимым. И надо сказать, эманационный диагноз в части физического здоровья у Сергея Николаевича нередко оказывается верен.

Человечек тем временем уже нацепил на нос огромные очки с фиолетовыми стеклами и наставил их на Бердичевского.

— Хорошо, — забормотал Лямпе. — Отлично... Не то, что тот... Малинового нет вовсе... Желто-зеленая подсветка — ай-я-яй... Ну да ничего, зато оранжевое есть... Голова... Так... Сердце... Знаете ли вы, что у вас нездоровая печень? — спросил он вдруг совершенно нормальным голосом, и Матвей Бенционович вздрогнул, потому что у него в последнее время действительно покалывало в правом боку, особенно после ужина.

Сдернув с носа свои нелепые окуляры, безумец схватил следователя за руку и зачастил:

— Поговорить! Непременно! С глазу на глаз! Давно жду, давно! Голубого много! Значит, сможете понять! Сейчас же! Ко мне, ко мне! О, наконец!

Он потащил Бердичевского за собой, да так решительно, что перепуганный чиновник еле вырвался.

— Успокойтесь, Сергей Николаевич, успокойтесь, — пришел на помощь доктор. — Сейчас мы с Матвеем

Бенционовичем договорим, и я его отправлю к вам в лабораторию. Идите туда, ждите.

Когда бормочущий и размахивающий руками пациент скрылся за дверью, Донат Саввич, сделав страшные глаза, прошептал:

— У вас не более пяти минут, чтобы покинуть территорию лечебницы. Иначе Лямпе вернется, и так просто вы от него не отвяжетесь.

Совет был хорош, и Бердичевский счел за благо им воспользоваться, тем более что задерживаться в клинике далее казалось излишним.

* * *

Матвей Бенционович шагал по желтой кирпичной дороге, петлявшей меж пологих лесистых холмов, — должно быть, той самой, которой неделей раньше шел от доктора Коровина несчастный Лагранж. Что творилось в душе обреченного полицмейстера? Знал ли он, что доживает на белом свете свой последний день? О чем он думал, глядя вниз, на город, монастырь, озеро?

Собственно, ход мыслей Феликса Станиславовича восстанавливался без особого труда. Надо полагать, к вечеру он уже твердо решил совершить ночную вылазку к любопытной избушке и проверить, что за нечистая сила проторила себе там ход в мир людей. Как это похоже на бравого полковника! Ринуться напролом, и будь что будет.

Ну-с, а мы будем действовать иначе, рассуждал товарищ прокурора, хотя, конечно, тоже не оставим сей знаменательный домик без внимания. Перво-наперво осмотрим его при свете дня — то есть уже не сегодня, а завтра, потому что смеркается, да и понятые понадобятся.

Что дальше? Вырезать из рамы стекло с крестом, направить в Заволжск на экспертизу.

Нет, слишком долго получится. Лучше вызвать Семена Ивановича сюда, а с ним трех-четырех полицейских потолковей, чтоб не зависеть от подлого Виталия с его мирохранителями. Установить в избушке и около нее круглосуточные посты. Вот и посмотрим тогда, как поведет себя чертовщина.

Хм, сказал себе вдруг Бердичевский, останавливаясь. А ведь я сам мыслю, как заправский держиморда. Будто не понимаю, что, если тут и вправду мистическая материя, то очень легко разрушить тонкую нить меж нею и земной реальностью. Как раз и выйдет тот самый Гордиев узел, против которого я ратовал.

Лагранж, уж на что был дуболом, царствие ему небесное, но и он сообразил, что сверхъестественные явления можно наблюдать только один на один, без свидетелей, понятых и стражников. Для точности эксперимента нужно поступить так, как писал Ленточкин: прийти одному, нагому и с заклинанием. И если ничего особенного не произойдет, то лишь тогда, с твердым материалистическим убеждением, вести следствие обычным манером.

Матвей Бенционович сам понимал, что эти размышления относятся скорее к сфере игры ума, потому что никуда он ночью не пойдет, и уж во всяком случае в такое место, где один человек свихнулся, а другой пустил себе пулю в сердце.

Ввязаться в этакую авантюру было бы глупо, даже смехотворно и, главное, безответственно перед Машей и детьми.

Отсюда мысли Бердичевского естественным образом повернули на семью.

Он стал думать о жене, благодаря которой его жизнь обрела полноту, смысл и счастье. Как же Маша мила, как хороша, в особенности в период беременности, хоть

глаза у ней в эту пору делаются красные, веки в про-
жилках и нос выпячивается совершеннейшей уточкой.
Товарищ прокурора улыбнулся, вспомнив Машино
пристрастие к пению при полном отсутствии музыкаль-
ного слуха, ее суеверный страх перед щербатым меся-
цем и рыжим тараканом, непослушный завиток на затылке и еще множество мелочей, которые имеют
значение лишь для тех, кто любит.

Старшая дочь, Катенька, слава Богу, пошла в мать.
Такая же решительная, цельная, знающая, чего хочет
и как этого добиться.

Вторая дочь, Людмилочка, та скорее в отца — любит поплакать, жалостлива, к природе чувствительна.
Трудно ей придется в жизни. Дал бы Бог жениха вни-
мательного, человечного.

А третья дочь, Настенька, сулится вырасти в ис-
тинные музыкальные таланты. Как невесомо скользят
по клавишам ее розовые пальчики! Вот подрастет, и
нужно будет непременно свозить ее в Петербург, показать Иосифу Соломоновичу.

Мысленная инвентаризация всех многочисленных
членов семьи была любимейшим времяпрепровожде-
нием Бердичевского, но на сей раз до четвертой дочки,
Лизаньки, добраться он не успел. Из-за поворота навстречу чиновнику выехала всадница на вороном коне,
и это явление было настолько неожиданным, настолько несовместным с вялым перезвоном монастырских
колоколов и всем тусклым ханаанским пейзажем, что
Матвей Бенционович обомлел.

Тонконогий жеребец рысил по дороге немножко
боком, как это иногда бывает у особенно породистых и
шаловливых энглезов, так что сидевшая амазонкой
наездница была видна товарищу прокурора вся — от
шапочки с вуалью до кончиков лаковых сапожек.

Поравнявшись с пешеходом, она посмотрела на него сверху вниз, и под острым, как стрела, взглядом черных глаз рассудительный чиновник весь затрепетал.

Это была она, вне всяких сомнений! Та самая незнакомка, что одним своим появлением будто согнала с острова скатерть тумана. Шляпу с перьями сменил алый бархатный кардиналь, но платье было того самого траурного цвета, а еще чуткий нос Бердичевского уловил знакомый аромат духов, волнующий и опасный.

Матвей Бенционович остановился и проводил грациозную всадницу взглядом. Она не столько настегивала, сколько легонько поглаживала блестящий круп англичанина хлыстиком, а в левой руке держала кружевной платочек.

Внезапно этот легкий лоскут ткани вырвался на свободу, игривой бабочкой покружился в воздухе и опустился на обочину. Не заметив потери, амазонка скакала себе дальше, на застывшего мужчину не оглядывалась.

Пусть лежит, где упал, предостерег Бердичевского рассудок, даже не рассудок, а, пожалуй, инстинкт самосохранения. Несбывшееся на то так и зовется, чтобы не сбываться.

Но ноги уже сами несли Матвея Бенционовича к оброненному платку.

— Сударыня, стойте! — закричал следователь срывающимся голосом. — Платок! Вы потеряли платок!

Он прокричал трижды, прежде чем наездница обернулась. Поняла, в чем дело, кивнула и поворотила назад. Подъезжала медленно, разглядывая господина в пальмерстоне и запачканных штиблетах со странной, не то вопросительной, не то насмешливой улыбкой.

— Благодарю, — сказала она, натягивая поводья, но руку за платком не протянула. — Вы очень любезны.

Бердичевский подал платок, жадно глядя в ослепительное лицо дамы, а может быть, и барышни. Какие глубокие, чуть миндалевидные глаза! Смелая линия рта, упрямый подбородок и горькая, едва заметная тень под скулами.

Однако следовало что-нибудь произнести. Нельзя же просто пялиться.

— Платок батистовый... Жалко, если потеряли бы, — пробормотал товарищ прокурора, чувствуя, что краснеет, словно мальчишка.

— У вас умные глаза. Нервные губы. Я никогда прежде вас здесь не видала. — Амазонка погладила вороного по атласной шее. — Кто вы?

— Бердичевский, — представился он и едва сдержался, чтоб не назвать своей должности — может, хоть это побудило бы красавицу смотреть на него без насмешки?

Вместо должности ограничился чином:

— Коллежский советник.

Почему-то это показалось ей смешным.

— Советник? — Незнакомка рассмеялась, открыв белые ровные зубы. — Мне сейчас не помешал бы советник. Или советчик? Ах, все равно. Дайте мне совет, уважаемый коллежский советчик, что делают с погубленной жизнью?

— Чьей? — сипло спросил Матвей Бенционович.

— Моей. А может быть, и вашей. Вот скажите, советчик, могли бы вы взять и всю свою жизнь перечеркнуть, сгубить — ради одного только мига? Даже не мига, а надежды на миг, которая, быть может, еще и не осуществится?

Бердичевский пролепетал:

— Я вас не понимаю... Вы странно говорите.

Но он понял, превосходно все понял. То, чего ни в коем случае *с ним* произойти не могло, потому что вся его жизнь струилась совсем по иному руслу, было близко, очень близко. Миг? Надежда? А что же Маша?

— Вы верите в судьбу? — Всадница уже не улыбалась, ее чистое чело омрачилось, хлыст требовательно постукивал по лошадиному крупу, и вороной нервически переступал ногами. — В то, что всё предопределено и что случайных встреч не бывает?

— Не знаю...

Зато он знал, что погибает, и уже готов был погибнуть, даже желал этого. Оранжевая полоса заката растопырилась в обе стороны от черного коня, словно у него вдруг выросли огненные крылья.

— А я верю. Я уронила платок, вы подобрали. А может быть, это и не платок вовсе?

Товарищ прокурора растерянно посмотрел на лоскут, все еще зажатый в его пальцах, и подумал: я похож на нищего, что стоит с протянутой рукой.

Голос всадницы сделался грозен:

— Хотите, я сейчас поверну лошадь, да и ускачу прочь? И вы никогда меня больше не увидите! Так и не узнаете, кто кого обманул — вы судьбу или она вас.

Она дернула уздечку, развернулась и подняла хлыст.

— Нет! — воскликнул Матвей Бенционович, разом забыв и о Маше, и о двенадцати чадах, и о грядущем, тринадцатом — вот как невыносима показалась ему мысль, что странная амазонка навсегда умчится в сгущающуюся тьму.

— Тогда беритесь за стремя, да крепче, крепче, не то сорветесь! — приказала она.

Как заколдованный, Бердичевский вцепился в серебряную скобу. Наездница гортанно вскрикнула, ударила коня хлыстом, и вороной с места взял резвой рысью.

Матвей Бенционович бежал со всех ног, сам не понимая, что с ним происходит. Шагов через пятьдесят или, может, сто споткнулся, упал лицом вниз, да еще и несколько раз перевернулся.

Из темноты доносился быстро удаляющийся хохот.

«Остров, что за остров!» — бессмысленно повторял следователь, сидя на дороге и нянча зашибленный локоть. Костяшки пальцев тоже были разбиты в кровь, но батистового платка Матвей Бенционович из руки не выпустил.

* * *

После невообразимого, ни на что не похожего приключения товарищ прокурора был явно не в себе. Только этим можно объяснить то обстоятельство, что он совершенно потерял счет времени и не помнил, как шел до гостиницы. А когда, наконец, очнулся от потрясения, то обнаружил, что сидит у себя в комнате на кровати и тупо смотрит в окно, на висящую в небе апельсиновую дольку — молодой месяц.

Механическим жестом достал из жилетного кармана часы. Была одна минута одиннадцатого, из чего Матвей Бенционович сделал вывод, что к реальности его, вероятно, вернул звон брегета, хотя самого звука в памяти не осталось.

Лев Николаевич! Он обещался ждать на скамейке не долее, чем до десяти!

Чиновник вскочил и выбежал из нумера. И потом, по улице и по набережной, тоже не шел, а бежал. Прохожие оглядывались — в чинном Новом Арарате бегущий человек, да еще поздно вечером, очевидно, был редкостью.

Из-за одного только разговора со свидетелем, пускай даже важным, Бердичевский сломя голову нестись бы не стал, но ему вдруг неудержимо захотелось увидеть ясное, доброе лицо Льва Николаевича и поговорить с ним, просто поговорить — о чем-нибудь простом и важном, куда более важном, чем любые расследования.

Белый купол ротонды, одной из местных достопримечательностей, был виден издалека. Товарищ прокурора добежал туда, совсем обессилев и уже не надеясь застать Льва Николаевича. Но навстречу бегущему со скамейки поднялась худенькая фигура, приветственно замахала рукой.

Оба обрадовались до чрезвычайности. Причем с Матвеем Бенционовичем еще понятно, но и Лев Николаевич, по всей видимости, тоже был весьма доволен.

— А я уж думал, вы не придете! — воскликнул он, крепко пожимая чиновнику руку. — Так уж сидел, на всякий случай. А вы пришли! Как это хорошо, как замечательно.

Ночь была светлая или, как говорят поэтические натуры, волшебная. Глаза Льва Николаевича и чудесная его улыбка были полны такого доброжелательства, а душа Бердичевского так мучилась смятением, что, едва отдышавшись, безо всяких предисловий и предуведомлений, он рассказал едва знакомому человеку о случившемся. По складу характера и глубоко укорененной застенчивости Матвей Бенционович отнюдь не был склонен к откровенничанью, тем более с посторонними людьми. Но, во-первых, Лев Николаевич отчего-то не казался ему посторонним, а во-вторых, слишком уж неотложной была потребность выговориться и облегчить душу.

Бердичевский рассказал про таинственную всадницу и своё падение (как буквальное, так и нравственное) безо всякой утайки, причем то и дело утирал стекающие по щекам слезы.

Лев Николаевич оказался идеальным слушателем — серьезным, не перебивающим и в высшей степени сочувственным, так что и сам чуть не расплакался.

— Напрасно вы так себя казните! — воскликнул он, едва чиновник договорил. — Право, напрасно! Я мало что знаю про любовь между мужчинами и женщинами, однако же мне рассказывали, и читать доводилось, что у самого примерного, добродетельного семьянина может произойти что-то вроде затмения. Ведь всякий человек, даже самого упорядоченного образа мыслей, в глубине души живет, ожидая чуда, и очень часто этаким чудом ему мерещится какая-нибудь необыкновенная женщина. Так бывает и с женами, но особенно часто с мужьями — просто оттого, что мужчины более склонны к приключениям. Это пустяки — то, что вы рассказали. То есть, конечно, не пустяки, про пустяки я чтоб вас утешить брякнул, но ничего ведь не произошло. Вы совершенно чисты перед вашей супругой...

— Ах, нечист, нечист! — перебил добряка Матвей Бенционович. — Куда более нечист, чем если бы спьяну побывал в непотребном доме. То было бы просто свинство, телесная грязь, а тут я совершил предательство, самое настоящее предательство! И как быстро, как легко — в минуту!

Лев Николаевич внимательно посмотрел на собеседника и задумчиво сказал:

— Нет, это еще не настоящее предательство, не высшего разбора.

— А что же тогда, по-вашему, настоящее?

— Настоящее, сатанинское предательство — это когда предают впрямую, глядя в глаза, и получают от своей подлости особенное наслаждение.

— Ну уж, наслаждение, — махнул рукой Бердичевский. — А что до подлости, то я и есть самый натуральный подлец. Теперь знаю это про себя и должен буду со знанием этим жить... Эх, — встрепенулся он. — Если б можно было искупить ту минуту, смыть ее с души, а? Я бы на любое испытание, на любую муку пошел, только бы снова почувствовать себя... — Он хотел сказать «благородным человеком», но постеснялся и сказал просто. — ...Человеком.

— Испытывать себя полезно и даже необходимо, — согласился Лев Николаевич. — Я так думаю, что...

— Стойте! — перебил его товарищ прокурора, охваченный внезапной идеей. — Стойте! Я знаю, через какое испытание я должен пройти! Скажите, ради Бога скажите, где находится тот дом, где жил бакенщик? Знаете?

— Конечно, знаю, — удивился Лев Николаевич. — Это вон туда, вдоль берега, до Постной косы, а после налево. Версты две будет. Да только зачем вам?

— А вот зачем...

И Бердичевский — видно, такая уж нынче была ночь — выдал сердечному другу все следственные тайны: рассказал и про Алешу Ленточкина, и про Лагранжа, и, разумеется, про свою миссию. Слушатель только ахал и головой качал.

— Клянусь вам, — сказал в заключение Матвей Бенционович и поднял руку, как во время произнесения присяги на суде, — что я немедленно, сейчас же, отправлюсь к этой чертовой избушке совсем один, дождусь полуночи и войду туда, как вошли туда Алексей Степанович и Феликс Станиславович. Наплевать, если там ничего не окажется, если всё суеверие и враки. Главное, что я свой страх преодолею и уже тем собственное уважение верну!

Лев Николаевич вскочил и с восторгом воскликнул:

— Как чудесно вы это сказали! Я на вашем месте поступил бы точно так же. Только знаете что... — Он порывисто схватил Бердичевского за локоть. — Нельзя вам туда одному идти. Очень уж страшно. Возьмите меня с собой. Нет, правда! Давайте вдвоем, а?

И моляще заглянул Матвею Бенционовичу в глаза, так что у того стиснулась грудь и снова потекли слезы.

— Благодарю вас, — сказал товарищ прокурора с чувством. — Я ценю ваш порыв, но сердце подсказывает мне, что я должен войти туда один. Иначе ничего не выйдет, да и настоящего искупления не получится. — Он выдавил из себя улыбку и даже попробовал пошутить. — К тому же вы существо столь ангельского образа, что нечистая сила вас может застесняться.

— Хорошо-хорошо, — закивал Лев Николаевич. — Я не стану мешать. Я знаете что, я только провожу вас туда, а сам в сторонке встану. В пятидесяти шагах, даже в ста. Но проводить провожу. И вам будет не так одиноко, и мне спокойнее. Мало ли что...

Бердичевский ужасно обрадовался этой идее, которая, с одной стороны, не девальвировала предполагаемого искуса, а с другой, все же сулила некую, пусть даже иллюзорную поддержку. Обрадовался — и тут же рассердился на себя за эту радость.

Нахмурившись, сказал:

— Не в ста шагах. В двухстах.

* * *

Расстались на мостике через быструю узкую речку, которой оставалось течь до озера не более двадцати саженей.

— Вон он, домик бакенщика, — показал Лев Николаевич на темный куб, что посверкивал под луной своей белой соломенной крышей. — Так мне никак с вами нельзя?

Бердичевский покачал головой. Говорить не решался, потому что зубы были плотно стиснуты — имелось опасение, что если дать им волю, то начнут постыдно клацать.

— Ну, Бог в помощь, — взволнованно сказал верный секундант. — Я буду ждать вот здесь, у Прощальной часовни. Если что — кричите, я сразу прибегу.

Вместо ответа Матвей Бенционович неловко обнял Льва Николаевича за плечи, на секунду прижал к себе и, махнув рукой, зашагал к избушке.

До полуночи оставалось две минуты, но и идти было всего ничего — даже не двести шагов, а самое большее полтораста.

Глупости какие, мысленно говорил себе товарищ прокурора, вглядываясь в избушку. И ведь знаю наверное, что ничего не будет. Не может ничего быть. Войду, постою там, да и выйду, чувствуя себя полным остолопом. Хорошо хоть свидетель такой добросердечный. Кто другой на смех бы поднял, ославил бы на весь свет. Мол, заместитель губернского прокурора шастает на свидания с нечистой силой и еще от страха трясется.

Побуждаемая самолюбием, в душе шевельнулась отвага. Теперь нужно было ее бережно, как трепещущий на ветру огонек, распалить, не дать угаснуть.

— Ну-те-с, ну-те-с, — протянул Бердичевский, ускоряя шаг.

Перед криво заколоченной дверью все же остановился и мелко, чтоб сзади не было видно, перекрестился. Раздеваться догола, конечно, нелепость, решил Матвей Бенционович. Все равно формулу из средневекового трактата он толком не помнил. Ну да ничего, как-нибудь обойдется и без формулы. Дотронуться до нацарапанного на стекле креста и сказать что-то такое про уговор архангела Гавриила с Лукавым. Иди сюда, дух святой, — так, кажется. А если начнутся неприятности, нужно поскорей крикнуть по-латыни, что веруешь в Господа, и всё отличным образом устроится.

Ерничанье прибавило следователю храбрости. Он взялся за край двери, напрягся что было сил и потянул на себя.

Можно было, оказывается, и не напрягаться — створка подалась легко.

Ступая по скрипучему полу, Матвей Бенционович попытался определить, где окно. Замер в нерешительности, но в это время месяц, на короткое время спрятавшийся за тучку, снова озарил небосвод, и слева высветился серебристый квадрат.

Следователь повернул шею, подавился судорожным вскриком.

Там кто-то стоял!

Недвижный, черный, в остроконечном куколе!

Нет, нет, нет, — замотал головой Бердичевский, чтобы отогнать видение. Словно не выдержав тряски, голова вдруг взорвалась невыносимой болью, пронзившей и череп, и самое мозг.

Потрясенное сознание покинуло Матвея Бенционовича, он больше ничего не видел и не слышал.

Потом, неизвестно через сколько времени, чувства вернулись к несчастному следователю, однако не все — зрение возвращаться так и не пожелало. Глаза Бердичевского были открыты, но ничего не видели.

Он прислушался. Услышал частый-частый стук собственного сердца, даже хлопанье ресниц — вот какая стояла тишина. Втянул носом запах пыли и стружек. Болела голова, затекло тело — значит, жив.

Но где он? В избушке?

Нет. Там было темно, но не так, не *абсолютно* темно — будто в гробу.

Матвей Бенционович хотел приподняться — ударился лбом. Пошевелил руками — локтям было не раздвинуться. Согнул колени — тоже уперлись в твердое.

Тут товарищ прокурора понял, что он и в самом деле лежит в заколоченном гробу, и закричал.

Сначала не очень громко, как бы еще не утратив надежды:

— А-а! А-а-а!

Потом во все легкие:

— А-а-а-а!!!!

Выкрикнув весь воздух, захлебнулся рыданием. Мозг, приученный к логическому мышлению, воспользовался краткой передышкой и раскрыл Бердичевскому одну загадку — увы, слишком поздно. Так вот почему Лагранж стрелялся левой рукой, снизу вверх! Иначе ему в гробу револьвер было не вывернуть. Кое-как вытянул свой длинноствольный «смит-вессон», пристроил к сердцу, да и выпалил.

О, какая лютая зависть к покойному полицмейстеру охватила Матвея Бенционовича! Каким облегчением, каким невероятным счастьем было бы иметь под рукой револьвер! Одно нажатие спуска, и кошмару конец, во веки веков.

Глотая слезы, Бердичевский бормотал: «Маша, Машенька, прости... Я снова тебя предал, и еще хуже, чем там, на дороге! Я бросаю тебя, бросаю одну...»

А мозг продолжал свою работу, теперь уже никому не нужную.

Вот и с Ленточкиным понятно. То-то он после гроба никаких крыш и стен не выносит — вообще никакого стеснения для тела.

Рыдания оборвались сами собой — это Бердичевский дошел до следующего открытия.

Но Ленточкин каким-то образом из гроба выбрался! Пусть сумасшедший, но живой! Значит, надежда есть!

Молитва! Как можно было забыть про молитву!

Однако латынь, казалось, твердо вызубренная за годы учебы в гимназии и университете, от ужаса вся стерлась из памяти погибающего Матвея Бенционовича. Он даже не мог вспомнить, как по-латыни «Господи»!

И духовный сын владыки Митрофания заорал по-русски:

— Верую, Господи, верую!!!

Забился в деревянном ящике, уперся в крышку лбом, руками, коленями — и свершилось чудо. Верхняя часть гроба с треском отлетела в сторону, Бердичевский сел, хватая ртом воздух, огляделся по сторонам.

Увидел все ту же избушку, после кромешной тьмы показавшуюся необычайно светлой, разглядел в углу и печку, и даже ухват. И окно было на месте, только страшный силуэт из него исчез.

Приговаривая «Верую, Господи, верую», Бердичевский перелез через бортик, грохнулся на пол — оказалось, что гроб стоял на столе.

Не обращая внимания на боль во всем теле, задвигал локтями и коленями, проворно пополз к двери.

Перевалился через порог, вскочил, захромал к речке.

— Лев! Николаевич! На помощь! Спасите! — хрипло вопил товарищ прокурора, боясь оглянуться — что, если сзади несется над землей черный, в остром колпаке? — Помогите! Я сейчас упаду!

Вот и мостик, вот и ограда. Лев Николаевич обещал ждать здесь.

Бердичевский метнулся вправо, влево — никого.

Этого просто не могло быть! Не такой человек Лев Николаевич, чтобы взять и уйти!

— Где вы? — простонал Матвей Бенционович. — Мне плохо, мне страшно!

Когда от стены часовни бесшумно отделилась темная фигура, измученный следователь взвизгнул, вообразив, что кошмарный преследователь обогнал его и поджидает спереди.

Но нет, судя по контуру, это был Лев Николаевич. Всхлипывая, Бердичевский бросился к нему.

— Слава... Слава Богу! Верую, Господи, верую! Что же вы не отзывались? Я уж думал...

Он приблизился к своему соратнику и забормотал:

— Я... Я не знаю, что это было, но это было ужасно... Кажется, я схожу с ума! Лев Николаевич, милый, что же это? Что со мной?

Здесь молчавший повернул лицо к лунному свету, и Бердичевский растерянно умолк.

В облике Льва Николаевича произошла странная метаморфоза. Сохранив все свои черты, это лицо неуловимо, но в то же время совершенно явственно переменилось.

Взгляд из мягкого, ласкового, стал сверкающим и грозным, губы кривились в жестокой насмешке, плечи распрямились, лоб пересекла резкая, как след кинжала, морщина.

— А то самое, — свистящим голосом ответил неузнаваемый Лев Николаевич и повертел пальцем у виска. — Ты, приятель, того, кукарекнулся. Ну и идиотская же у тебя физиономия!

Матвей Бенционович испуганно отшатнулся, а Лев Николаевич, правая щека которого дергалась мелким тиком, ощерил замечательно белые зубы и трижды торжествующе прокричал:

— Идиот! Идиот! Идиот!

Лишь теперь, самым уголком стремительно угасающего сознания, Бердичевский понял, что он, действительно, сошел с ума, причем не только что, в избушке, а раньше, много раньше. Явь и реальность перемешались в его больной голове, так что теперь уже не разберешь, что из событий этого чудовищного дня произошло на самом деле, а что было бредом заплутавшего рассудка.

Втянув голову в плечи и приволакивая ногу, безумный чиновник побежал по лунной дороге, куда глядели глаза, и всё приговаривал:

— Верую, Господи, верую!

ЧАСТЬ ВТОРАЯ

БОГОМОЛЬЕ
Г-ЖИ ЛИСИЦЫНОЙ

Дворянка Московской губернии

Надо же так случиться, чтоб прямо перед тем, как прийти второму письму от доктора Коровина, в самый предшествующий вечер, между архиереем и сестрой Пелагией произошел разговор о мужчинах и женщинах. То есть, на эту тему владыка и его духовная дочь спорили частенько, но на сей раз, как нарочно, столкнулись именно по предмету силы и слабости. Пелагия доказывала, что «слабым полом» женщин нарекли зря, неправда это, разве что в смысле крепости мышц, да и то не всех и не всегда. Увлекшись, монахиня даже предложила епископу сбегать или сплавать наперегонки — посмотреть, кто быстрее, однако тут же опомнилась и попросила прощения. Митрофаний, впрочем, нисколько не рассердился, а засмеялся.

— Хорошо бы мы с тобой смотрелись, — стал описывать преосвященный. — Несемся сломя голову по Большой Дворянской: рясы подобрали, ногами сверкаем, у меня борода по ветру веником, у тебя патлы рыжие полощутся. Народ смотрит, крестится, а нам хоть бы что — добежали до реки, бултых с обрыва — и саженками, саженками.

Посмеялась и Пелагия, однако от темы не отступилась.

— Нет сильного пола и нет слабого. Каждая из половин человечества в чем-то сильна, а в чем-то слаба. В логике, конечно, изощренней мужчины, от этого и бо́льшая способность к точным наукам, но здесь же и недостаток. Вы, мужчины, норовите всё под гимназическую геометрию подогнать и, что у вас в правильные фигуры да прямые углы не всовывается, от того вы отмахиваетесь и потому часто главное упускаете. И еще вы путаники, вечно понастроите турусов на колесах, где не надо бы, да сами под эти колеса и угодите. Еще гордость вам мешает, больше всего вы страшитесь в смешное или унизительное положение попасть. А женщинам это все равно, мы хорошо знаем, что страх этот глупый и ребяческий. Нас в неважном сбить и запутать легче, зато в главном, истинно значительном, никакой логикой не собьешь.

— Ты к чему это все говоришь? — усмехнулся Митрофаний. — Зачем вся твоя филиппика? Что мужчины глупы и надобно власть над обществом у них отобрать, вам передать?

Монахиня ткнула пальцем в очки, съехавшие от запальчивости на кончик носа.

— Нет, владыко, вы совсем меня не слушаете! Оба пола по-своему умные и глупые, сильные и слабые. Но в разном! В том и величие замысла Божия, в том и смысл любви, брака, чтоб каждый свое слабое подкреплял тем сильным, что есть в супруге.

Однако говорить серьезно епископ нынче был не настроен. Изобразил удивление:

— Замуж, что ли, собралась?

— Я не про себя говорю. У меня иной Жених есть, который меня лучше всякого мужчины укрепляет. Я про то, что напрасно вы, отче, в серьезных делах толь-

ко на мужской ум полагаетесь, а про женскую силу и
про мужскую слабость забываете.

Митрофаний слушал да посмеивался в усы, и это
распаляло Пелагию еще больше.

— Хуже всего эта ваша снисходительная усмешеч-
ка! — наконец взорвалась она. — Это в вас от мужского высокомерия, монаху вовсе не уместного! Не вам ли
сказано: «Нет мужеского пола, ни женского, ибо все
вы одно во Христе Иисусе»?

— Знаю, отчего ты мне проповеди читаешь, отчего
бесишься, — ответил на это проницательный пастырь. —
Обижена, что я в Новый Арарат не тебя послал. И к Матвею ревнуешь. Ну как он всё размотает без участия твоей
рыжей головы? А Матвей беспременно размотает, потому что осторожен, проницателен и *логичен*. — Здесь
Митрофаний улыбаться перестал и сказал уже без шут-
ливости. — Я ли тебя не ценю? Я ли не знаю, как ты
сметлива, тонка чутьем, угадлива на людей? Но, сама
знаешь, нельзя чернице в Арарат. Монастырский устав
воспрещает.

— Вы это говорили уже, и я при Бердичевском
препираться не стала. Сестре Пелагии, конечно,
нельзя. А Полине Андреевне Лисицыной очень даже
возможно.

— Даже не думай! — построжел преосвященный. —
Хватит! Погрешили, погневили Бога, пора и честь знать.
Каюсь, сам я виноват, что благословлял тебя на такое
непотребство — во имя установления истины и торже-
ства справедливости. Весь грех на себя брал. И если б
в Синоде про шалости эти узнали, прогнали б меня с
кафедры взашей, а возможно, и сана бы лишили. Но
зарок я дал не из опасения за свою епископскую ман-
тию, а из страха за тебя. Забыла, как в последний раз
чуть жизни через лицедейство это не лишилась? Всё,

не будет больше никакой Лисицыной, и слушать не желаю!

Долго еще препирались из-за этой самой таинственной Лисицыной, друг друга не убедили и разошлись каждый при своем мнении.

А наутро почта доставила преосвященному письмо с острова Ханаана, от психиатрического доктора Коровина.

Владыка вскрыл конверт, прочитал написанное, схватился за сердце, упал.

Начался в архиерейских палатах невиданный переполох: набежали врачи, губернатор верхом прискакал — без шляпы, на неоседланной лошади, предводитель из загородного поместья примчался.

Не обошлось, конечно, и без сестры Пелагии. Она пришла тихонечко, посидела в приемной, испуганно глядя на суетящихся врачей, а после, улучив минутку, отвела в сторону владычьего секретаря, отца Усердова. Тот рассказал, как случилось несчастье, и злополучное письмо показал, где говорилось про нового пациента коровинской больницы.

Остаток дня и всю ночь монахиня простояла в архиерейской образной на коленях — не на prie-Dieu*, а прямо на полу. Горячо молилась за исцеление недужного, смерть которого стала бы несчастьем для целого края и для многих, любивших епископа. В опочивальню, где врачевали больного, Пелагия и не совалась — без нее ухаживальщиков хватало, да и все одно не пустили бы. Там над бесчувственным телом колдовал целый консилиум, а из Санкт-Петербурга, вызванные телеграммой, уж ехали трое наиглавнейших российских светил по сердечным недугам.

_____
* скамеечка для коленопреклонения (фр.)

Утром к коленопреклоненной инокине вышел самый молодой из докторов, хмурый и бледный. Сказал:

— Очнулся. Вас зовет. Только недолго. И, ради Бога, сестрица, без рыданий. Его волновать нельзя.

Пелагия с трудом поднялась, потерла синяки на коленях, пошла в опочивальню.

Ах, как скверно пахло в скорбном покое! Камфорой, крахмальными халатами, прокипяченным металлом. Митрофаний лежал на высоком старинном ложе, синий балдахин которого был украшен рисунком небесного свода, и хрипло, тяжело дышал. Лицо архиерея поразило Пелагию мертвенным цветом, заостренностью черт, а более всего какой-то общей застылостью, так мало совместной с деятельным нравом владыки.

Монахиня всхлипнула, и сердитый доктор тут же кашлянул у нее за спиной. Тогда Пелагия испуганно улыбнулась — так и подошла к постели с этой жалкой, неуместной улыбкой на устах.

Лежащий скосил на нее глаза. Чуть опустил веки — узнал. С трудом шевельнул лиловыми губами, но звука не получилось.

Все еще не стерев улыбки, Пелагия бухнулась на колени, подползла к самой кровати, чтоб угадать слова по движению губ.

Преосвященный смотрел ей в глаза, но не тихим, благословляющим взором, как следовало бы в такую минуту, а строго, даже грозно. Собравшись с силами, прошелестел всего два слова — странных:

— Не вздумай...

Подождав, не будет ли сказано еще чего-нибудь, и не дождавшись, монахиня успокоительно кивнула, поцеловала вялую руку больного и встала. Доктор уж подпихивал ее в бок: ступайте, мол, ступайте.

Медленно идя через комнаты, Пелагия шептала слова покаянной молитвы:

— «Помилуй мя, Боже, по велицей милости Твоей и по множеству щедрот Твоих очисти беззаконие мое, яко беззаконие мое аз знаю, и грех мой предо мною...»

Смысл моления прояснился очень скоро. Из образной черница повернула не в приемную, а шмыгнула в архиереев кабинет, пустой и полутемный. Нисколько не тушуясь, открыла ключом ящик письменного стола, извлекла оттуда бронзовую шкатулку, где Митрофаний хранил свои личные сбережения, обыкновенно тратимые на книги, на нужды архиерейского облачения, либо на помощь бедным, — и бестрепетной рукой сунула всю пачку кредиток себе за пазуху, ни рубля в шкатулке не оставила.

Двор, заставленный экипажами соболезнователей, Пелагия пересекла неспешно, пристойно, но, повернув в сад, за которым располагался корпус епархиального училища, перешла на нечинный бег.

Заглянула в келью к начальнице училища, сказала, что во исполнение воли преосвященного владыки должна отлучиться на некоторое, пока неясно, сколь продолжительное, время и просит подыскать замену для уроков. Добрая сестра Христина, привычная к неожиданным отлучкам учительницы русского языка и гимнастики, ни о цели поездки, ни о пункте следования не спросила, а пожелала только знать, довольно ли у Пелагии теплых вещей, чтобы не простыть в дороге. Монахини поцеловались плечо в плечо, Пелагия захватила из своей комнаты малый сундучок и, взяв извозчика, велела во весь дух гнать на пристань — до отправления парохода оставалось менее получаса.

* * *

Назавтра в полдень она уже сходила по трапу на нижегородский причал, однако одета была не в рясу — в скромное черное платье, извлеченное из сундучка. И это был только первый этап метаморфозы.

В гостинице рыжеволосая постоялица попросила в нумер стопку самоновейших модных журналов, вооружилась карандашом и принялась выписывать на листок всякие мудреные словосочетания вроде «гроденапл. капот экосез, триповый пеплос, шерст. тальма» и прочее подобное.

Исполнив эту исследовательскую работу со всем возможным тщанием и потратив на нее не меньше двух часов, Пелагия посетила самый лучший нижегородский магазин готового платья «Дюбуа-э-фис», где дала приказчику удивительно точные и детальные распоряжения, принятые с почтительным поклоном и немедленно исполненные.

Еще полтора часа спустя, отправив в гостиницу целый экипаж свертков, коробок и картонок, расхитительница епископской казны, нарядившаяся в тот самый загадочный «триповый пеплос» (прямое бескорсетное платье утрехтского бархата), совершила деяние, для монахини уж вовсе невообразимое: отправилась в куаферный салон и велела завить ее короткие волосы по последней парижской моде «жоли-шерубен», пришедшейся очень кстати к овальному, немножко веснушчатому лицу.

Приодевшись и прихорошившись, заволжская жительница, как это бывает с женщинами, преобразилась не только внешне, но и внутренне. Походка стала легкой, будто бы скользящей, плечи расправились, шея держала голову повернутой не книзу, а кверху. Прохожие мужчины оглядывались, а двое офицеров даже остановились, причем один присвистнул, а второй укоризненно сказал ему: «Фи, Мишель, что за манеры».

У входа в туристическую контору «Кук энд Канторович» к нарядной даме пристала злобная грязная цыганка. Стала грозить неминучим несчастьем, ночными страхами и гибелью от утопления, требуя за отвод несчастья гривенник. Пелагия пророчицу нисколько не испугалась, тем более что в не столь далеком прошлом благополучно избегла гибели в водах, но все равно дала ведьме денег, да не десять копеек, а целый рубль — чтоб впредь была добрее и не считала всех людей врагами.

В агентстве, вмещавшем в себя и лавку дорожных принадлежностей, были потрачены еще полторы сотни из епископовых сбережений — на два чудесных шотландских чемодана, на маникюрный набор, на перламутровый футлярчик для очков, подвешиваемый к поясу (и красиво, и удобно), а также на приобретение билета до Ново-Аратской обители, куда нужно было ехать железной дорогой до Вологды, затем каретой до Синеозерска и далее пароходом.

— На богомолье? — почтительно осведомился служитель. — Самое время-с, пока холода не ударили. Не угодно ли сразу и гостиницу заказать?

— Вы какую посоветуете? — спросила путешественница.

— От нас недавно супруга городского головы с дочерью ездили, в «Голове Олоферна» останавливались. Очень хвалили-с.

— В «Голове Олоферна»? — поморщилась дама. — А другой какой-нибудь нет, чтоб без кровожадности?

— Отчего же-с? Есть. Гостиница «Ноев ковчег», пансион «Земля обетованная». А кто из дам желает вовсе от мужского пола отгородиться, в «Непорочной деве» селятся. Благочестивейшее заведение, для благородных и состоятельных паломниц. Плата невысока-с, но зато от каждой постоялицы жертвование в монастырскую казну ожидается, не менее ста целковых. Кто триста и больше дает — личной аудиенции у архимандрита удостаивается.

Последнее сообщение, кажется, очень заинтересовало будущую богомолицу. Она открыла новенький ридикюль, достала пук кредиток (все еще весьма изрядный), стала считать. Служитель наблюдал за этой процедурой с деликатностью и благоговением. На пятистах рублях клиентка остановилась, беспечно сказала:

— Да, пускай будет «Непорочная дева». — И спрятала деньги обратно в сумочку, так их до конца и не сосчитав.

— Прислугу возьмете в нумер или отдельно-с?

— Как можно? — укоризненно покачала дама своими бронзовыми кудряшками. — На богомолье — и с прислугой? Это что-то не по-христиански. Буду всё делать сама — и одеваться, и умываться, и даже, быть может, причесываться.

— Пардон. Не все, знаете ли, так щепетильны-с... — Клерк застрочил по бланку, ловко обмакивая стальное перо в чернильницу. — На чье имя прикажете оформить?

Паломница вздохнула, зачем-то перекрестилась.

— Пишите: «Вдова Полина Андреевна Лисицына, потомственная дворянка Московской губернии».

Дорожные зарисовки

Раз сама героиня нашего повествования, скинув рясу, нареклась другим именем, станем так называть ее и мы — из почтения к иноческому званию и во избе-

жание кощунственной двусмысленности. Дворянка так
дворянка, Лисицына так Лисицына — ей виднее.

Тем более что, судя по всему, в новом своем обличье духовная дочь заволжского архипастыря чувство-
вала себя ничуть не хуже, чем в прежнем. Нетрудно
было заметить, что путешествие ей нисколько не в тягость, а, наоборот, в приятность и удовольствие.

Едучи в поезде, молодая дама благосклонно поглядывала в окошко на пустые нивы и осенние леса, еще
не вполне сбросившие свой прощальный наряд. В ту-
ристическом агентстве в комплимент к прочим покуп-
кам Полина Андреевна получила славный бархатный
мешочек для рукоделья, уютно разместившийся у нее
на груди, и теперь коротала время, вывязывая мери-
носовую душегреечку, которая непременно понадобится преосвященному Митрофанию в зимние холода, особенно после тяжкого сердечного недуга. Работа была
наисложнейшая, с чередованием букле и чулочной
вязки, с цветными вставками, и продвигалась небла-
гополучно: петли ложились неровно, цветные нитки
чересчур стягивались, перекашивая весь орнамент, однако самой Лисицыной ее творчество, похоже, нравилось. Она то и дело прерывалась и, склонив голову,
разглядывала нескладное произведение своих рук с
явным удовольствием.

Когда путешественнице надоедало вязать, она бра-
лась за чтение, причем умудрялась предаваться этому
занятию не только в покойном железнодорожном ваго-
не, но и в тряском омнибусе. Читала путешественница
две книжки попеременно, одну в высшей степени уме-
стную для богомолья — «Начертание христианского
нравоучения» Феофана Затворника, другую очень
странную — «Учебник по стрелковой баллистике. Часть
вторая», но с не меньшим вниманием и интересом.

Ступив в Синеозерске на борт парохода «Святой Василиск», Полина Андреевна в полной мере проявила одну из главнейших своих характеристик — неуемное любопытство. Обошла всё судно, поговорила с рясофорными матросами, посмотрела, как отталкивают воду огромные колеса. Заглянула в машинное отделение, послушала, как механик рассказывает желающим из числа пассажиров о работе маховиков, коленчатых валов и котла. Специально надев очки (которые после превращения заволжской монашки в московскую дворянку передислоцировались с носа паломницы в перламутровый футляр), Лисицына даже заглянула в топку, где страшно вспыхивали и стреляли раскаленные угли.

Потом вместе с другими любознательными, всё сплошь лицами мужского пола, отправилась на обследование капитанской рубки.

Экскурсия устраивалась в целях демонстрации новоараратского гостеприимства и благосердечия, простирающегося не только на пределы архипелага, но и на корабль, носящий имя святого основателя обители. Объяснения о фарватере, управлении пароходом и непредсказуемом нраве синеозерских ветров давал помощник, смиренного вида монах в мухояровой скуфье, однако Лисицыну куда больше заинтриговал капитан брат Иона — красномордый густобородый разбойник в брезентовой рыбацкой шапке, самолично стоявший у руля и под этим предлогом на пассажиров не глядевший.

Колоритный субъект совсем не походил на чернеца, хоть тоже был одет в рясу, поэтому Полина Андреевна, не утерпев, подобралась к нему поближе и спросила:

— Скажите, святой отец, а давно ли вы приняли постриг?

Верзила покосился на нее сверху вниз, помолчал — не отстанет ли? Поняв, что не отстанет, неохотно пророкотал:

— Пятый год.

Пассажирка немедленно переместилась к капитану под самый локоть, чтобы было удобней беседовать.

— А кем были в миру?

Капитан тяжко вздохнул, так что сомнений быть не могло: его бы воля, он отвечать на вопросы настырной дамочки не стал бы, а в два счета выгнал бы ее из рубки, где бабам быть незачем.

— Тем и был. Кормщиком. На Груманте китов бил.

— Как интересно! — воскликнула Полина Андреевна, ничуть не смущенная неприветливостью тона. — Потому, наверно, вас и Ионой нарекли? Из-за китов, да?

Явив истинный подвиг христианского смирения, капитан растянул рот в стороны, что, по очевидности, должно было означать любезную улыбку.

— Не из-за китов, из-за кита. Усач лодку хвостом расколотил. Все потопли, я один вынырнул. Он меня в самую пасть всосал, усищами ободрал, да, видно, не по вкусу я ему пришелся — выплюнул. После шхуна меня подобрала. Я в пасти, может, с полминуты всего и пробыл, но успел слово дать: спасусь — в монахи уйду.

— Какая поразительная история! — восхитилась пассажирка. — А всего удивительней в ней то, что вы, спасшись, в самом деле постриг приняли. Знаете, этак многие в отчаянную минуту обеты Богу дают, да потом редко кто исполняет.

Иона улыбку изображать перестал, сдвинул косматые брови.

— Слово есть слово.

И столько в этой короткой фразе было непреклонности пополам с горечью, что Лисицыной стало бедного китобоя ужасно жалко.

— Ах, никак нельзя вам было в монахи, — расстроилась она. — Господь вас понял бы и простил бы. Иночество должно быть наградой, а вам оно как наказание. Ведь вы, поди, скучаете по прежней вольной жизни? Знаю я моряков. Без вина, без бранного слова вам мучительно. Да и обет целомудрия опять же... — жалеюще закончила сердобольная паломница уже как бы про себя, вполголоса.

Однако капитан все равно услышал и кинул на бестактную особу такой взгляд, что Полина Андреевна напугалась и поскорей ретировалась из рубки на палубу, а оттуда к себе в каюту.

Мужской рай

Свирепый взгляд капитана до некоторой степени объяснился, когда наутро «Святой Василиск» пришвартовался у ново-араратской пристани. Дожидаясь носильщика, Полина Андреевна несколько задержалась на борту и сошла с корабля чуть ли не последней из пассажиров. Ее внимание привлекла стройная молодая дама в черном, нетерпеливо дожидавшаяся кого-то на причале. Внимательно оглядев встречающую и отметив некоторые особенности ее наряда (он был хоть и вычурен, но несколько demodè* — судя по журналам, в этом сезоне таких широких шляп и ботиков на серебряных пуговичках уже не носили), Лисицына зак-

---

* вышедший из моды (*фр.*)

лючила, что эта дама, вероятно, из числа местных жительниц. Собою она была хороша, только бледновата, да еще впечатление портил чересчур быстрый и недобрый взгляд. Аборигенка тоже изучающе осмотрела московскую дворянку, задержавшись взором на тальме и рыжих завитках, что выбивались из-под шапочки «шалунишка-паж». Красивое лицо незнакомки зло исказилось, и она тут же отвернулась, высматривая кого-то на палубе.

Любопытная Полина Андреевна, немного отойдя, обернулась, надела очки и была вознаграждена за такую предусмотрительность лицезрением интересной сцены.

К трапу вышел брат Иона, увидел черную даму и остановился как вкопанный. Но стоило ей поманить его коротким повелительным жестом, и капитан чуть не вприпрыжку ринулся на причал. Полина Андреевна снова вспомнила про обет монашеского целомудрия, покачала головой. Успела заметить еще одну интригующую деталь: поравнявшись с туземной жительницей, Иона лишь чуть-чуть повернул к ней голову (широкая грубая физиономия капитана была еще краснее обычного), но не остановился — лишь слегка коснулся ее руки. Однако вооруженные окулярами глаза госпожи Лисицыной заметили, что из ручищи бывшего китобоя в узкую, обтянутую серой замшей ладонь переместилось нечто маленькое, бумажное, квадратное — то ли конвертик, то ли сложенная записка.

Ах, бедняжка, вздохнула Полина Андреевна и пошла себе дальше, с интересом оглядывая священный город.

На счастье, паломнице исключительно повезло с погодой. Неяркое солнце с меланхолическим благодушием освещало золотые верхушки церквей и колоколен, белые стены монастыря и разноцветные крыши обывательских домов. Больше всего вновьприбывшей понравилось то, что яркие краски осени в Новом Арарате еще отнюдь не угасли: деревья стояли желтые, бурые и красные, да и небо голубело совсем не по-ноябрьски. А между тем в Заволжске, располагавшемся много южнее, листва давно уж осыпалась и лужи по утрам покрывались корочкой нечистого льда.

Полина Андреевна вспомнила, как помощник капитана в рубке рассказывал про какой-то особенный островной «мелкоклимат», объясняемый причудами теплых течений и, разумеется, Господним расположением к этим богоспасаемым местам.

Путешественница еще не успела добраться до гостиницы, а уже высмотрела все ново-араратские необычности и составила себе о диковинном городе первое впечатление.

Новый Арарат показался Лисицыной городком славным, разумно устроенным, но в то же время каким-то несчастливым, или, как она мысленно его определила, «бедненьким». Не в смысле обустройства улиц или скудости построек — с этим-то как раз все было в полном порядке: дома добротные, по большей части каменные, храмы многочисленны и пышны, разве что очень уж кряжисты, без возвышающей душу небоустремленности, ну а улицы и вовсе заглядение — ни соринки, ни лужицы. «Бедненьким» Полина Андреевна нарекла город оттого, что он показался ей каким-то очень уж безрадостным, не того она ждала от близкой к Богу обители.

Несколько времени спустя паломница вычислила и причину такой обделенности. Но это случилось уже после того, как госпожа Лисицына разместилась в гостинице. Там она перво-наперво объявила, что желает вручить лично отцу настоятелю пожертвование в пятьсот рублей — и тут же, на самый этот день, получила аудиенцию. Население «Непорочной девы», включая и прислугу, состояло из одних только женщин, отчего в обстановке нумеров преобладали вышитые занавесочки, пуфики, подушечки и покрытые чехлами скамеечки — вся эта приторность новой постоялице, привыкшей к простоте монашеской кельи, ужасно не понравилась. А выйдя из женского рая обратно на улицу, Полина Андреевна по контрастности вдруг поняла, чем нехорош и сам город.

Он тоже являл собой подобие рая, только не женского, а мужского. Здесь всем заправляли мужчины, всё сделали и устроили по своему разумению, без оглядки на жен, дочерей или сестер, и оттого город получился вроде гвардейской казармы: геометрически правильный, опрятный, даже вылизанный, но жить в таком не захочешь.

Сделав это открытие, Лисицына принялась оглядываться по сторонам с удвоенным любопытством. Так вот какое житье на Земле устроили бы себе мужчины, дай им полную волю! Молиться, махать метлой, обрасти бородищами и ходить строем (это Полине Андреевне встретился наряд монастырских «мирохранителей»). Тут-то и стало ей всех жалко: и Новый Арарат, и мужчин, и женщин. Но мужчин все-таки больше, чем женщин, потому что последние без первых кое-как обходиться еще могут, а вот мужчины, если предоставить их самим себе, точно пропадут. Или озвереют и примутся безобразничать, или впадут в этакую вот безжизненную сухость. Еще неизвестно, что хуже.

Спасение котенка

Как уже было сказано, аудиенция у высокопреподобного Виталия щедрой дарительнице была обещана самая незамедлительная, и, покинув гостиницу, путешественница двинулась в сторону монастыря.

Белостенный и многоглавый, он был виден почти из всех точек города, ибо располагался на той его окраине, что была приподнята вверх и вознесена над озером. От крайних домов до первых предстенных построек, по большей части хозяйственного назначения, дорога шла парком, разбитым по высокому берегу, под каменный срез которого смиренно ложились неутомимые синие волны.

Идя вдоль озера, Полина Андреевна запахнула шерстяную тальму поплотнее, так как ветер был холодноват, но вглубь парка с обрыва не переместилась — больно уж хороший сверху открывался вид на вместилище вод, да и порывистый зефир не столько остужал, сколько освежал.

Уже неподалеку от монастырских пределов, на открытой лужайке, очевидно, служившей любимым местом гуляния для местных жителей, происходило что-то необычное, и любознательная Лисицына немедленно повернула в ту сторону.

Сначала увидела скопление людей, зачем-то столпившихся на самом краю берега, у старой покривившейся ольхи, потом услышала детский плач и еще какие-то тонкие, пронзительные звуки, не вполне понятного происхождения, но тоже очень жалостные. Тут Полине Андреевне, по учительскому опыту хорошо разбиравшейся во всех оттенках детского плача, сделалось тревожно, потому что плач был самого что ни на есть горестного и непритворного тембра.

Полуминуты хватило, чтобы молодая дама разобралась в происходящем.

История, по правде сказать, приключилась самая обыденная и отчасти даже комическая. Маленькая девочка, игравшая с котенком, позволила ему залезть на дерево. Цепляясь за бугристую кору своими коготками, пушистый детеныш забрался слишком далеко и высоко, так что теперь не мог спуститься обратно. Опасность заключалась в том, что ольха нависала над кручей, а котенок застрял на самой длинной и тонкой ветке, под которой, далеко внизу, плескались и пенились волны.

Сразу было ясно, что бедняжку не спасти. Жалко — он был прелесть как хорош: шерстка белая, будто лебяжий пух, глазки круглые, голубые, на шейке любовно повязанная атласная ленточка.

Еще жальче было хозяйку, девчушку лет шести-семи. Она тоже была премилая: в чистеньком сарафанчике, цветастом платочке, из-под которого выбивались светлые прядки, в маленьких, словно игрушечных лапоточках.

— Кузя, Кузенька! — всхлипывала малютка. — Слезай, упадешь!

Какой там «слезай». Котенок держался за кончик ветки из последних силенок. Ветер раскачивал белое тельце, покручивал то вправо, то влево, и было видно, что скоро стряхнет его совсем.

Полина Андреевна наблюдала печальную картину, схватившись за сердце. Ей вспомнился один не столь давний случай, когда она сама оказалась в положении такого вот котенка и спаслась только промыслом Божьим. Вспомнив ту страшную ночь, она перекрестилась и прошептала молитву — но не в благодарность о тогдашнем чудодейственном избавлении, а за бедного обреченного малютку: «Господи Боже, дай зверенышу еще пожить! Что Тебе этакая малость?»

Сама, конечно, понимала, что спасти котенка может только чудо, а не такой это повод, чтобы Провидению чудесами разбрасываться. Даже и смешно вышло бы, невозвышенно.

Собравшиеся, конечно, не молчали — одни утешали девочку, другие обсуждали, как выручить несмышленыша.

Кто говорил: «Надо бы залезть, ногой на сук опереться да сачком его зачерпнуть», хотя ясно было, что сачку тут, в парке, взяться неоткуда. Другой рассуждал сам с собой вслух: «Можно бы на сук лечь и попробовать дотянуться, только ведь сорвешься. Добро б еще из-за дела жизнью рисковать, а то из-за зверушки». И прав был, истинно прав.

Полина Андреевна хотела уже идти дальше, чтобы не видеть, как белый пушистый комок с писком полетит вниз, и не слышать, как страшно закричит девчушка (увели бы ее, что ли), однако здесь к собравшимся присоединился новый персонаж, и такой интересный, что мнимая москвичка уходить передумала.

Бесцеремонно расталкивая публику, к ольхе пробирался высокий худощавый барин в щегольском белоснежном пальто и белой же полотняной фуражке. Решительный человек вне всякого сомнения относился к пресловутой категории «писаных красавцев», в которую мужчины, как известно, попадают вовсе не из-за классической правильности черт (хотя барин был очень даже недурен собой в золотоволосо-голубоглазом славянском стиле), а из-за общего впечатления спокойной уверенности и обаятельной дерзости. Эти два качества, безотказно действующие почти на всех женщин, были прорисованы в лице и манерах элегантного господина так явственно, что оказавшиеся в толпе дамы, барышни, бабы и девки сразу обратили на него *особенное* внимание.

Не была исключением и госпожа Лисицына, подумавшая про себя: «Надо же, какие в Арарате встречаются типы. Неужто и этот на богомолье?»

Однако затем вновьприбывший повел себя таким образом, что внимание к его особе из *особенного* превратилось в *зачарованное* (что, заметим, при явлении «писаных красавцев» случается нередко).

Единым взглядом оценив и поняв положение дел, красавец без малейших колебаний швырнул наземь свою фуражку, туда же полетело и фасонное пальто.

Одному из зевак, по виду мастеровому, барин приказал:

— Эй ты, марш на дерево. Да не трусь, на сук лезть не понадобится. Как крикну «Давай!», тряси его что есть силы.

Такого не послушаться было невозможно. Мастеровой тоже бросил под ноги свой засаленный картуз, поплевал на руки, полез.

Публика затаила дыхание — ну, а дальше-то что?

А дальше красавец уронил на траву свой сюртук, тоже белый, коротко разбежался и прыгнул с обрыва в бездну.

Ах!

Разумеется, про «бездну» обычно пишут для пущей эффектности, ибо всякому известно, что кроме той единственной и окончательной Бездны все иные пропасти, земные ли, водные ли, непременно имеют какое-нибудь окончание. И эта, подъярная, тоже была не столь уж бездонна — пожалуй, саженей десять. Но и этой высоты вполне хватило бы, чтоб расшибиться о поверхность озера и потонуть, не говоря уж о том, что от воды так и веяло свинцовым холодом.

В общем, как ни посмотри, поступок был безумный. Не геройский, а именно что безумный — было бы из-за чего геройство проявлять!

С упомянутым выше «ах!» все сгрудились над кручей, высматривая, не вынырнет ли из волн забубенная светловолосая голова.

Вынырнула! Заколыхалась меж изумленных гребешков маленьким лаун-теннисным мячиком.

Потом высунулась и рука, махнула. Звонкий, подхваченный услужливым ветром голос крикнул:

— Давай!

Мастеровой что было сил тряхнул ветку, и котенок с жалобным писком сорвался вниз. Упал в сажени от полоумного барина, через секунду был подхвачен и вознесен над водами.

Зрители кричали и выли от восторга, сами себя не помня.

Гребя свободной рукой, герой (все-таки герой, а не безумец — это было ясно по реакции публики) доплыл до подножия обрыва, с трудом вскарабкался на мокрый валун и пошел по самой кромке прибоя к тропинке, что была высечена в скале. Сверху уж бежали встречать — подхватить под руки, растереть, обнять.

Через несколько минут, встреченный всеобщим ликованием, красавец был наверху. Ни держать себя под руки, ни растирать, ни тем более обнимать он никому не позволил. Шел сам, весь синий, трясущийся от холода, с прилипшей ко лбу косой прядью. Таким, мокрым и вовсе не элегантным, он показался Полине Андреевне еще прекрасней, чем в белоснежном наряде. И не ей одной — это было видно по мечтательным лицам женщин.

Чудесный спасатель рассеянно огляделся и вдруг задержал взгляд на рыжеволосой красивой даме, что смотрела на него не с восторгом, как другие, а скорее с испугом.

Подошел, по-прежнему держа в руке вымокшего щуплого котенка. Спросил, глядя прямо в глаза:

— Вы кто?

— Лисицына, — тихо ответила Полина Андреевна.

Зрачки у героя были черные, широкие, а кружки вокруг них светло-синие с лазоревым оттенком.

— Вдова, — сама не зная зачем, присовокупила заробевшая этого взгляда женщина.

— Вдова? — медленно переспросил барин и особенным образом улыбнулся: будто Полина Андреевна лежала перед ним на блюде, разукрашенная петрушкой и сельдереем.

Лисицына непроизвольно попятилась и быстро сказала:

— У меня есть Жених.

— Так кто, вдова или невеста? — засмеялся прельститель, сверкнув белыми зубами. — А, все равно.

Повернулся, пошел дальше.

Ох, до чего же был хорош! Полина Андреевна нащупала на груди под платьем крестик, сжала его пальцами.

Резануло одно. Спасенного котенка герой швырнул счастливой девочке под ноги, даже не взглянув на нее и не слушая сбивчивый благодарный лепет.

Накинул на плечи услужливо поданное пальто (уже не такое ослепительно белое, как прежде), фуражку надел как придется, набекрень.

Ушел и ни разу не оглянулся.

Сон про крокодила

В пределы собственно монастыря госпожа Лисицына ступила, еще не вполне оправившись от взволновавшей ее встречи — раскрасневшаяся, виновато помаргивающая. Однако строгий, торжественный вид обители, само обилие иноков и послушников, облаченных в черное, помогли Полине Андреевне вернуться в подобающее настроение.

Пройдя мимо главного храма, мимо келейных и хозяйственных корпусов, паломница оказалась во внутренней части монастыря, где в окружении клумб стояли два нарядных дома — настоятельские и архиерейские палаты: в первом квартировал ново-араратский настоятель отец Виталий, второй же предназначался для размещения высокого начальства, буде пожелает почтить островные святыни посещением. А надо сказать, что начальство бывало на Ханаане часто — и церковное, и синодское, и светское. Один лишь губернский архиерей, которому вроде бы и ехать было ближе, чем из Москвы или Петербурга, за долгие годы не наведался ни разу. Не из небрежения, а напротив — от уважения к распорядительности архимандрита. Преосвященный любил повторять, что догляд надобен за нерадивыми, а радивых доглядывать незачем, и в соответствии с этой максимой предпочитал навещать лишь менее устроенные из подведомственных ему монастырей и благочиний.

Келейник отца Виталия попросил дарительницу обождать в приемной, где по стенам были развешаны иконы вперемежку с архитектурными планами разных строений. Иконам Лисицына поклонилась, планы внимательно рассмотрела, пожалела чахлую гераньку, которой что-то плохо рослось на подоконнике, а там и к высокопреподобному позвали.

Отец Виталий встретил богомолицу приветливо, благословил с высоты своего исполинского роста и даже к рыжим, выбивавшимся из-под платка волосам наклонился, как бы в смысле поцелуя, однако видно было, что дел у настоятеля множество и ему хочется избавиться от приезжей барыньки поскорее.

— На обитель в общем жертвуете или на какое-нибудь особенное дело? — спросил он, раскрывая конторскую книгу и готовясь вписать вдовицыну лепту.

— На полное усмотрение вашего высокопреподобия, — ответила Полина Андреевна. — А дозволено ли мне будет присесть?

Виталий вздохнул, поняв, что без душеспасительной беседы не обойтись — за свое пожертвование съест у него вдова Лисицына четверть часа, если не больше.

— Да вот сюда пожалуйте, — показал он на неудобный, специально для подобных случаев заведенный стул: с ребрышками по сиденью, с шипастой спинкой — больше четверти часа на таком инквизиторском седалище и не выдержишь.

Полина Андреевна села, ойкнула, но ничего по поводу удивительного стула не сказала.

Немножко похвалила чудесные араратские порядки, чинность и трезвость населения, индустриальные новшества и великолепие построек — архимандрит выслушал благосклонно, ибо при желании льстить и гладить по шерстке госпожа Лисицына умела превосходно. Затем повернула на существенное, ради чего и было потрачено пятьсот рублей.

— Какое вашему высокопреподобию подспорье — святой Василисков скит! То-то благости, то-то паломников! — радовалась за ново-араратцев посетительница. — Мало какая из обителей владеет таким неоценимым сокровищем.

Виталий скривил круглое, не идущее к долговязию фигуры лицо.

— Не могу с вами согласиться, дочь моя. Это прежним настоятелям, кто до меня был, Окольний остров корм давал, а мне, честно сказать, от него одна докука. Паломники сейчас в Арарат не столько ради Василиска, сколько ради отдохновения ездят — и душевного, и телесного. Ведь здесь у нас истинный рай, подобный Эдемскому! Да и без богомольцев, слава Господу, на ногах крепко стоим. От скита же одно шатание в братии и разброд. Иной раз, верите ли, мечтаю, чтоб постановление Синода вышло — позакрывать все скиты и схиму воспретить, чтоб не нарушались иерархия и порядок. — Настоятель сердито топнул тяжелой ногой — пол отозвался гулом. — Вы, я вижу, женщина умная, современного образа мыслей, так что уж я с вами откровенно, без обиняков. Что ж это за святость, когда схиигуменом на Окольнем закоренелый развратник! А, вы не слыхали? — спросил Виталий, заметив гримасу на лице собеседницы (очень возможно, что вызванную не удивлением, а неудобством стула). — Старец Израиль, в прошлом чувственный плотоядник, сущий люцифер сладострастия! Пережил прочих схимников, и вот извольте — скитоначальник, главный блюститель синеозерской святости, целый год уже. Никак не приберет его Господь. И я, даром что настоятель, над назначением сим невластен, ибо на Окольнем острове свой устав!

Полина Андреевна сокрушенно покачала головой, сочувствуя.

— И не говорите мне про Василисков скит, — всё кипятился высокопреподобный. — У меня в монастыре питие спиртного зелья строжайше воспрещено, за нарушение на Укатай ссылаю или в скудную сажаю, на воду и корки, а скит подает братии пример хмельноблудия, и вовсе безнаказанный, потому что поделать ничего нельзя.

— Святые старцы вино пьют? — захлопала карими глазами Лисицына.

— Да нет, старцы не пьют. Брат Клеопа пьет — лодочник, которому единственному дозволяется на Окольний плавать. Невоздержан к питию, чуть не каждый вечер безобразит, песни орет — и не всегда духовного содержания. А прогнать нельзя, ибо заменить некем. Прочие все боятся не то что на остров — к берегу тому близко подходить. Никакими карами не заставишь!

— Это почему же? — с невинным видом спросила жертвовательница. — Что там такого страшного?

Архимандрит испытующе посмотрел на нее сверху вниз.

— Не слыхали еще?

— О чем, святой отец?

Он неохотно буркнул:

— Так, глупости. Не слыхали, так услышите. Я же говорю, скит этот — рассадник бредней и суеверия.

Про Черного Монаха заезжей москвичке рассказывать не стал — надо думать, пожалел время тратить.

— Удобно ль вам сидеть, дочь моя? — учтиво спросил Виталий, поглядев на стенные часы. — Монастырская мебель груба, предназначена не для услады, а для плотеумерщвления.

— Совершенно удобно, — уверила его Полина Андреевна, не выказывая ни малейшего желания откланяться.

Тогда настоятель попробовал обходной маневр:

— Настает обеденный час. Откушайте нашей монастырской трапезы с отцом келарем и отцом экономом. Сам-то я нынче без обеда — дел много, а вы откушайте. День непостный, так что подадут и говядинку парную, и монастырских колбасок. Наша говядина на всю Россию прославлена. Когда ешь, ножик не надобен — бери да отламывай вилкой, вот как мягка и рассыпчата. А все потому что у меня скоты с места не сходят, живут прямо в стойле — им туда и травку самую сочную доставляют, и квасом поят, и бока разминают. Право, отведайте — не пожалеете.

Но и чревоугодный соблазн на прилипчивую гостью не подействовал.

— А я думала, что в монастырях скоромного вовсе не употребляют, даже и в мясоед, — сказала госпожа Лисицына, с видимым удовольствием откидываясь на спинку стула.

— У меня употребляют, и греха в том не вижу. Еще во времена моего новоначалия я уразумел, что из постноедящего хороший работник не выйдет — сила не та. Поэтому свою братию я кормлю питательно. Ведь Священное Писание нигде мясоядения не воспрещает, а лишь разумно ограничивает. Сказано: «Егда даст Господь вам мяса ясти...» И еще: «И даст Господь вам мяса ясти, и съесьте мяса».

— А не жалко умерщвлять бедных коровок и свинок? — укорила Полина Андреевна. — Ведь тоже Божьи создания, живую искру в себе несут.

Высокопреподобному, кажется, не впервые задавали этот вопрос, потому что с ответом он не затруднился:

— Знаю-знаю. Слышал, что у вас в столицах нынче мода на вегетарианство и многие защитой животных увлекаются. Лучше б людей защищали. Скажите, сударыня, чем наше с вами положение лучше? За скотиной хоть ухаживают перед тем, как на бойню отправить, откармливают, холят. Опять же учтите: коровы со свиньями не знают страха смертного и вообще не предполагают, что смертны. Жизнь их покойна и предсказуема, ибо раньше определенного возраста никто их под нож не отправит. С нами же, человеками, пагуба может произойти в любую минуту бытия. Не ведаем своего завтрашнего дня и всечасно приуготовляемся к внезапной смерти. У нас тоже есть свой Забойщик, только про его правила и соображения мы мало что знаем. Ему нужны от нас не жирное мясо и не хорошие надои, а нечто совсем иное — нам и самим невдомек, что именно, и от этого незнания во стократ страшнее. Так что поберегите свои жаления для человеков.

Посетительница слушала со вниманием, помня, что отец Митрофаний тоже был невеликим сторонником постноядения, повторяя слова пустынника Зосимы Верховского: «Не гонитесь за одним постом. Бог нигде не сказал: аще постники, то мои ученики, а имате любовь между собою».

Однако пора было поворачивать беседу в иное русло, так как помимо выяснения архимандритовой позиции касательно Василиска, имелась у визита еще одна цель.

— А верно ли рассказывают, отче, что на Ханаан путь неверующим заказан, дабы не оскверняли священной земли? Правда ли, что все без исключения обитатели островов — ревнители самого строгого православия?

— Кто это вам такую глупость сказал? — удивился Виталий. — У меня многие по найму трудятся, если нужного знания или ремесла. И я к таким в душу не лезу — дело бы свое исполняли, и ладно. Инородцы есть, иноверцы, даже вовсе атеисты. Я, знаете ли, не сторонник миссионерничать. Дай Бог своих, родных, уберечь, а чужую паству, да еще из паршивых овец состоящую, мне ненадобно. — И тут архимандрит сам, без дополнительного понукания, вывел разговор ровнехонько туда, куда требовалось. — Вот у меня на Ханаане миллионщик проживает, Коровин некий. Содержит лечебницу для скорбных духом. Пускай, я не препятствую. Лишь бы буйных не селил да платил исправно. Сам он человек вовсе безбожный, даже на Святую Пасху в храм не ходит, но денежки его на угодное Господу дело идут.

Посетительница всплеснула руками:

— Я читала про лечебницу доктора Коровина! Пишут, что он настоящий кудесник по излечению нервно-психических расстройств.

— Очень возможно.

Виталий вновь покосился на часы.

— И еще я слышала, что к нему на прием без какой-то особенной рекомендации ни за что не попадешь — разговаривать не станет. Ах, как бы мне хотелось, чтоб он меня принял! Я так мучаюсь, так страдаю! Скажите, отче, а не могли бы вы мне к доктору рекомендацию дать?

— Нет, — поморщился высокопреподобный. — У нас с ним это не заведено. Обращайтесь установленным порядком — в его петербургскую или московскую приемную, а там уж они решат.

— У меня ужасные видения, — пожаловалась Полина Андреевна. — Спать по ночам не могу. Московские психиатры от меня отказываются.

— И что же у вас за видения? — тоскливо спросил настоятель, видя, что гостья устраивается на стуле еще основательней.

— Скажите, ваше высокопреподобие, случалось ли вам когда-нибудь видеть живого крокодила?

От неожиданности Виталий сморгнул.

— Не доводилось. Почему вы спрашиваете?

— А я видела. В Москве, на прошлое Рождество. Английский зверинец приезжал, ну я и пошла, по глупости.

— Отчего же по глупости? — вздохнул архимандрит.

— Так ведь ужас какой! Сам зеленый, бугристый, зубищ полна пасть, и пастью этой он, фараон египетский, улыбается! Так-то жутко! И глазки малые, кровожадные, тоже с улыбочкой глядят! Ничего страшнее в жизни не видывала! И снится мне с тех пор, снится каждую ночь эта его кошмарная улыбка!

По тому, как взволновалась, возбудилась посетительница, до сего момента весьма спокойная и разумная, было видно, что нервно-психическое лечение ей бы и в самом деле не повредило. Это ведь сколько угодно бывает, что человек, во всех отношениях нормальный, даже рассудительный, на каком-нибудь одном пункте проявляет совершенную маниакальность. Было ясно, что для московской вдовы предметом такого помешательства стала африканская рептилия.

Прослушав пересказ нескольких болезненных сновидений, одно кошмарней другого (и все с непременным участием улыбчивого ящера), отец Виталий сдался: подошел к столу и, брызгая чернилами, быстро набросал несколько строк.

— Всё, дочь моя. Вот вам рекомендация. Поезжайте к Донату Саввичу, а у меня, извините, неотложные дела.

Госпожа Лисицына вскочила, непроизвольно схватившись рукой за намятые стулом филейные части, прочла записку и осталась недовольна.

— Нет, отче. Что это за рекомендация: «Прошу выслушать подательницу сего и по возможности оказать помощь»? Это в департаментах так пишут на прошении, когда отвязаться хотят. Вы, отче, построже, потребовательней напишите.

— Как это «потребовательней»?

— «Милостивый государь Донат Саввич, — стала диктовать Полина Андреевна. — Вам известно, что я редко обременяю Вас просьбами личного свойства, посему умоляю не отказать в исполнении этой моей петиции. Сердечнейшая моя приятельница и духовная сомысленница г-жа Лисицына, одолеваемая тяжким душевным недугом, нуждается в срочной...»

На «сердечнейшей приятельнице и духовной сомысленнице» настоятель было заартачился, но Полина Андреевна снова уселась на стул, достала из мешочка вязанье, стала рассказывать еще один сон: как снился ей на ее хладном вдовьем ложе покойный супруг; обняла она его, поцеловала, вдруг видит — из-под ночного колпака мерзкая пасть зубастая, улыбчивая, и лапы страшные давай бок когтить...

Архимандрит на что твердый был муж, а не выдержал, до конца ужасный сон не дослушал — капитулировал. Написал рекомендацию, как требовалось, слово в слово.

Получалось, что плоть госпожи Лисицыной снесла испытание стулом не напрасно — теперь можно было всерьез приступать к расследованию.

Интересные люди

То-то удивился бы преосвященный Виталий, если б послушал, как повела разговор взбалмошная московская дамочка с доктором Коровиным. Ни про улыбчивого ящера, ни про двусмысленные сновидения Полина Андреевна владельцу клиники рассказывать не стала. Поначалу она вообще почти не раскрывала рта, приглядываясь к уверенному бритому господину, читавшему рекомендательное письмо.

Заодно обвела взглядом и кабинет — самый обычный, с дипломами и фотографиями на стенах. Необычной была только картина в великолепной бронзовой раме, что висела над столом: весьма убедительно и детально выписанный осьминог, в каждом из длинных пупырчатых щупальцев которого корчилось по обнаженной человеческой фигурке. Физиономия монстра (если только главотуловище исполинского моллюска можно назвать «физиономией») удивительно напоминала очкастое, властное лицо самого Доната Саввича, причем совершенно невозможно было определить, за счет чего достигнуто такое точное сходство — никакой карикатурности или искусственности в обличье гигантского спрута не наблюдалось.

Дочитав записку архимандрита, доктор с интересом воззрился на гостью поверх своих золотых очков.

— Никогда не получал от отца Виталия столь непререкаемого послания. Кем вы приходитесь высокопреподобному, что он этак усердствует? — Донат Саввич насмешливо улыбнулся. — «Сомысленница» — словечко-то какое. Неужели что-нибудь романтическое? Это было бы интересно с психофизиологической точки зрения — я всегда числил отца настоятеля классичес-

ким типажем нереализованного мужеложца. Скажите, госпожа... э-э-э... Лисицына, вы и в самом деле
тяжко больны? Тут сказано: «Спасите исстрадавшую-
ся от невыносимых мук женскую душу». По первому
впечатлению не очень похоже, чтоб ваша душа так уж
исстрадалась.

Полина Андреевна, уже составившая себе определенное мнение о хозяине кабинета, на письмо махнула
рукой, беззаботно засмеялась.

— Тут вы правы. И насчет архимандрита, скорее
всего, тоже. Женщин он терпеть не может. Чем я без-
застенчиво и воспользовалась, чтобы силой вырвать у
бедняжки пропуск в вашу цитадель.

Доктор приподнял брови и слегка раздвинул уголки рта, как бы участвуя в смехе, но не полностью, а
лишь отчасти.

— Зачем же я вам понадобился?

— О вас в Москве рассказывают столько интригу-
ющего! Мое решение отправиться в Новый Арарат
на богомолье было порывом, удивившим меня саму.
Знаете, как это бывает у нас, женщин? Вот приплыла я сюда и совершенно не знаю, чем себя занять.
Ну, попробовала молиться — порыв, увы, прошел.
Сходила посмотреть на архимандрита. Еще поката-
юсь на катере вокруг архипелага... — Полина Андреевна развела руками. — А обратно мне плыть только
через четыре дня.

Искренность красивой молодой дамы не рассерди-
ла Коровина, а скорее развеселила.

— Так я для вас вроде аттракциона? — спросил он,
улыбаясь уже полноценно, а не в четверть силы.

— Нет-нет, что вы! — испугалась легкомысленная
гостья, да сама и прыснула. — То есть, разве что в
самом уважительном смысле. Нет, правда, мне расска-

зывали про вас совершеннейшие чудеса. Грех было бы не воспользоваться случаем!

А дальше, расположив к себе собеседника откровенностью, Полина повела беседу по законам правильного обхождения с мужчинами. Закон номер один гласил: если хочешь понравиться мужчине — льсти. Чем мужчина умней и тоньше, тем умней и тоньше должна быть лесть. Чем он грубее, тем грубее и похвалы. Поскольку доктор Коровин был явно не из глупцов, Полина Андреевна принялась плести кружева издалека.

Внезапно посерьезнев, госпожа Лисицына сказала:

— Очень уж вы меня интригуете. Хочется понять, что вы за человек. Зачем наследнику коровинских миллионов тратить лучшие годы жизни и огромные средства на врачевание безумцев? Скажите, отчего вы решили заняться психиатрией? От пресыщенности? От пустого любопытства и презрения к людям? Из желания покопаться холодными руками в человеческих душах? Если так — это интересно. Но я подозреваю, что причина может оказаться еще более яркой. Я вижу по вашему лицу, что вы не пресыщены... У вас живые, горячие глаза. Или я ошибаюсь, и это в них одно только любопытство светится?

Дайте мужчине понять, что он вам бесконечно интересен, что вы одна видите, какой он единственный и ни на кого не похожий, уж не так важно, в хорошем или в плохом смысле — вот в чем, собственно, заключается смысл первого закона. Надо сказать, что особенно притворяться Полине Андреевне не пришлось, ибо она вполне искренне полагала, что каждый человек, если как следует к нему приглядеться, в своем роде единственный и уже оттого интересен. Тем более такой необычный господин, как Донат Саввич Коровин.

Доктор пытливо посмотрел на посетительницу, словно приноравливаясь к произошедшей в ней перемене. Заговорил негромко, доверительно:

— Нет, психиатрией я занялся не от любопытства. Скорее от отчаянья. Вам в самом деле интересно?

— Очень!

— На медицинский факультет я пошел из юношеского нарциссизма. Первоначально не на психиатрическое отделение, а на физиологическое. В девятнадцать лет воображал себя баловнем Фортуны и счастливым принцем, у которого есть всё, чем только может обладать смертный, и хотелось мне лишь одного: найти секрет вечной или, если уж не вечной, то по крайней мере очень долгой жизни. Среди богатых людей это довольно распространенный вид мании — у меня и сейчас имеется один подобный пациент, в котором нарциссизм доведен до степени патологии. Что же до меня самого, то двадцать лет назад я мечтал разобраться в работе своего организма, чтобы обеспечить как можно более продолжительное его функционирование...

— Что же вас свернуло с этой дороги? — воскликнула Лисицына, когда в речи доктора возникла небольшая пауза.

— То же, что обычно сбивает чрезмерно рациональных юношей с заранее рассчитанной траектории.

— Любовь? — догадалась Полина Андреевна.

— Да. Страстная, нерассуждающая, всеохватная — одним словом, такая, какой и должна быть любовь.

— Вам не ответили взаимностью?

— О нет, меня любили так же пылко, как любил я.

— Отчего же вы говорите об этом с такой печалью?

— Оттого что это была самая печальная и необычная из всех известных мне любовных историй. Нас неудержимо тянуло друг к другу, но мы не могли оставаться в объятьях и минуты. Стоило мне приблизиться к предмету моего обожания на расстояние вытянутой руки, и она делалась совершенно больной: из глаз лились слезы, из носу тоже текло ручьем, на коже выступала красная сыпь, виски стискивало невыносимой мигренью. Стоило мне отодвинуться, и болезненные симптомы почти сразу же исчезали. Если б я не был студентом-медиком, то, верно, заподозрил бы злые чары, но ко второму курсу я уже знал про загадочный, неумолимый недуг, имя которому идиосинкразическая аллергия. Во множестве случаев нельзя угадать, отчего она происходит, и тем более неизвестно, как ее лечить. — Донат Саввич прикрыл глаза, усмехнулся, покачал головой, будто удивляясь, что подобное могло приключиться именно с ним. — Наши страдания были неописуемы. Могучая сила любви влекла нас друг к другу, но мои прикосновения были губительны для той, кого я обожал... Я прочитал всё, что известно медицине про идиосинкразию, и понял: химическая и биологическая наука еще слишком несовершенны, в протяжение моего земного пути они не успеют достаточно развиться, чтобы одолеть сей механизм физиологического неприятия одного организма другим. Тогда-то я и решил перейти на психиатрию — заняться изучением устройства человеческой души. Своей собственной души, которая сыграла со мной такую скверную шутку — из всех женщин на свете заставила полюбить ту единственную, которая была мне заведомо недоступна.

— И вы расстались? — вскричала Полина Андреевна, тронутая чуть не до слез и самим рассказом, и сдержанностью тона.

— Да. Таково было мое решение. Со временем она вышла замуж. Надеюсь, что счастлива. Я же, как видите, холост и живу работой.

Несмотря на всю свою сообразительность, госпожа Лисицына не сразу догадалась, что хитрый доктор тоже ведет с ней игру — только не женскую, а мужскую, такую же древнюю и незыблемую в своих правилах. Верный способ получить доступ к женскому сердцу — пробудить в нем соревновательность. Тут лучше всего рассказать про себя романтическую историю, непременно с печальным концом, тем самым как бы показывая: вот, смотрите, на какую глубину чувств я был способен прежде и, возможно, был бы способен теперь, если б нашелся достойный объект.

Спохватившись, Полина Андреевна оценила маневр и внутренне улыбнулась. Рассказанная история, вне зависимости от достоверности, была оригинальна. К тому же, из всего монолога следовало, что гостья доктору нравится, а это, что ни говори, было лестно, да и на пользу делу.

— Так вам дорога ваша работа? — участливо спросила Лисицына.

— Очень. Мои пациенты — люди необычные, каждый в своем роде уникум. А уникальность — это род таланта.

— Чем же они так талантливы? Умоляю, расскажите!

Круглые глаза рыжеволосой гостьи расширились еще больше в радостном предвкушении. Здесь вступал в свои права закон номер два: подвести мужчину к теме, которая его больше всего занимает, и потом правильно слушать. Только и всего, но сколько мужских сердец завоевывается при помощи этой нехитрой методы! Сколько дурнушек и бесприданниц находят себе таких женихов, что все вокруг только диву даются — как это им только подвалило эдакое назаслуженное счастье. А так и подвалило: умейте слушать.

Что-что, а слушать Полина Андреевна умела. Где требовалось, вскидывала брови, по временам ахала и даже хваталась за грудь, однако же без малейшей преувеличенности и, главное, опять безо всякого притворства, с самой неподдельной заинтересованностью.

Донат Саввич начал говорить как бы нехотя, но от такого образцового слушания мало-помалу увлекся.

— Мои пациенты, разумеется, ненормальны, но это означает лишь, что они отклонены от некоей признаваемой обществом средней нормы, то есть необычнее, экзотичнее, причудливее «нормальных» людей. Я принципиальный противник самого понятия «норма» применительно к любым сравнениям в сфере человеческой психики. У каждого из нас своя собственная норма. И долг индивида перед самим собой — подняться выше этой нормы.

Здесь госпожа Лисицына закивала головой, как если бы доктор высказывал тезис, который приходил ей в голову раньше и с которым она была целиком согласна.

— Человек тем и ценен, тем и интересен, — продолжил Коровин, — если угодно, тем и велик, что он может меняться к лучшему. Всегда. В любом возрасте, после любой ошибки, любого нравственного падения. В саму нашу психику заложен механизм самосовершенствования. Если этот механизм не использовать, он ржавеет, и тогда человек деградирует, опускается ниже собственной нормы. Второй краеугольный камень моей теории таков: всякий изъян, всякий провал в личности одновременно является и преимуществом, возвышенностью — надобно только повернуть этот пункт душевного рельефа на сто восемьдесят градусов. И вот вам третий мой основополагающий принцип: всякому страдающему можно помочь, и всякого непонятого можно понять. А когда понял — вот тогда можно начинать с ним работу: превращать слабого в сильного, ущербного в полноценного, несчастного в счастливого. Я, милая Полина Андреевна, не выше своих пациентов, не умнее, не лучше — разве что побогаче, хотя среди них тоже есть весьма состоятельные люди.

— Вы полагаете, что каждому человеку можно помочь? — всплеснула руками слушательница, взволнованная словами доктора. — Но ведь есть отклонения, которые излечить очень трудно! Например, тяжкое пьянство или, хуже того, опиомания!

— Это-то как раз ерунда, — снисходительно улыбнулся доктор. — С этого я и начал когда-то свои эксперименты. У меня есть собственный островок в Индийском океане, далеко от морских путей. Там я селю самых безнадежных алкоголиков и наркоманов. Никаких дурманных зелий на острове не найти, ни за какие деньги. Там, впрочем, деньги вообще хождения не имеют. Раз в три месяца приходит шхуна с Мальдивских островов, привозит все необходимое.

— И не сбегают?

— Кто хочет вернуться к старому, волен уплыть на той же шхуне обратно. Насильно там никого не держат. Я считаю, что выбор у человека отбирать нельзя. Хочет погибнуть — что ж, его право. Так что истинную трудность представляют не рабы бутылки и кальяна, а люди, к аномальности которых ключик запросто не подберешь. Вот с какими пациентами я работаю здесь, на Ханаане. Иногда успешно, иногда — увы.

Коровин вздохнул.

— В семнадцатом коттедже у меня живет один железнодорожный телеграфист, который уверяет, что его похитили жители иной планеты, увезли к себе и продержали там несколько лет, причем гораздо более длинных, чем на Земле, поскольку тамошнее солнце гораздо больше нашего.

— Довольно тонкое замечание для простого телеграфиста, — заметила Полина Андреевна.

— Это еще что. Вы бы послушали, как он рассказывает про этот самый Вуфер (так называется планета) — куда там Свифту вкупе с Жюль Верном! Какие живые детали! Какие технические подробности — заслушаешься. А язык! Он дает мне уроки вуферского языка. Я стал специально составлять глоссарий, чтобы его поймать. Что вы думаете? Он ни разу не ошибся, помнит все слова! И грамматика удивительно логична, гораздо стройнее, чем в любом из знакомых мне земных языков!

Лисицына сцепила руки — так ей было любопытно слушать про другую планету.

— А как он объясняет свое возвращение?

— Говорит, его сразу предупредили, что берут на время, погостить, и вернут обратно целым и невредимым. Еще он утверждает, что гостей с Земли на Вуфере перебывало немало, просто большинству стирают память, чтобы не создавать для них же самих трудностей при возвращении. А мой пациент попросил оставить ему все воспоминания, за что теперь и терпит. Кстати, напомните мне рассказать вам другой случай о причудах памяти...

Видно было, что Коровин сел на любимого конька и теперь остановится нескоро, да Полина Андреевна меньше всего хотела, чтобы он останавливался.

— Он говорит, что вуферяне наблюдают за жизнью на Земле уже очень давно, целые столетия.

— А почему не объявляются?

— С их точки зрения, мы пока еще слишком дики. Сначала мы должны решить собственные проблемы и перестать мучить друг друга. Лишь после этого мы созреем для междупланетарного общения. По их расчетам, это может произойти не ранее 2080 года, да и то в самом благоприятном случае.

— Ах, как нескоро, — огорчилась Лисицына. — Нам с вами не дожить.

Донат Саввич улыбнулся:

— Помилуйте, это же бред больной фантазии, хоть и очень складный. На самом деле никуда наш телеграфист не отлучался. Был на охоте с приятелями, подстрелил утку. Полез в камыши за трофеем, отсутствовал не долее пяти минут. Вернулся без утки и без ружья, вел себя очень странно и сразу принялся рассказывать про планету Вуфер. Прямо с болота его доставили в уездную больницу, а потом уже, много месяцев спустя, он попал ко мне. Бьюсь над ним, бьюсь. Тут главное в его логическом панцире дыру пробить, бред скомпрометировать. Пока не получается.

— Ах, как это интересно! — мечтательно вздохнула Полина Андреевна.

— Еще бы не интересно. — У доктора сейчас был вид коллекционера, гордо демонстрирующего главные сокровища своего собрания. — Телеграфист хоть ведет себя обычным образом (ну, не считая того, что днем спит, а ночи напролет на звезды смотрит). А вот помните, я говорил про маниака, который, подобно мне в юности, хочет жить вечно? Зовут его Веллер, коттедж номер девять. Он весь сосредоточен на собственном здоровье и долголетии. Этот, пожалуй, доживет и до 2080 года, когда к нам прилетят знакомиться с планеты Вуфер. Питается исключительно здоровой пищей, строго высчитывая ее химический состав. Живет в герметично запертом и стерилизованном помещении. Всегда в перчатках. Я и прислуга общаемся с ним только через марлевое окошко. В психиатрическую клинику Веллер попал после того, как добровольно подвергся операции по кастрированию — он уверяет, что каждое семяизвержение отнимает двухсуточную жизненную энергию, отчего мужчины живут в среднем на семь-восемь лет меньше, чем женщины.

— Но без свежего воздуха и моциона он долго не проживет!

— Не беспокойтесь, у Веллера все продумано. Во-первых, по составленному им чертежу в коттедже установлена сложная система вентиляции. Во-вторых, он с утра до вечера делает то гимнастику, то упражнения по глубокому дыханию, то обливается горячей и холодной водой — разумеется, дистиллированной. Час в день непременно гуляет на свежем воздухе, с невероятными предосторожностями. Земли ногами не касается, специально выучился ходить на ходулях, «чтоб не вдыхать почвенные миазмы». Ходули стоят на крыльце, снаружи дома, поэтому Веллер до них иначе как в перчатках не дотрагивается. Гуляющий Веллер — это, скажу вам, картина! Приезжайте нарочно полюбоваться, между девятью и десятью часами утра. Затянут в клеенчатый костюм, на лице респираторная маска, и деревянными шестами по земле: бум, бум, бум. Прямо статуя Командора!

Доктор засмеялся, и Полина Андреевна охотно к нему присоединилась.

— А что вы хотели рассказать про причуды памяти? — спросила она, все еще улыбаясь. — Тоже что-нибудь смешное?

— Совсем напротив. Очень грустное. Есть у меня пациентка, которая каждое утро, просыпаясь, возвращается в один и тот же день, самый страшный день ее жизни, когда она получила известие о гибели мужа. Она тогда закричала, упала в обморок и пролежала в беспамятстве целую ночь. С тех пор каждое утро ей кажется, что она не проснулась, а очнулась после обморока и что страшное известие поступило лишь накануне вечером. Время для нее словно остановилось, боль потери совершенно не притупляется. Откроет утром глаза — и сразу крик, слезы, истерика... К ней приставлен специальный врач, который ее утешает, втолковывая, что несчастье произошло давно, семь лет назад. Сначала она, естественно, не верит. На доказательства и объяснения уходит вся первая половина дня. К обеденному времени больная дает себя убедить, понемногу успокаивается, начинает спрашивать, что же за эти семь лет произошло. Очень живо всем интересуется. К вечеру она уже совсем покойна и умиротворена. Ложится с улыбкой, спит сном младенца. А утром проснется — и всё сначала: горе, рыдание, попытки суицида. Бьюсь, бьюсь, а ничего пока сделать не могу. Механизм психического шока еще слишком мало изучен, приходится идти на ощупь. Состоять при этой пациентке очень тяжело, ведь каждый день повторяется одно и то же. Врачи более двух-трех недель не выдерживают, приходится заменять...

Увидев, что у слушательницы на глазах слезы, Донат Саввич бодро сказал:

— Ну-ну. Не все мои пациенты несчастны. Есть один совершенно счастливый. Видите картину?

Доктор показал на уже поминавшегося осьминога, на которого Полина Андреевна во все продолжение беседы поглядывала частенько — было в этом полотне что-то особенное, нескоро и ненадолго отпускающее от себя взгляд.

— Творение кисти Конона Есихина. Слышали про такого?

— Нет. Поразительный дар!

— Есихин — гений, — кивнул Коровин. — Самый настоящий, беспримесный. Знаете, из тех художников, которые пишут, будто до них вовсе не существовало никакой живописи — ни Рафаэля, ни Гойи, ни Сезанна. Вообще никого — пока не народился на свет Конон Есихин, первый художник Земли, и не стал вытворять такое, что холст у него оживает прямо под кистью.

— Есихин? Нет, не знаю.

— Разумеется. Про Есихина мало кто знает — лишь немногие гурманы искусства, да и те уверены, что он давно умер. Потому что Конон Петрович — совершенный безумец, шестой год не выходит из коттеджа номер три, а перед тем еще лет десять просидел в обычном сумасшедшем доме, где идиоты-врачи, желая вернуть Есихина к «норме», не давали ему ни красок, ни карандашей.

— В чем же состоит его безумие? — Полина Андреевна всё смотрела на осьминога, который чем дальше, тем больше месмеризировал ее своим странным холодным взглядом.

— Пушкина помните? Про несовместность гения и злодейства? Пример Есихина доказывает, что они отличнейшим образом совместны. Конон Петрович — злодей нерефлектирующий, естественный. Увлеченность творчеством истребила в его душе все прочие чувства. Не сразу, постепенно. Единственное существо, которое Есихин любил, и любил страстно, была его дочь, тихая, славная девочка, рано лишившаяся матери и медленно угасавшая от чахотки. Месяцами он почти не отходил от ее ложа — разве что на час-другой в мастерскую, поработать над картиной. Наконец додумался перенести холст в детскую, чтобы вовсе не отлучаться. Не ел, не пил, не спал. Те, кто видел его в те дни, рассказывают, что вид Есихина был ужасен: всклокоченный, небритый, в перепачканной красками рубашке, он писал портрет своей дочери — зная, что этот портрет последний. Никого в комнату не пускал, всё сам: подаст девочке пить, или лекарство, или поесть, и снова хватается за кисть. Когда же у ребенка началась агония, Есихин впал в истинное исступление — но не от горя, а от восторга: так чудесно играли свет и тень на искаженном мукой исхудалом личике. Собравшиеся в соседней комнате слышали жалобные стоны из-за запертой двери. Умирающая плакала, просила воды, но тщетно — Есихин не мог оторваться от картины. Когда, наконец, выломали дверь, девочка уже скончалась, Есихин же на нее даже не смотрел — всё подправлял что-то на холсте. Дочь отвезли на кладбище, отца в сумасшедший дом. А картина, хоть и незаконченная, была выставлена на Парижском салоне под названием «La morte triomphante»* и получила там золотую медаль.

— Рассудок отца не вынес горя и воздвиг себе защиту в виде творчества, — так истолковала добросердечная Полина Андреевна услышанную историю.

— Вы полагаете? — Донат Саввич снял очки, протер, снова надел. — А я, изучая случай Есихина, прихожу к выводу, что настоящий, исполинский гений без омертвения некоторых зон души созреть до конца не может. Истребив в себе, вместе с любовью к дочери, остатки человеческого, Конон Петрович полностью ос-

---

* «Смерть-победительница» *(фр.)*

вободился для искусства. То, что он сейчас создает у себя в третьем коттедже, когда-нибудь станет украшением лучших галерей мира. И кто из благодарных потомков вспомнит тогда плачущую девочку, которая умерла, не утолив последней жажды? Я нисколько не сомневаюсь, что мою лечебницу, меня самого, да и остров Ханаан в грядущих поколениях будут помнить лишь из-за того, что здесь жил и творил гений. Кстати, хотите посмотреть на Есихина и его картины?

Госпожа Лисицына ответила не сразу и как-то не очень уверенно:

— Да... Наверное, хочу.

Подумала еще, кивнула сама себе и сказала уже тверже:

— Непременно хочу. Ведите.

Тепло, теплее, горячо!

Перед тем как отправиться с визитом к доктору Коровину, Лисицына зашла в гостиницу, где сменила легкую тальму на длинный черный плащ с капюшоном — очевидно, в предвидении вечернего похолодания. Однако солнце, хоть и неяркое, за день успело неплохо прогреть воздух, и для прогулки по территории клиники надевать плащ не понадобилось. Полина Андреевна ограничилась тем, что накинула на плечи шарф, Коровин же и вовсе остался как был, в жилете и сюртуке.

Коттедж номер три находился на самом краю поросшей соснами горки, которую Коровин взял в аренду у монастыря. Домик с гладко оштукатуренными

белыми стенами показался Полине Андреевне ничем
не примечательным, особенно по сравнению с прочими коттеджами, многие из которых поражали своей
причудливостью.

— Тут всё волшебство внутри, — пояснил Донат
Саввич. — Есихина внешний вид его жилища не занимает. Да и потом я ведь говорил, он и не выходит никогда.

Вошли без стука. Позднее стало ясно почему: художник все равно бы не услышал, а услышал бы, так
не ответил.

Полина увидела, что коттедж представляет собой
одно помещение с пятью большими окнами — по одному в каждой стене и еще одно на потолке. Никакой
мебели в этой студии не наблюдалось. Вероятно, ел и
спал Есихин прямо на полу.

Впрочем, убранство гостья разглядеть толком не
успела — до того поразили ее стены и потолок этого
диковинного жилища.

Все внутренние поверхности за исключением пола
и окон были обтянуты холстом, почти сплошь распи-
санным масляными красками. Потолок представлял
собой картину ночного неба, такую точную и убеди-
тельную, что если б не квадрат стекла, в котором виднелись чуть подкрашенные закатом облака, легко было
впасть в заблуждение и вообразить, что крыша вовсе
отсутствует. Одна из стен, северная, изображала сосновую рощу; другая, восточная, — пологий спуск к
речке и фермам; западная — лужайку и два соседних
коттеджа; южная — кусты. Нетрудно было заметить,
что художник с поразительной достоверностью воспро-
извел пейзажи за окном. Только у Есихина они полу-
чились куда более сочными и емкими, различимые за

стеклами подлинники выглядели бледными копиями нарисованных ландшафтов.

— У него сейчас период увлечения пейзажами, — вполголоса пояснил Донат Саввич, показывая на художника, который стоял у восточной стены, спиной к вошедшим, и сосредоточенно водил маленькой кисточкой, ни разу даже не оглянувшись. — Сейчас он пишет цикл «Времена суток». Видите: тут рассвет, тут утро, тут день, тут вечер, а на потолке ночь. Главное — вовремя менять холсты, а то он начинает писать новую картину прямо поверх старой. У меня за эти годы собралась изрядная коллекция — когда-нибудь окуплю все расходы по клинике, — пошутил Коровин. — Ну, не я, так мои наследники.

Лисицына осторожно подошла к гению, работавшему у «вечерней» стены, сбоку, чтобы получше его разглядеть.

Увидела худой, беспрестанно гримасничающий профиль, свисающие на лоб полуседые, грязные волосы, засаленную блузу, повисшую с вялой губы нитку слюны.

Сама картина при ближайшем рассмотрении произвела на зрительницу такое же неприятное, хоть и безусловно сильное впечатление. Вне всякого сомнения она была гениальна: зажженные окна двух нарисованных коттеджей, луна над их крышами, темные силуэты сосен дышали тайной, жутью, умиранием — это был не просто вечер, а некий всеобъемлющий Вечер, предвестье вечного мрака и безмолвия.

— Почему это в искусстве неприятное и безобразное потрясает больше, чем красивое и радующее взгляд? — содрогнулась Полина Андреевна. — В природе такого никогда не случается, там тоже есть отвратительное, но оно создано лишь служить фоном Прекрасному.

— Вы говорите про создание Творца Небесного, а искусство — произведение творцов земных, — ответил доктор, следя за движениями кисти. — Вот вам лишнее подтверждение того, что люди искусства ведут родословие от мятежного ангела Сатаны. Конон Петрович! — вдруг повысил он голос, стукнув живописца по плечу. — Что это вы изобразили?

Лисицына увидела, что чуть в стороне от одного из коттеджей, вровень с крышей, нарисовано нечто странное: неестественно вытянутая фигура в островерхом черном балахоне, на длинных и тонких, будто паучьих ножках. Молодая дама непроизвольно выглянула в окно, но ничего похожего там не увидела.

— Это монах, — сказала Полина Андреевна самым что ни на есть наивным голосом. — Только какой-то странный.

— И не просто монах, а Черный Монах, главная ханаанская достопримечательность, — кивнул Донат Саввич. — Вы, верно, о нем уже слышали. Я одного не пойму... — Он еще раз стукнул художника по плечу, уже сильнее. — Конон Петрович!

Тот и не подумал оборачиваться, а госпожа Лисицына внутренне вся подобралась. Удачное стечение обстоятельств, кажется, могло облегчить ей поставленную задачу. Тепло, очень тепло!

— Черный Монах? — переспросила она. — Это призрак Василиска, который якобы бродит по воде и всех пугает?

Коровин нахмурился, начиная сердиться на упрямого живописца.

— Не только пугает. Он еще повадился поставлять мне новых пациентов.

Еще теплее!

— Конон Петрович, я обращаюсь к вам. И если задал вопрос, то без ответа не уйду, — строго сказал доктор. — Вы изобразили здесь Василиска? Кто вам про него рассказал? Ведь вы ни с кем кроме меня не разговариваете. Откуда вы про него знаете?

Не повернувшись, Есихин буркнул:

— Я знаю только то, что видят мои глаза.

Чуть коснулся кисточкой черной фигуры, и Полине Андреевне показалось, что та покачнулась, будто бы с трудом сохраняя равновесие под напором ветра.

— Новые пациенты? — покосилась на Коровина гостья. — Должно быть, тоже интересные?

— Да, но очень тяжелые. Особенно один, совсем еще мальчик. Сидит в оранжерее наг яко прародитель Адам, поэтому показать вам его не осмелюсь. Быстро прогрессирующий травматический идиотизм — сгорает прямо на глазах. Никого к себе не подпускает, пищи от санитаров не берет. Ест что растет на деревьях, но долго ли протянешь на бананах с ананасами? Еще неделя, много две, и умрет — если только я не придумаю метод лечения. Увы, пока ничего не выходит.

— А второй? — спросила любопытная дама. — Тоже идиотизм?

— Нет, энтропоз. Это очень редкое заболевание, близкое к автоизму, но не врожденное, а приобретенное. Способ лечения науке пока неизвестен. А был умнейший человек, я еще застал его в полном разуме... Увы, в один день — вернее, в одну ночь — превратился в руину.

Горячо! Ах, как удачно всё складывалось!

Госпожа Лисицына ахнула:

— За одну ночь из умнейшего человека в руину? Что же с ним стряслось?

Бедняжка Бердичевский

— Этот человек стал жертвой шокогенной галлюцинации, спровоцированной предшествующими событиями и общей болезненной восприимчивостью натуры. В первый период пациент много и исступленно говорил, поэтому природа видения мне более или менее известна. Бердичевского (так зовут этого человека) зачем-то понесло среди ночи в один заброшенный дом, где недавно случилось несчастье. На людей с обостренной впечатлительностью подобные места действуют особенным образом. Не буду пересказывать вам фантастические подробности репутации того дома, они не столь существенны. Но содержание галлюцинации весьма характерно: Бердичевскому явился Василиск, после чего галлюцинант увидел себя заживо заколоченным в гроб. Классический случай наложения предпубертатного мистического психоза, широко распространенного даже у очень образованных людей, на депрессию танатофобного свойства. Толчком к бредовому видению, вероятно, послужили какие-то действительные происшествия. Там, в избушке, и в самом деле на столе был гроб, сколоченный прежним обитателем для себя, но оставшийся неиспользованным. Сочетание темноты, скрипов, движения теней с этим шокирующим предметом — вот что повергло Бердичевского в состояние раптуса.

Эту мудреную, изобилующую диковинными терминами лекцию госпожа Лисицына прослушала с чрезвычайным вниманием. Художник же продолжал трудиться над своим полотном и ни малейшего интереса к рассказу не проявлял — да вряд ли вообще его слышал.

— Что ж, увидел в темной комнате пустой гроб и
сразу тронулся рассудком? — недоверчиво спросила
Полина Андреевна.

— Трудно сказать, что там на самом деле произошло. Вне всякого сомнения, у Бердичевского приключилось нечто вроде эпилептического припадка. Должно
быть, он катался по полу, бился об углы и предметы
утвари, корчился в судорогах. Руки у него были обо-
драны, сорваны ногти, пальцы сплошь в занозах, на
затылке шишка, растянуты связки на левом голеносто-
пе, да и обмочился, что тоже характерно для эпи-
лептоидного взрыва.

Не в силах справиться с волнением, слушательница попросила:

— Идемте на воздух. Эти стены отчего-то на меня
давят...

— Так этот несчастный совершенно безумен? — тихо
спросила она, выйдя из коттеджа.

— Кто, художник?

— Нет... Бердичевский.

Донат Саввич развел руками:

— Видите ли, при энтропозе человек день ото дня
все больше уходит в себя, постепенно перестает откли-
каться на происходящее вокруг. Другое название болезни — петроз, поскольку больной мало-помалу словно превращается в камень. У Бердичевского вследствие
потрясения произошел полнейший распад личности.
А хуже всего то, что у него продолжаются ночные галлюцинации. Один оставаться он боится, я поселил его
в седьмой коттедж, где живет еще один любопытнейший пациент, по роду занятий ученый-физик. Зовут
его Сергей Николаевич Лямпе. Человек он добрый,
прямо ангел, и потому против сожительства не возражает. Они отлично поладили друг с другом. Лямпе ста-

вит над Бердичевским какие-то мудреные эксперименты, впрочем, совершенно безвредные, и оба довольны.

Полина Андреевна сделала вид, что ее прихотливое внимание переключилось с Бердичевского на сумасшедшего физика:

— Любопытнейший пациент? Ой, расскажите!

Они вышли на лужайку и остановились. Свет дня почти померк, в коттеджах и лечебных постройках кое-где уже горели огни.

— Сергей Николаевич Лямпе, скорее всего, тоже гений, как Есихин. Но беда в том, что Есихину не нужно доказывать свою гениальность на словах — написал картину, и всё понятно. Лямпе же ученый, причем занимающийся странными, граничащими с шарлатанством исследованиями. Тут без убедительных и, желательно, даже красноречивых, объяснений обойтись никак нельзя. Но беда в том, что Сергей Николаевич страдает тяжелейшим расстройством дискурсивности.

— Чем-чем? — не поняла Лисицына.

— Нарушением связной речи. Попросту говоря, слова у него не поспевают за мыслями. Что он говорит, понять почти невозможно. Даже я в девяти случаях из десяти не догадываюсь, что именно он хочет сказать. Ну, а другие люди и вовсе почитают его идиотом. Но Лямпе очень даже не идиот. Он закончил гимназию с золотой медалью, в университетском выпуске был первым. Только учился не как все, а особенным образом: все экзамены сдавал письменно, для него сделали исключение.

— А в чем его гениальность? — осторожно вела свою линию Полина Андреевна. — Что за опыты он ставит над этим, как его, Богуславским?

— Бердичевским, — поправил доктор. — Если Есихин гений зла, то Лямпе вне всякого сомнения гений добра. У него теория, что все вокруг пронизано некими невидимыми глазу лучами и каждый человек тоже источает эманацию разных цветов и оттенков. Сергей Николаевич потратил много лет на изобретение прибора, который был бы способен различать и анализировать эту ауру.

— И что это за аура? — спросила Лисицына, пока не решаясь вновь повернуть разговор на Бердичевского.

— Более всего Сергея Николаевича занимает эманация нравственности. — Коровин улыбнулся, но не насмешливо, скорее благодушно. — Какие-то драгоценные оранжевые лучи, по которым можно распознать душевное благородство и добросердечие. Лямпе уверяет, что если научиться видеть такую эманацию, то злым людям на свете не будет никакого ходу и у них не останется иного пути, кроме как развивать в себе излучение оранжевого спектра.

— Это совершенно исключительный человек! — решительно объявила посетительница. — Я во что бы то ни стало должна его увидеть. Пусть изучит меня на предмет оранжевой эманации!

Доктор достал из кармашка часы.

— Ну, изучать вас, положим, Лямпе не станет. Во-первых, не слишком жалует женщин, а во-вторых, у него строгое расписание. Сейчас, если не ошибаюсь, время опытов. Хотите посмотреть? Тем более это совсем рядом. Вон он, седьмой коттедж.

— Очень хочу!

— Хорошо, выполню вашу просьбу. А вы потом выполните мою, уговор?

Глаза Коровина хитро блеснули.

— Какую?

— После скажу, — засмеялся Донат Саввич. — Не пугайтесь, ничего страшного от вас я не потребую.

Они уже подходили к славному двухэтажному домику альпийского стиля — бревенчатому, с широкой лестницей и резной трубой на покатой крыше.

На двери не было ни молотка, ни звонка, ни колокольчика. Страннее же всего Полине Андреевне показалось отсутствие ручки — непонятно было, как такую дверь открывают.

Доктор пояснил:

— Сергей Николаевич живет по принципу «Чужих мне не надо, а своим всегда рад». То есть незнакомый человек сюда нипочем не достучится, зато свои, кто знает секрет, могут входить запросто, без предупреждения.

Он нажал сбоку неприметную кнопку, и дверь пружинисто отъехала в сторону.

— Какая прелесть! — восхитилась госпожа Лисицына, входя в переднюю.

— Налево вход в спальню, направо в лабораторию. Лестница ведет на второй этаж, там обсерватория, где временно поселилась жертва мистики, господин Бердичевский. Нам, стало быть, направо.

Освещение в лаборатории было необычное: у стены, где находился стол, сплошь уставленный сложными приборами непонятного назначения, горел ярчайший электрический свет, однако длинный металлический колпак не давал ему рассеяться, так что все прочие участки довольно обширного помещения тонули в густой тени.

Беспорядок в комнате царил такой, словно он не образовался сам собой, а был устроен нарочно. На полу валялись книги, склянки, клочки бумаги, несколько квадратов старательно вынутого дерна, какие-то камни. Сам физик, маленький человечек с всклокоченными волосами, сидел у лампы на стуле, единственное кресло было занято большим ворохом тряпья, так что вошедшим пристроиться было решительно негде.

— Да-да, — сказал Лямпе вместо приветствия, оглянувшись. — Зачем?

Посмотрел на незнакомую даму, поморщился. Повторил:

— Зачем?

Коровин подвел спутницу ближе.

— Вот, госпожа Лисицына выразила желание с вами познакомиться. Хотела бы знать спектр своей эманации. Взгляните на нее через ваши замечательные очки. Ну как обнаружите оранжевое излучение?

Физик забубнил нечто невразумительное, но явно сердитое:

— У них никакого. Только из утробы. Репродукционные автоматы. Мозгов нет. Малиновые, малиновые, малиновые. Все мозги достались одной, Маше.

— Маше? Какой Маше? — спросила напряженно вслушивавшаяся Полина Андреевна.

Лямпе отмахнулся от нее и принялся наскакивать на Коровина:

— Оранжевые потом. Не до них. Эманация смерти, я говорил. И Маша с Тото! Только хуже! В тысячу раз! Ах, ну почему, почему!

— Да-да, — ласково, как ребенку, покивал ему Донат Саввич. — Ваша новая эманация. Чем, интересно, вам прежняя была нехороша? По крайней мере, вы так не возбуждались. Вы мне уже рассказывали про эманацию смерти, я помню. Надеюсь, вы тоже помните — чем тогда закончилось.

Человечек сразу умолк и шарахнулся от доктора в сторону. Сам себе зажал ладонью рот.

— Ну вот, так-то лучше, — сказал Коровин. — Как идут опыты над вашим верным Санчо Пансой? Где он, кстати? Наверху?

Поняв, что речь идет о Бердичевском, Полина Андреевна затаила дыхание.

— Я здесь, — раздался из полумрака хорошо знакомый ей голос Матвея Бенционовича, только какой-то странно вялый.

То, что Лисицына приняла за ворох старого тряпья, сваленного в кресло, шевельнулось и произнесло далее:

— Здравствуйте, сударь. Здравствуйте, сударыня. Можете ли вы простить меня за то, что я не поздоровался раньше? Я не думал, что мое скромное присутствие может иметь для кого-то значение. Вы, сударь, сказали «Санчо Панса». Это из романа испанского писателя Мигуэля Сервантеса. Вы имели в виду меня. Ради Бога простите, что я не встаю. Совершенно нет сил. Я знаю, как это неучтиво, особенно перед дамой. Извините, извините. Мне нет прощения...

Матвей Бенционович еще довольно долго извинялся все тем же жалким, потерянным тоном, какого Полина Андреевна никогда прежде у него не слышала. Она порывисто повернула колпак лампы, чтобы сидящий попал в освещенный круг, и охнула.

О, как страшно изменился остроглазый, энергичный товарищ губернского прокурора! Казалось, в его теле не осталось ни единой кости — он был сгорблен, плечи обвисли, руки безвольно лежали на коленях. Часто моргающие глаза смотрели безо всякого выражения, а губы все шевелились, шевелились, лепеча бесчисленные, постепенно затухающие извинения.

— Господи, что с вами стряслось! — в ужасе вскричала Лисицына, забыв обо всех своих хитроумных планах.

Идя в седьмой коттедж, Полина Андреевна была готова к тому, что Матвей Бенционович, которому и раньше доводилось видеть ее в обличье «московской дворянки», узнает старую знакомую, и придумала на этот случай правдоподобное объяснение, но теперь стало ясно, что опасения на сей счет напрасны. Бердичевский медленно перевел взгляд на молодую даму, прищурился и вежливо сказал:

— Со мной стряслась очень неприятная вещь. Я сошел с ума. Извините, но с этим ничего нельзя поделать. Мне, право, ужасно стыдно. Извините, ради Бога...

Коровин подошел к больному, взял безвольную руку за запястье, пощупал пульс.

— Это я, доктор Коровин. Вы не могли меня забыть, мы виделись только нынче утром.

— Теперь я вспомнил, — медленно, как болванчик, покивал Бердичевский. — Вы начальник этого заведения. Извините, что сразу вас не узнал. Я не хотел вас обидеть. Я никого не хотел обидеть. Никогда. Простите меня, если можете.

— Прощаю, — быстро перебил его Донат Саввич и, полуобернувшись, пояснил спутнице. — Если его не останавливать, он будет извиняться часами. Какие-то неиссякаемые бездны вселенской виноватости. — Наклонился к пациенту, приподнял ему пальцами веко. — М-да. Опять скверно спали. Что, снова Василиск?

Матвей Бенционович, не шевелясь и даже не попытавшись закрыть оттопыренное веко, заплакал — тихо, жалостно, безутешно.

— Да. Он заглядывал ко мне в окно, стучал и грозил. Он приходит красть мой разум. У меня и так почти ничего не осталось, а он всё ходит, ходит...

— Сначала я разместил его вон на том диване, — показал Коровин в темный угол. — Но ночью в окно господину Бердичевскому повадился стучать Черный Монах. Тогда я велел стелить наверху, в обсерватории. Две ночи прошли спокойно, а теперь, видите, у Василиска выросли крылья, уже и второй этаж ему нипочем.

— Да, — всхлипнул товарищ прокурора. — Ему все равно. Я закричал формулу, и он отодвинулся, растаял.

— Все ту же? «Верую, Господи»?

— Да.

— Ну вот, видите, вам нечего бояться. Это Василиск боится вашей магической формулы.

Бердичевский дрожащим голосом прошептал:

— Ночью он придет снова. Украдет последнее. И тогда я забуду, кто я. Я превращусь в животное. Это доставит вам массу неудобств, ведь вы не ветеринар, вы не лечите животных. Я заранее прошу меня извинить...

— М-да, — вздохнул Донат Саввич, обескураженно потирая подбородок. — Можно, конечно, дать на ночь морфеогенум, но неизвестно, что ему привидится во сне. Возможно, что-нибудь и похуже... Что же делать?

Сердце Полины Андреевны разрывалось от сочувствия к больному, но как ему помочь, она не знала.

— Морфеогенум — чушь, — пробурчал Лямпе. — Ко мне. И очень просто. Вдвоем. Мне все равно, ему нестрашно.

— Постелить ему у вас в спальне? Вы это хотите сказать? — встрепенулся Коровин. — Что ж, если он не возражает, возможно, это выход.

— Эй, вы! — крикнул физик Бердичевскому, будто глухому. — Хотите у меня? Только храплю.

Больной суетливо зашарил по подлокотникам, поднялся из кресла, замахал руками. Слезливая апатия вдруг сменилась чрезвычайным волнением:

— Очень хочу! Я буду вам необычайно, беспрецедентно признателен! С вами спокойно! Храпите сколько угодно, господин Лямпе, это даже еще лучше! Я вам так благодарен, так благодарен!

— Черта ли мне в благодарности! — грозно крикнул Лямпе. — А террор вежливостью — выгоню!

Матвей Бенционович попробовал было извиняться за свою вежливость, но физик прикрикнул на него еще решительней, и больной затих.

Когда доктор и его гостья стали прощаться, свихнувшийся следователь робко спросил госпожу Лисицыну:

— Мы не встречались прежде? Нет? Извините, извините. Я, должно быть, ошибся. Мне так неловко. Не сердитесь...

Полина Андреевна от жалости чуть не разревелась.

Скандал

На обратном пути госпожа Лисицына выглядела печальной и задумчивой, доктор же, напротив, кажется, пребывал в отменном расположении духа. Он то и дело поглядывал на свою спутницу, загадочно улыбаясь, а один раз даже потер руки, словно в предвкушении чего-то интересного или приятного.

Наконец Донат Саввич нарушил молчание:

— Ну-с, Полина Андреевна, я исполнил вашу просьбу, показал вам Лямпе. Теперь ваш черед. Помните уговор? Долг платежом красен.

— Как же мне с вами расплатиться? — обернулась к нему Лисицына, отметив, что глаза психиатра хитро поблескивают.

— Самым необременительным образом. Оставайтесь у меня отужинать. Нет, право, — поспешно добавил Коровин, увидев тень, пробежавшую по лицу дамы. — Это будет совершенно невинный вечер, кроме вас приглашена еще одна особа. А повар у меня отличный, мэтр Арман, выписан из Марселя. Монастырской кухни не признает, на сегодня сулил подать филейчики новорожденного ягненка с соусом делисьё, фаршированных раковыми шейками судачков, пирожки-миньон и много всякого другого. После я отвезу вас в город.

Неожиданное приглашение было Полине Андреевне кстати, но согласилась она не сразу.

— Что за особа?

— Прекрасная собой барышня, весьма колоритная, — с непонятной улыбкой ответил доктор. — Уверен, что вы с ней друг другу понравитесь.

Госпожа Лисицына подняла лицо к небу, посмотрела на выползавшую из-за деревьев луну, что-то прикинула.

— Что ж, фаршированные судачки — это звучит заманчиво.

Не успели сесть за стол, сервированный на три персоны, как прибыла «колоритная барышня».

За окном послышался легкий перестук копыт, звон сбруи, и минуту спустя в столовую стремительно вошла красивая девушка (а может быть, молодая женщина) в черном шелковом платье. Откинула с лица невесомую вуаль, звонко воскликнула:

— Андре! — и оселась, увидев, что в комнате еще есть некто третий.

Лисицына узнала в порывистой барышне ту самую особу, что встречала на пристани капитана Иону, да и красавица вне всякого сомнения тоже ее вспомнила. Тонкие черты, как и тогда, на причале, исказились гримасой, только еще более неприязненной: затрепетали ноздри, тонкие брови сошлись к переносице, слишком (по мнению Полины Андреевны даже *непропорционально*) большие глаза заискрились злыми огоньками.

— Ну вот все и в сборе! — весело объявил Донат Саввич, поднимаясь. — Позвольте представить вас друг другу. Лидия Евгеньевна Борейко, прекраснейшая из дев ханаанских. А это Полина Андреевна Лисицына, московская паломница.

Рыжеволосая дама кивнула черноволосой с самой приятной улыбкой, оставшейся без ответа.

— Андре, я тысячу раз просила не напоминать мне о моей чудовищной фамилии! — вскричала госпожа Борейко голосом, который мужчиной, вероятно, был бы охарактеризован как *звенящий*, госпоже Лисицыной же он показался неприятно пронзительным.

— Что чудовищного в фамилии «Борейко»? — спросила Полина Андреевна, улыбнувшись еще приветливей, и повторила, как бы пробуя на вкус. — Борейко, Борейко... Самая обыкновенная фамилия.

— В том-то и дело, — с серьезным видом пояснил доктор. — Мы терпеть не можем всего обыкновенного, это вульгарно. Вот «Лидия Евгеньевна» — это звучит мелодично, благородно. Скажите, — обратился он к брюнетке, сохраняя все ту же почтительную мину, — отчего вы всегда в черном? Это траур по вашей жизни?

Полина Андреевна засмеялась, оценив начитанность Коровина, однако Лидия Евгеньевна цитату из новомодной пьесы, кажется, не распознала.

— Я скорблю о том, что в мире больше нет истинной любви, — мрачно сказала она, садясь за стол.

Трапеза и в самом деле была восхитительна, доктор не обманул. Проголодавшаяся за день Полина Андреевна отдала должное и тарталеткам с тертыми артишоками, и пирожкам-миньон с телячьим сердцем, и крошечным канапе-руайяль — ее тарелка волшебным образом опустела, была вновь наполнена закусками и вскоре опять стояла уже пустая.

Однако кое в чем Коровин все же ошибся: женщины друг другу явно не понравились.

Особенно это было заметно по манерам Лидии Евгеньевны. Она едва пригубила игристое вино, к кушаньям вообще не притронулась и смотрела на свою визави с нескрываемой неприязнью. В своей обычной, монашеской ипостаси Полина Андреевна несомненно нашла бы способ умягчить сердце ненавистницы истинно христианским смирением, но роль светской дамы вполне оправдывала иной стиль поведения.

Оказалось, что госпожа Лисицына превосходно владеет британским искусством *лукинг-дауна*, то есть взирания сверху вниз — разумеется, в переносном смысле, ибо ростом мадемуазель Борейко была выше. Это не мешало Полине Андреевне поглядывать на нее поверх надменно воздетого веснушчатого носа и время от времени делать бровями едва заметные удивленные движения, которые, будучи произведены столичной жительницей, одетой по последней моде, так больно ранят сердце любой провинциалки.

— Милые пуфики, — говорила, к примеру, Лисицына, указывая подбородком на плечи Лидии Евгеньевны. — Я сама их прежде обожала. Безумно жаль, что в Москве перешли на облегающее.

Или вдруг вовсе переставала обращать внимание на бледную от ярости брюнетку, затеяв с хозяином продолжительный разговор о литературе, которого госпожа Борейко поддержать не желала или не умела.

Доктора, кажется, очень забавляло разворачивавшееся на его глазах бескровное сражение, и он еще норовил подлить масла в огонь.

Сначала произнес целый панегирик в адрес рыжих волос, которые, по его словам, служили верным признаком неординарности натуры. Полине Андреевне слушать про это было приятно, но она поневоле ежилась от взгляда Лидии Евгеньевны, которая, вероятно, с удовольствием выдрала бы превозносимые Донатом Саввичем «огненные локоны» до последнего волоска.

Даже чудесный аппетит московской богомолки послужил Коровину поводом для комплимента. Заметив, что тарелка Полины Андреевны опять пуста, и подав знак лакею, Донат Саввич сказал:

— Всегда любил женщин, которые не жеманятся, а хорошо и с удовольствием едят. Это верный признак вкуса к жизни. Лишь та, кто умеет радоваться жизни, способна составить счастье мужчины.

На этой реплике ужин, собственно, и завершился — скоропостижным, даже бурным образом.

Лидия Евгеньевна отшвырнула сияющую вилку, так и не замутненную прикосновением к пище, всплеснула руками, как раненая птица крыльями.

— Мучитель! Палач! — закричала она так громко, что на столе задребезжал хрусталь. — Зачем ты терзаешь меня! А она, она...

Метнув в госпожу Лисицыну взгляд, Лидия Евгеньевна бросилась вон из комнаты. Доктор и не подумал за ней бежать — наоборот, вид у него был вполне довольный.

Потрясенная прощальным взглядом экзальтированной барышни — взглядом, который горел неистовой, испепеляющей ненавистью, — Полина Андреевна вопросительно обернулась к Коровину.

— Извините, — пожал плечами тот. — Я вам сейчас объясню смысл этой сцены...

— Не стоит, — холодно ответила Лисицына, поднимаясь. — Увольте меня от ваших объяснений. Теперь я слишком хорошо понимаю, что вы предвидели такой исход и употребили мое присутствие в каких-то неизвестных мне, но скверных целях.

Донат Саввич вскочил, выглядя уже не довольным — растерянным.

— Клянусь вам, ничего скверного! То есть, конечно, с одной стороны, я виноват перед вами в том, что...

Полина Андреевна не дала ему договорить:

— Я не стану вас слушать. Прощайте.

— Погодите! Я обещал отвезти вас в город. Если... если мое общество вам так неприятно, я не поеду, но позвольте хотя бы дать вам экипаж!

— Мне от вас ничего не нужно. Терпеть не могу интриганов и манипуляторов, — сердито сказала Лисицына уже в передней, набрасывая на плечи плащ. — Не нужно меня отвозить. Я уж как-нибудь сама.

— Но ведь поздно, темно!

— Ничего. Я слышала, что разбойников на Ханаане не водится, а привидений я не боюсь.

Гордо повернулась, вышла.

Одна из рати

Оказавшись за порогом коровинского дома, Полина Андреевна ускорила шаг. За кустами накинула на голову капюшон, запахнула свой черный плащ поплотнее и сделалась почти совершенно невидимой в темноте. При всем желании Коровину теперь было бы непросто отыскать в осенней ночи свою обидчивую гостью.

Если уж сказать всю правду, Полина Андреевна на доктора нисколько не обиделась, да и вообще нужно было еще посмотреть, кто кого использовал во время несчастливо завершившегося ужина. Несомненно, у доктора имелись какие-то собственные резоны позлить черноокую красавицу, но и госпожа Лисицына разыграла роль столичной снобки неспроста. Все устроилось именно так, как она замыслила: Полина Андреевна осталась посреди клиники в совершенном одиночестве и с полной свободой маневра. Для того и тальма была сменена на длинный плащ, в котором так удобно передвигаться во мраке, оставаясь почти невидимой.

Итак, цель репризы, приведшей к скандалу и ссоре, была достигнута. Теперь предстояло выполнить задачу менее сложную — отыскать в роще оранжерею, где меж тропических растений обретается несчастный Алеша Ленточкин. С ним нужно было увидеться втайне от всех и в первую голову от владельца лечебницы.

Госпожа Лисицына остановилась посреди аллеи и попробовала определить ориентиры.

Давеча, проходя с Донатом Саввичем к дому сумасшедшего художника, она видела справа над живой изгородью стеклянный купол — верно, это и была оранжерея.

Но где то место? В ста шагах? Или в двухстах?

Полина Андреевна двинулась вперед, вглядываясь во тьму.

Вдруг из-за поворота кто-то вышел ей навстречу быстрой дерганой походкой — лазутчица едва успела замереть, прижавшись к кустам.

Некто долговязый, сутулый шел, размахивая длинными руками. Вдруг остановился в двух шагах от затаившейся женщины и забормотал:

— Так. Снова и четче. Бесконечность Вселенной означает бесконечную повторяемость вариантов сцепления молекул, а это значит, что сцепление молекул, именуемое мною, повторено еще бессчетное количество раз, из чего вытекает, что я во Вселенной не один, а меня бесчисленное множество, и кто именно из этого множества сейчас находится здесь, определить абсолютно невозможно...

Еще один из коллекции «интересных людей» доктора Коровина, догадалась Лисицына. Пациент удовлетворенно кивнул сам себе и прошествовал мимо.

Не заметил. Уф!

Переведя дыхание, Полина Андреевна двинулась дальше.

Что это блеснуло под луной справа? Кажется, стеклянная кровля. Оранжерея?

Именно что оранжерея, да преогромная — настоящий стеклянный дворец.

Тихонько скрипнула прозрачная, почти невидимая дверь, и Лисицыной дохнуло в лицо диковинными ароматами, сыростью, теплом. Она сделала несколько шагов по дорожке, зацепилась ногой не то за шланг, не то за лиану, задела рукой какие-то колючки.

Вскрикнула от боли, прислушалась.

Тихо.

Приподнявшись на цыпочки, позвала:

— Алексей Степаныч!

Ничего, ни единого шороха.

Попробовала громче:

— Алексей Степаныч! Алеша! Это я, Пелагия!

Что это зашуршало неподалеку? Чьи-то шаги?

Она быстро двинулась навстречу звуку, раздвигая ветки и стебли.

— Отзовитесь! Если вы будете прятаться, мне нипочем вас не найти!

Глаза понемногу привыкли к темноте, которая оказалась не такой уж непроницаемой. Бледный свет беспрепятственно проникал сквозь стеклянную крышу, отражаясь от широких глянцевых листьев, посверкивал на каплях росы, сгущал причудливые тени.

— А-а! — захлебнулась криком Полина Андреевна, схватившись за сердце.

Прямо у нее перед носом, слегка покачиваясь, свисала человеческая нога — совсем голая, тощая, сметанно-белая в тусклом сиянии луны.

Здесь же, в нескольких дюймах, но уже не на свету, а в тени, болталась и вторая нога.

— Господи, Господи... — закрестилась госпожа Лисицына, но поднять голову побоялась — знала уже, что там увидит: висельника с выпученными глазами, вывалившимся языком, растянутой шеей.

Собравшись с духом, осторожно дотронулась до ноги — успела ли остыть?

Нога вдруг отдернулась, сверху донеслось хихиканье, и Полина Андреевна с воплем, еще более пронзительным, чем предыдущий, отскочила назад.

На толстой, разлапистой ветке неведомого дерева... нет, не висел, а сидел Алеша Ленточкин, безмятежно побалтывая ногами. Его лицо было залито ярким лунным светом, но Полина Андреевна едва узнала былого Керубино — так он исхудал. Спутанные волосы свисали клоками, щеки утратили детскую припухлость, ключицы и ребра торчали, словно спицы под натянутым зонтиком.

Госпожа Лисицына поспешно отвела взгляд, непроизвольно опустившийся ниже дозволенного, но тут же сама себя устыдила: перед ней был не мужчина, а несчастный заморыш. Уже не задорный щенок, некогда тявкавший на снисходительного отца Митрофания, а, пожалуй, брошенный волчонок — некормленый, больной, шелудивый.

— Щекотно, — сказал Алексей Степанович и снова хихикнул.

— Слезай, Алешенька, спускайся, — попросила она, хотя прежде называла Ленточкина только по имени-отчеству и на «вы». Но странно было бы соблюдать церемонии со скорбным рассудком мальчишкой, да еще голым.

— Ну же, ну. — Полина Андреевна протянула ему обе руки. — Это я, сестра Пелагия. Узнал?

В прежние времена Алексей Степанович и духовная дочь преосвященного сильно недолюбливали друг друга. Раза два дерзкий юнец даже пробовал зло подшутить над инокиней, однако получил неожиданно твердый отпор и с тех пор делал вид, что не обращает на нее внимания. Но сейчас было не до былой ревности, не до старых глупых счетов. Сердце Полины Андреевны разрывалось от жалости.

— Вот, смотри, что я тебе принесла, — ласково, как маленькому, сказала она и стала вынимать из висевшего на шее рукодельного мешка тарталетки, канапешки и пирожки-миньончики, ловко похищенные с тарелки во время ужина. Получалось, что не такой уж исполинский аппетит был у гостьи доктора Коровина.

Обнаженный фавн жадно потянул носом воздух и спрыгнул вниз. Не устоял на ногах, покачнулся, упал.

Совсем слабенький, охнула Полина Андреевна, обхватывая мальчика за плечи.

— На, на, поешь.

Упрашивать Алексея Степановича не пришлось. Он жадно схватил сразу два миньончика, запихнул в рот. Еще не прожевав, потянулся еще.

Еще неделя, много две, и умрет, вспомнила Лисицына слова врача и закусила губу, чтоб не заплакать.

Ну и что с того, что она, проявив чудеса изобретательности, пробралась сюда? Чем она может помочь? Да и Ленточкин, как видно, в расследовании ей тоже не помощник.

— Потерпите, мой бедный мальчик, — приговаривала она, гладя его по спутанным волосам. — Если тут козни Дьявола, то Бог все равно сильнее. Если же это происки злых людей, то я их распутаю. Я непременно спасу вас. Обещаю!

Смысл слов безумцу вряд ли был понятен, но мягкий, нежный тон нашел отклик в его заплутавшей душе. Алеша вдруг прижался головой к груди утешительницы и тихонько спросил:

— Еще придешь? Ты приходи. А то скоро он меня заберет. Придешь?

Полина Андреевна молча кивнула. Говорить не могла — душили из последних сил сдерживаемые слезы.

Лишь когда вышла из оранжереи и удалилась от стеклянных стен подальше в рощу, наконец, дала себе волю. Села прямо на землю и отплакала разом за всех: и за погубленного Ленточкина, и за погасшего, пришибленного Матвея Бенционовича, и за самоубийцу Лагранжа, и за надорванное сердце преосвященного Митрофания. Плакала долго — может, полчаса, а может, и час, но всё не могла успокоиться.

Уж луна добралась до самой середины небосвода, где-то лесу заухал филин, в окнах больничных коттед-

жей один за другим погасли огни, а ряженая монахиня все лила слезы.

Неведомый, но грозный противник бил без прома-
ха, и каждый удар влек за собой ужасную, невозвра-
тимую потерю. Доблестное войско заволжского архиерея, защитника Добра и гонителя Зла, было перебито,
и сам полководец лежал поверженный на ложе тяжкой, быть может, смертельной болезни. Из всей Мит-
рофаниевой рати уцелела она одна, слабая и беззащитная женщина. Всё бремя ответственности теперь на ее
плечах, и отступать некуда.

От этой устрашающей мысли слезы из глаз госпожи Лисицыной не полились еще пуще, как следовало
бы, а парадоксальным образом вдруг взяли и высохли.

Она спрятала вымокший платок, поднялась и пошла вперед через кусты.

Ночью в обители скорби

Теперь двигаться по территории было легче: Полина Андреевна уже лучше представляла себе географию
клиники, да и высокая луна сияла ярко. Мимоходом
подивившись мягкости островного «мелкоклимата»,
даже в ноябре щедрого на такие ясные нехолодные
ночи, окрепшая духом воительница сначала отправилась к дому хозяина клиники.

Но окна белого, украшенного колоннадой особняка
были темны — доктор уже спал. Лисицына немного
постояла, прислушиваясь, ничего примечательного не
услышала и пошла дальше.

Теперь ее путь лежал к коттеджу № 3, обиталищу безумного художника.

Есихин не спал: его домик не только светился, но в сияющем прямоугольнике окна еще и мелькала порывистая тень.

Полина Андреевна обошла третий вокруг, чтобы заглянуть внутрь с противоположной стороны.

Заглянула.

Конон Петрович, быстро перебегая вдоль стены, дописывал на панно «Вечер» лунные блики, пятнавшие поверхность земли. Теперь картина приобрела абсолютную законченность и своим совершенством не уступала — а пожалуй, и превосходила — волшебство настоящего вечера. Но госпожу Лисицыну занимала лишь та часть холста, где художник изобразил вытянутый черный силуэт на паучьих ножках. Полина Андреевна смотрела на него довольно долго, будто пыталась решить какую-то мудреную головоломку.

Потом Есихин сунул кисть за пояс и полез на стремянку, установленную посреди комнаты. Наблюдательница прижалась к стеклу щекой и носом, чтобы подглядеть — чем это художник будет заниматься наверху.

Оказалось, что, покончив с «Вечером», Конон Петрович сразу взялся дописывать «Ночь», не дал себе ни малейшей передышки.

Лисицына покачала головой, дальше подглядывать не стала.

Следующим пунктом намеченного маршрута был расположенный по соседству коттедж № 7, где проживал физик Лямпе со своим постояльцем.

Здесь тоже не спали. В окнах всего первого этажа горел свет. Полина Андреевна вспомнила: спальня от входа слева, лаборатория справа. Матвей Бенционович, должно быть, в спальне.

Она взялась руками за подоконник, ногой оперлась на приступку и заглянула внутрь.

Увидела две кровати. Одна была застеленной, пустой. У другой горела лампа, на высоко взбитых подушках полусидел-полулежал человек, нервно поводивший головой то влево, то вправо. Бердичевский!

Лазутчица вытянула шею, чтобы посмотреть, в комнате ли Лямпе, и застежка капюшона щелкнула по стеклу — едва слышно, однако Матвей Бенционович встрепенулся, повернулся к окну. Лицо его исказилось от ужаса. Товарищ прокурора сделал судорожное движение нижней челюстью, будто хотел крикнуть, но тут его глаза закатились, и он без чувств уронил голову на подушку.

Ах, как скверно! Полина Андреевна даже вскрикнула от досады. Ну конечно, увидев в окне черный силуэт с опущенным на лицо капюшоном, несчастный больной вообразил, что к нему снова явился Василиск. Нужно было вывести Матвея Бенционовича из этого заблуждения, пусть даже ценой риска.

Уже не таясь, она прижалась к стеклу, убедилась, что физика в спальне нет, и начала действовать.

Окно, разумеется, было заперто на задвижку, но учительнице гимнастики хватило и приоткрытой форточки.

Лисицына сбросила сковывавший движения плащ на землю и, явив чудеса гибкости, в два счета пролезла в узкое отверстие. Оперлась пальцами о подоконник, сделала замечательный кульбит в воздухе (юбка раздулась не вполне приличным колоколом, но свидетелей ведь не было) и ловко опустилась на пол. Шуму произвела самый минимум. Полина Андреевна подождала, не донесутся ли из коридора шаги — но нет, все обошлось. Должно быть, физик был слишком увлечен своими диковинными опытами.

Придвинув к постели стул, она осторожно погладила лежащего по впалым щекам, по желтому лбу, по страдальчески сомкнутым векам. Смочила платок водой из стоявшего на тумбочке стакана, потерла больному виски, и ресницы Бердичевского дрогнули.

— Матвей Бенционович, это я, Пелагия, — прошептала женщина, наклонившись к самому его уху.

Тот открыл глаза, увидел веснушчатое лицо с тревожно расширенными глазами и улыбнулся:

— Сестра... Какой хороший сон... И владыка здесь?

Бердичевский повернул голову, видимо, надеясь, что сейчас увидит и отца Митрофания. Не увидел, расстроился.

— Когда не сплю, плохо, — пожаловался он. — Вот бы совсем не просыпаться.

— Совсем не просыпаться — это лишнее. — Полина Андреевна всё гладила бедняжку по лицу. — А вот сейчас поспать вам было бы кстати. Вы закройте глаза, вздохните поглубже. Глядишь, и владыка приснится.

Матвей Бенционович послушно зажмурился, задышал глубоко, старательно — видно, очень уж хотел, чтоб приснился преосвященный.

Может быть, всё еще не так плохо, сказала себе в утешение Полина Андреевна. Когда называешься — узнаёт. И владыку помнит.

Поглядывая на дверь, госпожа Лисицына заглянула в тумбочку. Ничего примечательного: платки, несколько листков чистой бумаги, портмоне. В портмоне деньги, фотокарточка жены.

Зато под кроватью обнаружился желтый саквояж свиной кожи. У замка медная табличка с монограммой «Ф.С. Лагранж». Внутри оказались собранные Бердичевским следственные материалы: протокол осмотра тела самоубийцы, письма Алексея Степановича преосвященному, завернутый в тряпку револьвер (Полина Андреевна только головой покачала — хорош Коровин, нечего сказать, не удосужился в вещи пациента заглянуть) и еще два предмета непонятного происхождения: белая перчатка с дыркой и батистовый платок, грязный.

Саквояж госпожа Лисицына решила взять с собой — зачем он теперь Бердичевскому? Осмотрелась — нет ли в комнате еще чего полезного. Увидела на тумбочке у кровати Лямпе пухлую тетрадь. Поколебавшись, взяла, поднесла к горящей лампе, стала перелистывать.

Увы, понять что-либо во всех этих формулах, графиках и аббревиатурах было невозможно. Да и почерк у физика был не более вразумительный, чем его манера разговаривать. Полина Андреевна разочарованно вздохнула, раскрыла титульный лист. Там, в качестве эпиграфа, более или менее разборчиво было выведено:

Измерить всё, что поддается измерению, а что не поддается — сделать измеряемым.

Г. Галилеи

Однако пора было и честь знать.

Положив тетрадь на место, незваная гостья полезла через форточку обратно. Сначала выбросила наружу саквояж (ломаться там вроде было нечему), потом протиснулась сама.

До земли было дальше, чем до полу, но кульбит вновь удался на славу. Гуттаперчевая прыгунья благополучно приземлилась на корточки, выпрямилась и замотала головой: после освещенной спальни ночь показалась глазам беспросветной, да и луна, как на грех, спряталась за облако.

Госпожа Лисицына решила подождать, пока зрение свыкнется с мраком, оперлась рукой о стену. Но со слухом у Полины Андреевны все было в порядке, и потому, услышав за спиной шорох, она быстро повернулась.

Близко, в какой-нибудь сажени, из тьмы наплывала узкая черная фигура. Обомлевшая женщина явственно увидела остроконечный колпак с дырками для глаз, заметила, как страшный силуэт повернулся вокруг собственной оси, а потом раздался свист рассекаемого воздуха, и на голову госпожи Лисицыной сбоку обрушился страшной силы удар.

Полина Андреевна опрокинулась навзничь, упав спиной на лагранжев саквояж.

Новые грехи

В полной мере понесенный ущерб пострадавшая смогла оценить лишь утром.

Под стеной коттеджа № 7 она пролежала без чувств неизвестно сколько, в себя пришла от холода. Пошатываясь и держась за голову, добрела до гостиницы — сама не помнила как. Не раздеваясь, упала на кровать и сразу провалилась в тягостное, граничащее с обмороком забытье.

Пробудилась поздно, перед самым полуднем, и села к туалетному столику — смотреть на себя в зеркало.

А посмотреть было на что. Непонятно, каким образом бесплотный призрак, да еще с расстояния в сажень, сумел сбить Полину Андреевну с ног, но удар, пришедшийся по виску и скуле, получился вполне материальный: сбоку от левого глаза налился огромный густо-багровый кровоподтек, расплывшись вниз и вверх чуть не на пол-лица.

Даже само воспоминание об ужасном и мистическом происшествии отчасти поблекло, вытесненное скорбью по поводу собственного безобразия.

Госпожа Лисицына малодушно повернулась к зеркалу неповрежденным профилем и скосила глаза — получилось вполне пристойно. Но потом снова обернулась анфас и застонала. Ну а если посмотреть слева, то лицо, вероятно, и вовсе напоминало какой-то баклажан.

Вот она, краса плотская — прах и тлен; вся цена ей — одна увесистая затрещина, сказала себе Полина Андреевна, вспомнив о своем лишь на время отмененном монашеском звании. Мысль была правильная, даже похвальная, но утешения не принесла.

Главное — как в этаком виде на улицу выйти? Не сидеть же в нумере неделю, пока синяк не пройдет!

Нужно что-то придумать.

С тяжким вздохом и чувством вины Лисицына достала из чемодана косметический набор — еще один комплимент от туристической конторы «Кук энд Канторович», полученный одновременно с уже поминавшимся рукодельным саком. Только косметикой, в отличие от полезного мешочка, паломница пользоваться, разумеется, не собиралась. Думала подарить какой-нибудь мирянке, и вот на тебе!

Хороша инокиня, нечего сказать, мысленно горевала Полина Андреевна, запудривая безобразное пятно. И еще завидовала брюнеткам: у них кожа толстая, смуглая, заживает быстро, а рыжим при их белокожести синяк — просто катастрофа.

Все равно получилось скверно, даже с косметикой. В развратном Петербурге или легкомысленной Москве в этаком виде, пожалуй, еще можно бы на улице показаться, особенно если прикрыться вуалью, но в богомольном Арарате нечего и думать — пожалуй, побьют камнями, как евангельскую блудницу.

Как же быть? В пудре выходить нельзя, без пудры, с синяком, тоже нельзя. И время терять опять-таки невозможно.

Думала-думала и придумала.

Оделась в самое простое платье из черного тибета. Голову повязала богомольным платком — потуже, до самых уголков глаз. Высовывавшуюся часть синяка забелила. Если не приглядываться, ничего, почти незаметно.

Прошмыгнула к выходу, прикрыв щеку платком. Желтый саквояж несла с собой — оставить в нумере не рискнула. Известно, какова в гостиницах прислуга — всюду нос сует, в вещах роется. Не приведи Господь, обнаружит револьвер или протокол. Не столь уж велика ноша, рук не оттянет.

На улице богомолка опустила глаза долу и этак, тихой смиренницей, дошла до главной площади, где еще вчера приметила лавку иноческого платья.

Купила у монаха-сидельца за три рубля семьдесят пять копеек наряд послушника: скуфейку, мухояровый подрясник, матерчатый пояс. Чтоб не вызвать подозрений, сказала, что приобретает в подношение монастырю. Сиделец нисколько не удивился — облачения братии паломники дарили часто, для того и лавка.

Стало быть, приходилось затевать новый маскарад, еще неприличней и кощунственней первого. А что прикажете делать?

Опять же, передвижение в обличье скромного монашка сулило некоторую дополнительную выгоду, только теперь пришедшую Полине Андреевне в голову.

Эту-то новую идею она и обдумывала, высматривая подходящее место для переодевания. Шла улицами, где поменьше прохожих, смотрела по сторонам.

То ли от последствий удара, то ли из-за расстройства по поводу обезображенной внешности госпожа Лисицына пребывала сегодня в каком-то нервическом беспокойстве. С тех самых пор, как вышла из пансиона, не оставляло ее странное чувство, трудно выразимое словами. Словно она теперь *не одна*, словно присутствует рядом еще кто-то, незримый — то ли доглядывает за ней, то ли к ней присматривается. И внимание это было явно злого, недоброжелательного толка. Ругая себя за суеверие и бабью впечатлительность, Полина Андреевна даже несколько раз оглянулась. Ничего такого не заметила. Ну, идут по своим делам какие-то монахи, кто-то стоит у тумбы, читая церковную газету, кто-то наклонился за упавшими спичками. Прохожие как прохожие.

А после о нехорошем чувстве Лисицына забыла, потому что обнаружила отличное место для перемены обличья, и, главное, всего в пяти минутах ходьбы от «Непорочной девы».

На углу набережной стоял заколоченный павильон с вывеской «Святая вода. Автоматы». Фасадом к променаду, тылом к глухому забору.

Полина Андреевна дощатую будку обошла, юркнула в щель, и — вот удача — дверь оказалась закрытой на самый что ни на есть простейший навесной замок. Предприимчивая дама немножко поковыряла в нем вязальной спицей (прости, Господи, и за это прегрешение), да и проскользнула внутрь.

Там вдоль стенок стояли громоздкие металлические ящики с краниками, а посередине было пусто. Сквозь щели между досками просачивался свет, доно-

сились голоса гуляющей по набережной публики. В
самом деле, место было просто замечательное.

Лисицына быстро сняла платье. Заколебалась, как
быть с панталонами? Оставила — подрясник длинный,
будет не видно, да и теплее. Ведь на дворе не июль.

Башмаки, хоть и мужеподобные, тупоносые, как
полагалось по последней моде, все же были щеголева-
ты для послушника. Но Полина Андреевна припоро-
шила их пылью и решила, что сойдет. Женщины в
особенностях иноческой обуви не разбираются, а монахи — мужчины и, значит, на подобные мелочи ненаб-
людательны, вряд ли обратят внимание.

Мешочек с вязаньем оставила на шее. Ну, как ожидать где придется или наблюдение вести? Вязанием
многие из монахов утешаются — будет неподозритель-
но, а под перестук спиц лучше думается.

Сунула мешочек под одеяние, пусть висит.

Саквояж спрятала между автоматами. Недлинные
волосы из-под шапки выпустила, одернула подрясник,
пудру стерла рукавом.

В общем, вошла в павильон святой воды скромная
молодая дама, а минут через десять вышел худенький
рыжий монашек, совершенно непримечательный, если,
конечно, не считать здоровенного синячины на левом
профиле.

Сплошные загадки

Если до сего момента действия расследовательни-
цы были еще более или менее понятны, то теперь, взду-
майся кому-нибудь следить за Лисицыной со стороны,

наблюдатель пришел бы в совершенное недоумение, так как логики в поведении паломницы не просматривалось решительно никакой.

Впрочем, во избежание двусмысленности, придется вновь привести именование героини нашего повествования в соответственность ее новому облику, как это уже было сделано однажды. Иначе не избежать двусмысленных фраз вроде «Полина Андреевна заглянула в братские кельи», ибо, как известно, во внутренние монашеские покои вход женщинам строжайше воспрещен. Итак, мы последуем не за сестрой Пелагией и не за вдовой Лисицыной, а за неким послушником, который, повторяем, вел себя в этот день очень странно.

В протяжение двух или двух с половиной часов, начиная с полудня, юного инока можно было увидеть в самых разных частях города, в пределах собственно монастыря и даже — увы — в уже поминавшихся братских кельях. Судя по ленивой походке, слонялся он безо всякого дела, вроде как со скуки: тут постоит, послушает, там поглазеет. Несколько раз праздношатающегося отрока останавливали старшие монахи, а один раз даже мирохранители. Строго спрашивали, кто таков да откуда синяк — не от пьяного ли, не от рукосуйного ли дела. Юноша отвечал смиренно, тоненьким голоском, что звать его Пелагием, что прибыл он в Арарат со священного Валаама по малому послушанию, а синяк на личности оттого, что отец келарь за нерадивость поучил. Это разъяснение всех удовлетворяло, ибо суровый нрав отца келаря был известен и «поученные» — кто с синяком, кто с шишкой, кто с оттопыренным красным ухом — на улицах и в монастыре попадались нередко. Монашек кланялся и шел себе дальше.

Часам к трем пополудни Пелагий забрел за город и оказался подле Постной косы, напротив Окольнего острова. Место это в последние недели у паломников и местных жителей прослыло муторным, и оттого берег был совсем безлюден.

Послушник прошелся по косе, добрался до самого ее края, принялся скакать с камня на камень, удаляясь все дальше в сторону острова. С непонятной целью тыкал в воду подобранной где-то палкой. У одного из валунов долго сидел на корточках и шарил в холодной воде руками — будто рыбу ловил. Ничего не выловил, однако чему-то обрадовался и даже захлопал озябшими ладошами.

Вернулся к началу косы, где была привязана старая лодка, пристроился рядышком на камне и заработал вязальными спицами, то и дело поглядывая по сторонам.

Довольно скоро появился тот, кого отрок, по всей видимости, поджидал.

По тропинке, что вела к берегу от старой часовенки, шел монах довольно неблагостного вида: косматобородый, кустобровый, с большим мятым лицом и сизым пористым носом.

Пелагий вскочил ему навстречу, низко поклонился.

— А не вы ли и есть достопочтенный старец Клеопа?

— Ну я. — Монах хмуро покосился на паренька, зачерпнул широкой ладонью воды из озера, попил. — Тебе чего?

Он страдальчески выдохнул, обдав послушника кислым запахом перегара, стал доставать из кустов весла.

— Пришел молить вашего святого благословения, — тоненьким тенорком молвил Пелагий.

Брат Клеопа сначала удивился, однако по своему нынешнему состоянию души и тела был более склонен не к изумлению, а к раздражительности, поэтому замахнулся на мальчишку увесистым кулачиной.

— Шутки шутить? Я те дам благословение, щенок рыжий! Я те щас второй глаз подобью!

Монашек отбежал на несколько шагов, но не ушел.

— А я вам думал полтинничком поклониться, — сказал он и точно — достал из рукава серебряную монету, показал.

— Дай-ка.

Лодочник взял полтинник, погрыз желтыми прокопченными зубами, остался доволен.

— Ну чего тебе, говори.

Послушник застенчиво пролепетал:

— Мечтание у меня. Хочу святым старцем стать.

— Старцем? Станешь, — пообещал подобревший от серебра Клеопа. — Лет через полста всенепременно станешь, куда денешься. Если, конечно, раньше не помрешь. А что до святости, то ты вон и так уже в подряснике, хоть и совсем цыпленок еще. Как тебя звать-то?

— Пелагием, святой отец.

Клеопа задумался, видно, припоминая святцы.

— В память святого Пелагия Лаодикийского, коий убедил жену свою благоверную почитать братскую любовь выше супружеской? Так ему сколько годов-то было, святому Пелагию, а ты еще и жизни не видал. Чего тебя, малоумка, в монахи понесло? Поживи, погреши вдосталь, а там и отмаливай, как мудрые делают. Вон в скиту, — кивнул он в сторону острова, — старец Израиль — обстоятельный мужчина. Погулял, курочек потоптал, а ныне схиигумен. И на земле хорошо пожил, и на небе, близ Отца и Сына, местечко себе уготовил. Вон как надо-то.

Карие глаза монашка так и загорелись.

— Ах, если б мне на святого старца хоть одним глазком взглянуть!

— Сиди, жди. Бывает, что на бережок выходит, только редко — уж силы не те. Видно, вознесется скоро.

Пелагий наклонился к лодочнику и прошептал:

— Мне бы вблизи, а? Свозили бы меня на остров, отче, а я бы век за вас Бога молил.

Клеопа слегка отпихнул мальчишку, отвязывая конец.

— Ишь чего захотел! За такое знаешь что?

— Совсем никак невозможно? — тихонечко спросил рыжеволосый и показал из белого кулачка уголок бумажки.

Брат Клеопа пригляделся — никак рублевик.

— Не полагается, — вздохнул он с сожалением. — Узнают — скудной не миновать. На неделю, а то и на две. Я на хлебе да воде сидеть не могу, от воды у меня башка пухнет.

— А я слыхал, будто по нынешним временам никто из братии кроме вас на остров плавать все равно не насмелится. Не посадят вас в скудную, отче. Да и как узнают? Тут ведь нет никого.

И бумажку свою прямо в руку подпихивает, искуситель.

Взял Клеопа тинник, посмотрел на него, задумался.

Тут вдруг и вторая бумажка образовалась, словно сама по себе.

Рыжий бесенок ее насильно всунул в нерешительные пальцы лодочника.

— Одним глазочком, а?

Монах развернул обе кредитки, любовно погладил, тряхнул сивыми патлами.

— А у тебя двумя глазочками и не получится, гыгы! — заржал Клеопа, очень довольный шуткой. — Где физию-то обустроил, а? С мастеровыми, поди, помахался? Тихий-тихий, а видно, что шельма. Из-за девок? Ох, ненадолго ты в послушниках, Пелагий. Выгонят. Скажи, с мастеровыми? Из-за девок?

— Из-за них, — потупив взор, сознался монашек.

— То-то. «Святым старцем стать хочу», — передразнил Клеопа, пряча полтинник и бумажки в пояс. — И на остров-то, поди, из озорства восхотел? Не ври, правду говори!

— Так ведь любопытственно, — шмыгнул носом Пелагий, окончательно входя в роль.

— А денег-то откуда столько? Из пожертвований натырил?

— Нет, отче, что вы! У меня тятенька из купечества. Жалеет, присылает.

— Из купечества — это хорошо. За проказы в монастырь загнал? Ничего, раз жалеет, то смилостивится, обратно примет, ты жди. Ну вот что, Пелагий. — Лодочник оглядел пустынный берег, решился. — Вообще-то был случай в прошлом годе. Ободрал я себе всю десницу об морду отца Мартирия — зубья он, пес смердящий, под кулак выставил. Так руку разнесло — грести невмочь. Сторговался с Иезикилем-подметальщиком, чтоб пособил: я на одном весле, он на другом... Три дни так плавали. Эх, была не была. Увидят — скажу, снова рука заболела. Залезай!

А сам уж от исподнего полосу оторвал и на руку наматывает.

Сели на весла, поплыли.

— Только гляди у меня, — строго предупредил
Клеопа. — Из лодки на остров ни ногой. Туда ступать
одному мне дозволено. И слушай в оба уха, что старец
изречет — у меня башка стала дырявая, а повторять
он не станет. Иной раз, честно сказать, пока до отца
эконома дойду, забываю. Тогда вру что на ум взбредет.

Пелагий, гребя, всё поглядывал через плечо на медленно подплывающий Окольний остров. Там было пусто, бездвижно: черные камни, блеклая серая трава,
прямые сосны торчали на макушке холма, словно встав-
шие дыбом волосы.

Лодка ткнулась носом в песок. Брат Клеопа взял
корзинку с провизией, соскочил на берег. Напарнику
погрозил пальцем: тихо, мол, сиди.

Послушничек перевернулся на скамье, подпер руками подбородок, раскрыл глаза широко-широко —
одним словом, приготовился.

И увидел, как один из черных валунов вдруг ше-
вельнулся, будто разделившись на две части, большую
и поменьше. Та, что поменьше, распрямилась и пред-
стала глухим черным мешком, сверху остроконечным,
снизу пошире.

Мешок медленно двинулся вниз, к полосе прибоя.
Пелагий разглядел две руки, посох, белую схиигумен-
скую кайму вдоль облачения и под самой верхушкой
куколя — череп со скрещенными костями. Рука отрока сама потянулась перекреститься.

Лодочник привычными движениями выложил на
плоский камень привезенное: три малых хлеба, три
глиняных крынки, мешочек соли. Потом подошел к
старцу, ткнулся губами в желтую костлявую руку и
был благословлен крестным знамением.

Пелагий сидел в лодке, весь съежившись. Череп с костями, конечно, смотрелся жутко, но хуже всего были дырки на закрытом лице, сквозь которые смотрели два блестящих глаза — прямо на послушника. Но и того безликому старцу Израилю показалось мало. С трудом ступая, он подошел к самой лодке, встал напротив оробевшего монашка и некоторое время разглядывал его в упор — должно быть, отвык видеть иных посланцев из внешнего мира кроме Клеопы.

Лодочник пояснил:

— Это я руку зашиб, одному не угрести.

Схимник кивнул, по-прежнему глядя на новичка. Тогда Клеопа, кашлянув, спросил:

— Какое будет нынче речение?

Пелагию показалось, что черный человек вздрогнул, словно выйдя из задумчивости или оцепенения. Повернулся к монаху, и раздался низкий, сипловатый голос, очень ясно, с промежутками между словами, проговоривший:

— Ныне — отпущаеши — раба — твоего — смерть.

— Ох ты, Господи, — испугался чего-то Клеопа и суетливо закрестился. — Ну теперь жди...

Поспешно полез назад в лодку, толкнув ногой берег.

— Чего это, дяденька? — спросил отрок, оглядываясь на святого старца (тот опирался на посох, стоял неподвижно). — Это он что такое про смерть сказал, а?

— Леший тебе «дяденька», — огрызнулся озабоченный чем-то Клеопа. — Налегай на весло-то, налегай! Вот те на, вот те и сплавали!

И только уже у самого ханаанского берега объяснил:

— Если сказано: «Ныне отпущаеши раба твоего» — стало быть, один из схимников преставился. Завтра на его место другого повезу. Заждался уж отец Иларийто. Нынче же вечером отпоют его и в Прощальную часовню отведут, в одиночестве с миром прощаться — куколь зашивать, дырки в нем резать. А чуть свет повезу живого к мертвым... Эх, и что людям на свете не живется! — Клеопа покачал косматой башкой. — Но старец-то, Израиль-то, каков! Это он, считай, семерых уже пережил. Знать, богато нагрешил, не допускает пока к Себе Господь. Кто ж у них преставился-то? Старец Феогност или старец Давид? Как речено было, в точности?

— «Ныне отпущаеши раба твоего смерть», — повторил Пелагий. — А «смерть»-то зачем прибавлена?

Клеопа шевелил губами, запоминая. На вопрос только плечами пожал: не нашенского ума дело.

Ну что еще рассказать о происшествиях этого дня?

Разве что про домик бакенщика, хотя это будет уж совсем непонятно.

Распрощавшись с лодочником, Пелагий обратно в город пошел не сразу, а сначала прогулялся бережком до одинокой бревенчатой избушки — той самой, недоброй, что уже не раз возникала в нашем повествовании. Идти от Постной косы было всего ничего: сотню шагов до Прощальной часовни, да потом еще шагов полтораста.

Послушник обошел неказистый домик кругом, заглянул внутрь через пыльное окошко. Щекой прижался к стеклу, стал водить пальцем по грубо накарябанному восьмиконечному кресту. Сказал одно-единственное слово: «Ага».

Потом вдруг сел на корточки, принялся шарить руками в лебеде. Поднес к лицу какую-то мелкую штуковинку (свет осеннего дня уже мерк, и видно было неважно). Сказал второй раз: «Ага».

Оттуда отрок что-то очень уж безбоязненно направился к заколоченной двери, подергал. Когда дверь хоть и со скрипом, но довольно легко отворилась, внимательно рассмотрел торчащие из створки гвозди. Сам себе кивнул.

Вошел внутрь. В полумраке было видно грубый стол, на нем — раскрытый гроб, крышка которого валялась на полу. Послушник пощупал домовину так и этак, зачем-то водрузил крышку на место и легонько прихлопнул сверху. Гроб закрылся наплотно, с хрустом.

Юнец подошел к окну, где лежали два мешка с соломой. Зачем-то поставил их один на другой. Потом, озабоченно поглядывая на быстро тускнеющий свет в окне, встал на лавку и повел ладонью по гладко обтесанным бревнам стены. Начал сверху, под потолком, затем прошел следующий ряд, ниже, еще ниже. Закончив таинственные манипуляции у одной стены, перешел к следующей и занимался этим странным делом долго.

Когда стекло зарозовело последними отблесками заката, Пелагий в третий раз произнес свое «ага!» — теперь еще радостней и громче, чем прежде.

Вынул из-за пазухи вязальную спицу, поковырял ею в бревне, извлек пальцами нечто совсем уже крошечное, размером не более вишенки.

Долее этого в избушке задерживаться не стал.

Быстро зашагал по пустынной дорожке к Новому Арарату и полчаса спустя уже был на набережной, близ автоматов со святой водой.

Сначала прошелся мимо (людновато было), потом улучил момент и — шасть в щель меж павильоном и забором.

А еще минут через десять на променад вышла скромная молодая дама в черном богомольном платочке, завязанном прямо по глаза — предосторожность, пожалуй, излишняя, ибо по вечернему времени синяка все равно было бы не видно.

Кое-что проясняется

Вечером у себя в комнате Полина Андреевна написала письмо.

Владыке Митрофанию света, радости, силы.

Если Вы, отче, читаете это мое письмо, значит, меня постигла беда и я не получила возможности рассказать вам всё на словах. Хотя что такое «беда»? Может, то, что у людей принято называть «бедой», на самом деле есть радость, потому что когда Господь призывает к Себе одного из нас, то что же в этом дурного? Даже если и не призывает, а подвергает какому-нибудь тяжкому испытанию, то и этому тоже печалиться нечего, ведь для того мы и рождены на свет — испытание пройти.

Ах, да что же это я Вам, пастырю, про очевидное проповедую! Простите меня, глупую.

А пуще того простите за мой обман, за своеволие и бегство. За то, что похитила все Ваши деньги, и за то, что часто раздражала Вас своим упрямством.

Ну вот, а теперь, когда Вы меня простили (да и как вам меня не простить, если со мной приключилась беда?), перехожу прямо к сути, ибо записать надо многое, а нынче ночью у меня еще дело. Но про дело — в самом конце. Сначала изложу всё по порядку, как Вы любите (то есть не «по-бабьи», а «по-мужски»): что слышала от других; что видела собственными глазами; какие из всего этого делаю выводы.

Что слышала.

Черного Монаха на Ханаане по ночам видели уже многие. Одних Василиск пугает внезапным появлением, другие пугаются сами, завидев его издали, куда-то крадущегося или спешащего. Подобных историй я подслушала в городе и монастыре, наверное, с дюжину. Общее мнение среди монахов и местных жителей такое: с Василисковым скитом нечисто, ибо кто-то из схимников продал душу Врагу Человеков, отчего место это сделалось проклятым, так что надобно старцев оттуда вывезти, а Окольний остров объявить гиблым и выморочным, запретить там высаживаться и даже подплывать близко.

Скажу сразу, что всё сие — полнейшая чушь. Святой Василиск с небес не сходил, а безмятежно пребывает близ Престола Господня, где ему и надлежит. Ничего мистического в этой истории нет, а есть одно лишь злонамеренное надувательство. Ныне, к исходу второго дня пребывания на Ханаане, я совершенно убедилась, что явления Черного Монаха — не более чем ловкий, изобретательный спектакль.

Что видела.

Секрет «водохождения» раскрывается просто. Между четвертым и пятым камнями, что торчат из воды за концом Постной косы, я нащупала под водой обычную деревянную скамью. Она спрятана на мелководье, положенная боком. Если установить ее на окованные железом ножки, то доска приходится на дюйм ниже поверхности воды. Ночью, даже с малого расстояния, непременно покажется, что расхаживающий по этой скамье запросто гуляет по водам. Про «неземное сияние», якобы окутывающее

Василиска, достоверно ничего утверждать не могу, однако полагаю, что сильный электрический фонарь, если держать его за спиной и внезапно включить, даст примерно тот самый эффект: четко обрисует силуэт и разольется в темноте ярким рассеянным светом. На монахов, которые до смерти перепуганы «водохождением» и вряд ли когда-нибудь видели электрическое освещение, этот нехитрый трюк должен производить изрядное впечатление. Да, возможно, и не только на монахов, а на всякого человека с воображением либо склонностью к мистике. Представьте: ночь, луна, неестественно яркий свет, черная фигура без лица, парящая над водами. Я на суше-то ее встретила, и то вся поледенела! Нет, это я уже перескакиваю и получается «по-бабьи». О своей встрече с «Василиском» я лучше потом напишу.

Теперь про известную вам из Алешиного письма избушку бакенщика, где погиб Феликс Станиславович и где лишились рассудка Алексей Степанович и Матвей Бенционович.

Там злоумышленник проделал трюк похитрей, чем на косе, но тоже обошлось без мистики.

Крест на стекле нацарапан обыкновенным железным гвоздем — я нашла его в траве под окном. Когда преступник среди ночи показал в окне схимнический колпак с дырками да заскрипел железом по стеклу, немудрено, что у бедной жены бакенщика с перепугу случился выкидыш.

А с Вашими посланцами злодей поступал так.

Прятался в темной комнате. Возможно, для отвлечения внимания ставил у окна чучело в остроконечном куколе — во всяком случае, я обнаружила там два мешка соломы, которым в избе быть незачем. Когда вошедший, заметив неподвижный силуэт, поворачивался в ту сторону всем телом, разбой-

ник бил его сзади тяжелым по голове. Отсюда и
«шишка на дюйм правее макушки», про которую я
вычитала в протоколе осмотра останков Феликса Станиславовича. И дело тут вовсе не в конвульсивных
ударах об пол, как предположил делавший описание
Матвей Бенционович. Сам Бердичевский, а ранее
того несомненно и Ленточкин, прибежав в лечебницу, тоже имели на голове следы ушибов, чему доктор Коровин не придал особенного значения, ибо у
обоих имелось на теле и множество иных повреждений: ссадины, царапины, синяки. Рассказывая о Бердичевском, доктор упомянул ободранные пальцы и
сломанные ногти. Это и помогло мне восстановить
картину злодейства.

Оглушив свою жертву, злоумышленник клал ее в
гроб (там на столе гроб, сколоченный бакенщиком для
себя, но оставшийся невостребованным, поскольку
утопленника так и не нашли) и закрывал сверху кры-
кой. Я приложила ее на место и увидела, что гвозде-
вые отверстия расшатаны — кто-то уже выбивал крышку
сильными ударами снизу. Полагаю, что это происходило дважды: сначала в гробу бился погребенный заживо Алеша, потом — Матвей Бенционович.

Любой, даже самый крепкий рассудок не выдер-
жит подобного испытания — тут расчет преступника
был верен. Да он еще и не удовлетворился сделан-
ным, о чем скажу ниже.

Сначала про Лагранжа. С Феликсом Станиславо-
вичем у нападавшего, видимо, вышла осечка. То ли
голова у полицмейстера оказалась слишком крепкая,
то ли еще что, но только сознания полковник не потерял и, очевидно, вступил со злодеем в единоборство.
Тогда преступник убил его выстрелом в упор.

Да-да, Лагранж — не самоубийца, а невинно уби-
енный, что должно Вас порадовать. Вот чем объяс-

няется странное расположение пулевого канала — снизу вверх и слева направо. Именно так прошла бы пуля, если бы кто-то, кого полковник, предположим, сжимал руками за плечи или за горло, выстрелил с правой руки, снизу.

Памятуя о том, что пули в трупе не обнаружено и, стало быть, она прошла навылет, я осмотрела верхушки стен и нашла то, что искала. Теперь у нас есть неопровержимое доказательство убийства.

Пуля, которую я извлекла из бревна, не 45-го калибра, как в «смит-вессоне» полицмейстера, а 38-го и выпущена из револьвера системы «кольт», что я сверила по своему баллистическому учебнику. После убийства преступник выпалил из оружия своей жертвы на воздух и вложил «смит-вессон» в руку полковника, имитируя самоубийство.

Теперь возвращаюсь к нашим друзьям, которых злодей не убил, а свел с ума, что, пожалуй, еще ужасней. Если б Вы только видели, в какую насмешку над человеком превратился насмешливый Алексей Степанович; как мало ума осталось в умнейшем Матвее Бенционовиче! Грех такое говорить, но мне, наверное, менее мучительно было бы видеть их бездыханными...

Отвратительней всего в лже-Василиске то, что он не удовлетворился своей расправой и не оставил несчастных безумцев в покое.

Из смутных слов Алеши Ленточкина можно заключить, что «фантом» продолжает являться к нему и ныне. Что же до Бердичевского, то я сама стала свидетельницей и даже жертвой очередной попытки преступника окончательно растоптать в душе Матвея Бенционовича еще тлеющую искру рассудка.

Вчера ночью я видела Черного Монаха собственными глазами. Ах, как же это было страшно! Он явился, разумеется, не для того, чтобы пугать меня — ему был нужен Бердичевский. Оглушив меня ударом по голове (чувствуется сноровка), злодей скрылся неузнанным. И все же именно это столкновение вправило мне мозги, и я принялась искать не дьявола, но человека, хоть и не столь отличного от Нечистого.

Я не сразу догадалась, чем он нанес удар, находясь на довольно значительном от меня расстоянии. А потом вспомнила одну историю, рассказанную мне доктором, и некую картину, нарисованную здешним художником (вот с кем бы Вам потолковать, вот кого бы вразумить!), и сразу всё поняла.

«Василиск» ударил меня ходулей — такой, какие на ярмарке бывают. Сейчас долго и ни к чему объяснять, откуда в лечебнице взялись ярмарочные ходули, но ясно одно: преступник использовал их, чтобы заглянуть в окно второго этажа, где ранее содержался Бердичевский — всё с той же целью: запугать, добить. Однако вчера ночью Матвея Бенционовича переместили со второго этажа на первый, а Василиск всё равно прихватил с собой ходули. Получается, что Черный Монах про перемещение не знал? Тогда какая же он сверхъестественная сила?

И теперь выводы.

Кто скрывается под личиной разгневанного Василиска, мне неизвестно, однако предположение относительно цели его злых деяний у меня имеется.

Этот человек (именно человек, а не существо из иного мира) хочет упразднить Василисков скит и почти преуспел в своем намерении.

Зачем? Вот самый главный вопрос, и ответа на него у меня пока нет, есть лишь едва намеченные версии. Некоторые из них покажутся вам совсем не-

вероятными, но, быть может, и они пригодятся, если
Вам придется доканчивать дело без меня.

Начну с самого настоятеля отца Виталия. Скит
ему — досадная помеха, ибо в экономическом смысле утратил свое назначение (уж простите, что я пишу
в этаких терминах, но полагаю, что примерно так рассуждает сам архимандрит), а в смысле честолюбия,
которого у высокопреподобного более чем довольно, скит даже мешает, затеняя свершения ново-араратского правителя, в самом деле весьма значительные. Прибыль от четок, на которую ранее
существовала братия, нынче смехотворна и не может идти ни в какое сравнение с прочими источниками дохода. Главной приманкой для богомольцев скит
тоже быть перестал, ибо состоятельные паломники,
каких привечает отец Виталий, более ценят здоровый воздух, целебные воды и живописные лодочные
катания. По мнению архимандрита, Окольний и его
святые насельники лишь смущают умы братии, отвлекают ее от деятельного труда и косвенно подрывают авторитет настоятельской власти, ежечасно
напоминая о том, что есть и иная Власть, несравненно выше архимандритовой. Виталий нравом крут,
даже жесток. До какой степени простирается его власто- и честолюбие — Бог весть.

Другая вероятность — заговор среди монахов,
недовольных хозяйственной истовостью Виталия в
ущерб духовному служению и душеспасению. То, что
у высокопреподобного среди старшей братии есть
негласная партия противников (для краткости назову их «мистиками»), не вызывает сомнений. Возможно, некоторые из «мистиков» задумали распугать паломников и подорвать авторитетность Виталия перед
иерархами — к примеру, перед Вами. Тогда, возможно, лицедейство с Черным Монахом призвано изба-

вить Новый Арарат от суеты и многолюдства. Известно, до какого коварства и даже изуверства может дойти превратно истолкованное благочестие — история религии изобилует подобными грустными примерами.

Возможно также, что виновником является один из схимников, обитающих на острове. Зачем и почему, не берусь даже предполагать, ибо пока про жизнь святых старцев почти ничего не знаю. Однако все смутные события так или иначе связаны именно со скитом и вращаются вокруг него. Значит, нужно заниматься и этой версией. Я была сегодня на Окольнем (да-да, не сердитесь), и схиигумен Израиль загадал загадку, смысл которой мне неясен. Надо будет наведаться туда еще.

Теперь два вероятия совсем иного, нецерковного направления.

Любопытный тип — доктор Донат Саввич Коровин, владелец и управитель лечебницы. Этот миллионщик-филантроп очень уж непрост, охоч до всяких игр и опытов над живыми людьми. С него, пожалуй, сталось бы затеять этакую мистификацию в каких-нибудь исследовательских видах: скажем, изучить воздействие мистического потрясения на разные типажи психики или еще нечто в этом роде. А после статью в каком-нибудь «Гейдельбергском психиатрическом ежегоднике» напечатает, дабы поддержать репутацию светила — на мой непросвещенный взгляд, не больно-то заслуженную (лечит-лечит своих пациентов, да что-то никак не вылечит).

И, наконец, в «Василиска» может играться кто-то из коровинских пациентов. Люди это всё неординарные, содержатся вольно. Их всего двадцать восемь (ныне с Алексеем Степановичем и Матвеем Бенционовичем тридцать), и я видела всего нескольких. Надо бы их изучить повнимательнее, только не знаю, как к сему подступиться. Я с Донатом Саввичем в ссоре, которую сама же и устроила. Но трудность не в том — помириться было бы нетрудно. До тех пор, пока у меня с лица последствия знакомства с Черным Монахом не сойдут, на глаза Коровину мне лучше не показываться. Для него я — обычная хорошенькая женщина (вероятно, на здешнем безрыбье), а какая может быть хорошесть, если пол-лица заплыло. Мужчины так уж устроены, что с уродкой и разговаривать не станут.

Так и вижу, как в этом месте на Вашем лице возникла ироническая улыбка. Не буду лукавить, всё равно Вы видите меня насквозь. Да, мне неприятна мысль, что Донат Саввич, глядевший на Полину Андреевну Лисицыну особенным образом и расточавший ей комплименты, увидит ее в таком безобразии. Грешна, суетна, каюсь.

Вот дописываю последние строчки и ухожу.

Ночь сегодня какая нужно — лунная. Именно в такие «Василиск» и появляется у Постной косы. План мой прост: затаюсь на берегу и попробую выследить мистификатора.

Если прогуляюсь впустую, с завтрашнего дня займусь схиигуменом и Окольним островом.

Ну а коли случится так, что прогулка закончится вышеупомянутой бедой, уповаю лишь на то, что к Вашему преосвященству попадет это мое послание.

Ваша любящая дочь Пелагия.

Страшное видение

Дописав письмо, Полина Андреевна посмотрела в окно и озабоченно нахмурилась. Небо, еще недавно ясное, сплошь залитое равнодушным лунным сияньем, меняло цвет: северный ветер натягивал от горизонта к середине черный занавес облаков, укрывая ими бездонную звездную сферу. Нужно было спешить.

Лисицына хотела оставить письмо владыке на столе, но вспомнила о любознательной прислуге. Подумала-подумала, да и спрятала листки в мешочек для вязанья, висевший у нее на груди. Рассудила так: коли уж ее постигнет судьба Лагранжа или, не приведи Господь, Ленточкина с Бердичевским (здесь Полина Андреевна содрогнулась), письмо-то все равно никуда не денется. Еще раньше к преосвященному попадет. А если архиерею не суждено подняться с одра тяжкой болезни (она горько вздохнула), пускай полицейское начальство разбирается.

Дальше действовала быстро.

Накинула плащ с капюшоном, подхватила саквояж и вперед, в ночь.

На набережной теперь было совсем пусто, в заколоченный павильон расследовательница попала безо всякой задержки. И вскоре по дорожке, что вела от Нового Арарата к Постной косе, уже шагал, ежась под студеным ветром, худенький монашек в черном развевающемся подряснике.

Небо темнело все стремительней. Как Пелагий ни ускорял шаг, а глухой занавес подбирался к безмятежному лику ночного светила все ближе и ближе.

В связи с неотвратимо надвигающимся мраком послушника тревожили два соображения. Не будет ли вылазка тщетной, не передумает ли злоумышленник представлять Василиска? А если все же появится, не следовало ли прихватить с собой лагранжев револьвер? Зачем ему без пользы лежать в саквояже, меж железными ящиками? С ним на пустынном темном берегу было бы куда как спокойнее.

Глупости, сказал себе Пелагий. Не будет от оружия никакой пользы. Не стрелять же в живую душу ради спасения собственной жизни? И думать про револьвер монашек перестал, теперь тревожился уже только из-за луны, которая укрылась-таки за тучу.

Любой из ханаанских старожилов рассказал бы Пелагию, что при северном ветре луна обречена и уже нипочем не выглянет, разве что на несколько кратких мгновений, да и то не вчистую, а сквозь какое-нибудь неплотное облачко. Однако побеседовать с опытными людьми о прихотях синеозерской луны послушнику не довелось, и потому на серебристо-молочный свод он взирал все же с некоторой надеждой.

У начала косы Пелагий согнулся в три погибели, прижимаясь к самой земле. Пристроился у большого камня и затих — стал смотреть туда, где душегуб хитроумно укрыл свою скамейку.

С каждой минутой ночь становилась всё темнее. Сначала еще было видно поверхность озера, хмурившегося всеми своими морщинами на остервенелость северного ветра, но скоро отблески на воде погасли, и теперь близость большой воды угадывалась лишь по плеску да свежему и сырому запаху, будто неподалеку разрезали небывалых размеров огурец.

Монашек сидел, обхватив себя за плечи, и разочарованно вздыхал. Какой уж тут Василиск? Походи-ка по водам, если они не лежат гладко, а ерепенятся — этак весь эффект пропадет.

По-хорошему, нужно было уходить, возвращаться в пансион, но Пелагий всё что-то медлил, не решался. То ли от упрямства, то ли чутье подсказало.

Потому что когда отрок совсем уж продрог и приготовился сдаться, была ему за долготерпение награда.

В небесном занавесе обнаружилась прореха, отыскала-таки луна ветхое облачко и на несколько мигов осветила озеро — тускло, кое-как, но все же достаточно, чтобы взору наблюдателя открылось жуткое зрелище.

Посреди неширокого пролива, что отделял большой остров от малого, Пелагий увидел качающийся меж волн стручок лодки, а в ней стоймя черную фигуру в остром куколе. Фигура согнулась, подняла что-то светлое, мягкое и перевалила через борт.

Послушник вскрикнул, ибо явственно разглядел две голые, тощие, безвольно болтнувшиеся ноги. Вода сомкнулась над телом, а в следующую секунду сомкнулась и небесная прореха.

Пелагий сам не знал, не померещилась ли ему этакая чертовщина? И очень просто, от темноты да неверного света.

Но здесь в голову монашку пришла мысль, от которой он аж вскрикнул.

Подобрал края подрясника, так что забелели оборки дамских панталон, и рысцой побежал от берега вглубь острова.

Пока бежал, бормотал слова сумбурной, наскоро составленной молитвы: «Избави, Боже, агнца от зуб волчьих и от муж крови! Да воскреснет Бог, и да расточатся врази Его, и да бежат от лица Его ненавидящие Его!»

Вот башмаки застучали по кирпичу мощеной дороги, но легче бежать не стало — земля понемногу поднималась вверх, и чем дальше, тем круче.

У края сосновой рощи, где начинались коровинские владения, бегущий перешел на шаг, ибо совсем выбился из сил.

Окна домиков были темны, скорбные духом пациенты спали.

Не столько увидев, сколько угадав над плотной стеной кустов стеклянную кровлю оранжереи, Пелагий снова побежал

Ворвавшись внутрь, отчаянным, срывающимся голосом крикнул:

— Алексей Степаныч! Алеша!

Тишина.

Заметался меж пышных зарослей, вдыхая разинутым ртом дурманные тропические ароматы.

— Алешенька! Отзовись! Это я, Пелагия!

Из угла потянуло холодом. Монашек повернул в ту сторону, вглядываясь во мрак.

Сначала под ногами захрустели стеклянные осколки, а уж потом Пелагий разглядел огромную дыру, проломанную прямо в прозрачной стене оранжереи.

Осел на землю, закрыл руками лицо.

Ох, беда.

Гулливер и лилипуты

«Еще придешь? Ты приходи. А то скоро он меня заберет. Придешь?» Голос Алеши Ленточкина, особенно детская, исполненная робкой надежды интонация, с которой было произнесено последнее слово, так отчетливо запечатлелись в памяти, так терзали душу теперь, когда ничего уже изменить было нельзя, что Пелагий зажал уши. Не помогло.

Не преступника нужно было выслеживать, а бедного Алексея Степановича спасать, быть все время рядом, оберегать, успокаивать. Ведь ясно было (да и в письме Митрофанию прописано), что не отступится лиходей от своих жертв, домучает их, добьет. Как можно было не разобрать в Алешином лепете мольбу о помощи?

Несколько времени погоревав и показнившись подобным образом, Пелагий со вздохом поднялся с земли, отряхнул с подола приставшую стеклянную крошку и двинулся в обратный путь.

Пускай Коровин узнает о пропаже своего пациента утром — от садовника. Нечего тратить время на лишние объяснения, да и неизвестно еще, какую роль играет доктор во всей этой истории. И голову ломать о произошедшем сейчас тоже незачем, и так уж она чуть не лопается, бедная голова. Лечь в постель и заснуть, постараться. Утро вечера мудренее.

То вздыхая, то всхлипывая, послушник добрел по ночной дороге до города. Пробрался в павильон, чтобы вернуться из мужского состояния в женское.

Только снял скуфью и подрясник, только потянул из саквояжа свернутое платье, как вдруг свершилось невероятное.

Один из громоздких железных шкафов волшебным образом отделился от стены и двинулся прямо на Полину Андреевну. Она сидела на корточках, остолбенело глядела снизу вверх на этакое чудо и даже испугаться толком не успела.

А пугаться было чего. Автомат заслонил собою светлое пятно двери, и госпожа Лисицына увидела — нет, не шкаф, а огромный силуэт в черной монашеской рясе.

Прижав руки к рубашке (кроме белья и панталон в этот момент на Полине Андреевне ничего больше не было), она дрожащим голосом проговорила:

— Я тебя не боюсь! Я знаю, ты не призрак, а человек!

И сделала то, на что вряд ли решилась бы, будь она
в смиренном монашеском наряде, — распрямилась во
весь рост, да на цыпочки привстала и ударила кош-
марное видение кулаком туда, где должно было находиться лицо, а потом еще и еще.

Кулачок у госпожи Лисицыной был небольшой, но
крепкий и острый, однако удары не произвели никакого действия, Полина Андреевна только костяшки
оцарапала обо что-то колючее и жесткое.

Гигантские лапищи схватили воительницу за руки,
свели их вместе. Одна пятерня зацепила оба тонких
запястья, другая с неописуемой ловкостью обмотала
их бечевкой.

Обезручев, Полина Андреевна не сдалась — стала
лягаться, норовя попасть противнику по коленке, а если
получится, то и выше.

Нападавший присел на корточки, причем оказался
ненамного ниже стоявшей дамы, и несколькими быст-
рыми движениями спутал ей лодыжки и щиколотки.
Лисицына хотела отпрянуть, но от невозможности пе-
реступить с ноги на ногу повалилась на пол.

Теперь оставалось только прибегнуть к последнему
женскому оружию — крику. Пожалуй, и с самого начала так следовало бы, чем кулачками размахивать.

Она раскрыла рот пошире, чтоб позвать на помощь — вдруг по набережной идет дозор мирохранителей или просто поздние прохожие, но невидимая
рука засунула ей между зубов грубую, противно кис-
лую тряпку, а чтоб кляп было не выплюнуть, еще и
повязала сверху платком.

Потом муж силы легко приподнял беспомощную
пленницу, взяв за шею и связанные ноги, будто какую
овцу, и кинул на расстеленную рогожу, которую По-

лина Андреевна заметила лишь теперь. Хорошо подготовившийся злодей перекатил лежащее тело по полу, одновременно заматывая рогожу, и госпожа Лисицына за секунду превратилась из неодетой дамы в какой-то бесформенный тюк.

Глухо мычащий, шевелящийся сверток был поднят в воздух, перекинут через широкий, как конская спина, загривок, и Полина Андреевна почувствовала, что ее куда-то несут. Покачиваясь в такт широким мерным шагам, она сначала еще пыталась биться, издавать протестующие звуки, но в тесном куле особенно не потрепыхаешься, да и стоны, приглушенные кляпом и грубой мешковиной, вряд ли могли быть кем-то услышаны.

Скоро ей сделалось плохо. От прилива крови к свесившейся голове, от тошнотворной качки, а более всего от проклятой рогожи, не дававшей как следует вдохнуть и насквозь пропитанной пылью. Полина Андреевна хотела чихнуть, но не могла — попробуйте-ка, с кляпом во рту!

Хуже всего было то, что похититель, кажется, вознамерился утащить свою добычу в какие-то несусветные дали, на самый край света. Он всё шел, шел, ни разу не передохнув, даже не остановившись, и не было конца этому мучительному путешествию. Теряющей сознание пленнице стало мерещиться, что остров Ханаан давно остался позади (потому что негде на нем было разместиться этаким просторам) и что великан марширует по водам Синего озера.

Когда госпожа Лисицына от тошноты и нехватки воздуха уже всерьез собралась лишиться чувств, шаги неведомого злодея из глухих стали скрипучими, а к покачиванию от ходьбы прибавилось еще и дополнительное, как если бы заколыхалась сама земная твердь. Неужто и вправду вода, пронеслось в гаснущем рассудке Полины Андреевны. Но тогда почему скрип?

Здесь тягостное странствие наконец завершилось. Рогожный сверток был безо всяких церемоний брошен на что-то жесткое — не на землю, скорее на дощатый пол. Раздался лязг, скрип проржавевших петель. Потом пленницу снова подняли, но уже не горизонтально, а вертикально, причем головой книзу, и стали опускать то ли в дыру, то ли в яму — в общем, в некое место, расположенное много ниже пола. Полина Андреевна стукнулась макушкой о твердое, после чего куль был отпущен и грохнулся на плоское. Сверху снова заскрипело, заскрежетало, захлопнулась какая-то дверь. Раздался гулкий звук удаляющихся шагов, словно кто-то ступал по потолку, и стало тихо.

Лисицына немножко полежала, прислушиваясь. Где-то близко плескалась вода, и воды этой было очень много. Что еще можно было сказать о месте заточения (а судя по лязгу двери, пленницу явно куда-то заточили)? Пожалуй, оно располагалось не на суше, а на некоем судне, и вода плескалась не просто так — она билась о борта или, может, о причал. Еще напрягшийся слух уловил тихое попискивание, почему-то ужасно Полине Андреевне не понравившееся.

Покончив со сбором первоначальных впечатлений, она приступила к действиям.

Перво-наперво нужно было выбраться из постылой рогожи. Лисицына перевернулась со спины на бок, потом на живот, снова на спину — и, увы, уперлась в стенку. До конца высвободиться не получилось, Полина Андреевна все еще была тесно спеленута, но верхний слой мешковины размотался, так что появилась возможность привлечь еще два органа чувств: обоня-

ние и зрение. От последнего, правда, проку не было —
ничего кроме кромешного мрака глаза узницы не увидели. Что же до обоняния, то пахло в темнице затхлой
водой, старым деревом и рыбьей чешуей. Еще, пожалуй, ржавым железом. В общем, поначалу ясности особенно не прибавилось.

Но минут через десять, когда зрение приспособи-
лось к тьме, обнаружилось, что мрак не такой уж кро-
мешный. В потолке имелись узкие длинные щели,
сквозь которые просачивался пусть скуднейший, немногим лучше черноты, но все же какой-никакой свет.
Благодаря этому темно-серому освещению Полина Андреевна со временем поняла, что лежит в тесном, об-
шитом досками помещеньице — судя по всему, в трюме невеликого рыбацкого суденышка (иначе чем
объяснить въевшийся запах чешуи?).

Посудина, похоже, была совсем ветхая. Щели про-
свечивали не только в потолке, но и кое-где по вер-
хушкам бортов. На высокой волне этакий бронено-
сец наверняка нахлебается воды, а может, и вовсе
потонет.

Однако навигационные перспективы дряхлого суд-
на сейчас заботили госпожу Лисицыну куда меньше,
чем собственная участь. А дело, и без того скверное,
между тем принимало неожиданный и крайне неприятный оборот.

Писк, который был слышен и прежде, усилился, и
на рогоже зашевелилась маленькая тень. За ней другая, третья.

Расширенными от ужаса глазами пленница наблюдала, как по ее груди, медленно пробираясь к подбо-
родку, движется шествие мышей.

Поначалу обитательницы трюма, вероятно, попря-
тались, но теперь решились-таки выйти на разведку,

желая понять, что за гигантский предмет невесть откуда появился в их мышиной вселенной.

Полина Андреевна отнюдь не была трусихой, но маленькие, юркие, шуршащие жители сумеречного подпольного мира всегда вызывали у нее отвращение и необъяснимый, мистический ужас. Если б не путы, она вмиг с визгом выскочила бы из этой мерзкой дыры. А так оставалось одно из двух: либо позорным, а главное, бессмысленным образом мычать и трясти головой, либо призвать на помощь рассудок.

Подумаешь — мыши, сказала себе госпожа Лисицына. Совершенно безобидные зверьки. Понюхают и уйдут.

Тут ей вспомнились крысы, нюхавшие городничего, и Полина Андреевна дополнительно утешила себя еще таким соображением: мыши — это вам не крысы, на людей не набрасываются, не кусаются. В сущности, это даже забавно. Они тоже отчаянно трусят, вон — еле ползут, будто лилипуты по связанному Гулливеру.

С виска скатилась капля холодного пота. Самая храбрая мышь подобралась совсем близко. Глаза настолько свыклись с темнотой, что Полина Андреевна разглядела гостью во всех деталях, вплоть до короткого, обгрызенного хвостика. Гнусная тварь щекотнула усиками подбородок рационалистки, и рассудок немедленно капитулировал.

Забившись всем телом, подавившись воплем, узница перекатилась обратно на середину трюма. От мышей это ее избавило, но зато снова намоталась рогожа. Лучше уж так, сказала себе Лисицына, прислушиваясь к бешеному стуку собственного сердца.

Увы, не прошло и пяти минут, как по мешковине, прямо поверх лица, вновь зашуршали маленькие цепкие коготки. Полина Андреевна представила, что будет, когда та, куцехвостая, проберется внутрь куля, и быстро перекатилась обратно к стене.

Лежала, втягивая ноздрями воздух. Ждала.

И вскоре всё вновь повторилось: писк, потом осторожное шествие по груди. Снова перекатывание по полу.

Через некоторое время образовалась рутина. Пленница сбрасывала с себя незваных гостей, то наматывая, то разматывая мешковину. Мыши, кажется, вошли во вкус этой увлекательной игры, и постепенно промежутки между их визитами делались короче. Полине Андреевне стало казаться, что она превратилась в поезд из арифметического задачника, следующий из пункта А в пункт Б и обратно с все более непродолжительными остановками.

Когда наверху (то есть, надо думать, на палубе) раздались шаги, Лисицына не испугалась, а обрадовалась. Что угодно, только бы прекратился этот кошмарный вальс!

Пришли двое: к тяжелой медвежьей походке, которую Полина Андреевна уже слышала раньше, прибавилась еще одна — легкая, цокающая.

Загрохотал люк, и узница зажмурилась — так ярок ей показался сине-серый цвет ночи.

Императрица Ханаанская

Повелительный женский голос произнес:

— А ну, покажи мне ее!

У Полины Андреевны как раз была остановка в пункте Б., у стены, так что лицо ее было открыто, и она увидела, как сверху вниз спускается приставная лестница.

По перекладинам каблуками вперед загрохотали здоровенные сапожищи, над ними колыхался подол черной рясы.

Ослепительный свет керосинового фонаря заметался по потолку и стенам. Гигантская фигура, занявшая собой чуть не полтрюма, повернулась, и Лисицына узнала своего похитителя.

Брат Иона, капитан парохода «Святой Василиск»!

Монах поставил фонарь на пол и встал рядом с лежащей пленницей, сцепив пальцы на животе.

Женщина, лица которой Полине Андреевне было не видно, присела у раскрытого люка на корточки — зашуршала тонкая ткань, и голос, теперь показавшийся странно знакомым, приказал:

— Размотай ее, я ничего не вижу.

Лидия Евгеньевна Борейко, истеричная гостья доктора Коровина — вот кто это был!

Времени что-либо понять, разобраться в смысле происходящего не хватило. Грубые руки одним рывком вытряхнули узницу из рогожных пелен на пол.

Полина Андреевна кое-как села на колени, потом перебралась на деревянный выступ, опоясывавший всё тесное помещение. В него-то, выходит, она и упиралась, когда перекатывалась туда-сюда по полу, а вовсе не в стенки. Сиденье оказалось жестким, но все же это было достойнее, чем валяться на полу. Хотя какое уж тут достоинство — если ты в одном нижнем белье, руки-ноги связаны и рот тряпьем забит.

Госпожа Борейко спустилась по ступенькам, но не до самого низа, осталась в возвышенной позиции. Из-под черного бархатного плаща виднелось шелковое платье, тоже черное, на шее торжественно поблескивала нитка крупного жемчуга. Полина Андреевна заметила, что коровинская знакомая нынче разодета куда пышнее, чем во время предшествующей встречи: на пальцах посверкивали перстни, на запястьях браслеты, даже вуаль была не обыкновенная, а в виде золотой паутинки — одним словом, вид у Лидии Евгеньевны был прямо-таки царственный. Капитан взирал на нее с восхищением — даже нет, не с восхищением, а с благоговением, как, верно, смотрели на златоликую богиню Иштар древние язычники.

Окинув презрительным взором пребывающую в ничтожестве узницу, госпожа Борейко сказала:

— Взгляни на меня и на себя. Ты — жалкая, грязная, трясущаяся от страха рабыня. А я — царица. Этот остров принадлежит мне, он мой! Над этим мужским царством властвую я, и властвую безраздельно! Каждый мужчина, кто живет здесь, и каждый, кто ступит сюда, становится моим. *Станет* моим, если я только пожелаю. Я Калипсо, я Северная Семирамида, я императрица Ханаанская! Как посмела ты, рыжая кошка, покуситься на мою корону? Узурпаторша! Самозванка! Ты нарочно прибыла сюда, чтобы похитить мой трон! О, я сразу это поняла, когда впервые увидела тебя там, на пристани. Такие, как ты, сюда не наведываются — только тихие, богомольные мышки, а ты огненно-рыжая лиса, тебе понадобился мой курятник!

При упоминании о мышках Полина Андреевна мельком покосилась на пол, но маленькие соучастницы ее недавней кошмарной игры, видно, забились от света и шума по щелям.

— Тебе не нужны араратские святыни! — продолжила свою поразительную речь грозная Лидия Евгеньевна. — Мой раб [здесь она показала на Иону] следил за тобой. Ты не посетила ни одного храма, ни одной часовни! Еще бы, ведь ты приехала не за этим!

Так вот в чем дело, вот в чем разгадка, поздно, слишком поздно поняла расследовательница. Все версии, и правдоподобные, и маловероятные, ошибочны. Истина фантастична, невообразима! Разве можно было представить, что одна из островных обитательниц пожелает провозгласить себя «Ханаанской императрицей»! Так вот почему блистательная госпожа Борейко поселилась на далеком острове, вот почему она отсюда не уезжает! Спору нет, она прекрасна собой, изящна, даже по-своему величественна. Но в Петербурге она была бы одной из многих; в губернском городе — одной из нескольких; даже в уездном захолустье у ней могла бы сыскаться соперница. Здесь же, в этом мужском мирке, соперничать с ней некому. Местное дамское общество отсутствует вовсе, женщины простонародного звания не в счет. А приезжие паломницы настроены на особенный, богомольный лад, ходят с постными лицами, укутываются в черные платки, на мужчин не глядят — да и зачем, если там, откуда они на время уехали замаливать грехи, кавалеров предостаточно.

Борейко выстроила здесь, на острове, свою собственную державу. И у нее есть свой джинн, свой верный раб — капитан Иона. Вот он, Черный Монах, собственной персоной! Стоит с идиотской блаженной улыбкой на выдубленном лице. Этакий безропотно исполнит любую прихоть своей повелительницы, даже преступную. Прикажет она попугать подданных, вселить в их сердца мистический ужас — Иона сделает. Велит убить, свести с ума, похитить — он не задумываясь выполнит и это.

У потрясенной Полины Андреевны сейчас не было времени прозреть до конца возможные мотивы чудовищного замысла, но она твердо знала одно: женское честолюбие непомернее и абсолютнее мужского; если же чувствует с чьей-либо стороны угрозу, то способно на любое коварство и любую жестокость. Разъяренную «императрицу» нужно было вывести из заблуждения относительно намерений псевдопаломницы (уж арарат-ские мужчины, да и вообще мужчины, Полине Андре-евне точно были ни к чему), иначе в озлоблении Ли-дия Евгеньевна совершит еще одно злодеяние. Что уж ей теперь, после всех предыдущих!

Стянутые в запястьях руки потянулись к кляпу, но как бы не так: ловкий моряк соединил ручные путы с ножными, так что дотянуться до тугого узла на затыл-ке было невозможно.

Пленница замычала, давая понять, что хочет выс-казаться. Получилось жалостно, но Лидия Евгеньевна не смилостивилась.

— Разжалобить хочешь? Поздно! Других я тебе еще простила бы, но его — никогда! — Ее глаза сверкнули такой ненавистью, что Полина Андреевна поняла: эта слушать все равно не стала бы, она уже всё для себя решила.

Кого Лидия Евгеньевна отказывалась ей простить, Лисицына так и не узнала, потому что обвинительни-ца гордо подбоченилась, простерла вниз руку жестом римской императрицы, обрекающей гладиатора на смерть, и объявила:

— Приговор тебе уже вынесен и сейчас будет ис-полнен. Иона, ты сдержишь клятву?

— Да, царица, — хрипло ответил капитан. — Для тебя всё, что захочешь!

— Так приступай же.

Иона пошарил в темном углу и извлек откуда-то железный лом. Поплевал на руки, взялся покрепче.

Неужто проломит голову? Полина Андреевна зажмурилась.

Раздался хруст, треск выламываемых досок.

Она открыла глаза и увидела, что богатырь с размаху проломил борт — и, кажется, ниже ватерлинии, потому что в дыру хлынула вода. А капитан размахнулся и ударил снова. Потом еще и еще.

И вот уже из четырех проломов на пол, булькая, потекли черные, масляно посверкивающие струи.

— Довольно, — остановила разрушителя Лидия Евгеньевна. — Хочу, чтобы это длилось подольше. А она пусть воет от ужаса, проклинает день и час, когда посмела вторгнуться в мои владения!

Объявив страшный приговор, госпожа Борейко поднялась по лесенке на палубу. Иона грохотал следом.

Пола было уже не видно — он весь покрылся водой. Полина Андреевна подняла на сиденье ноги, потом с трудом выпрямилась, вжимаясь спиной в борт.

Какая мерзость! Вода выгнала из щелей мышей, и те с перепуганным писком полезли вверх по панталонам приговоренной.

Сверху донесся злорадный смех:

— Вот уж воистину княжна Тараканова! Закрывай!

Лестница уехала в люк, захлопнулась крышка, в трюме стало темно.

Сквозь доски потолка слышался разговор убийц.

Женщина сказала:

— Дождись на берегу, пока не затонет. Потом приходи. Может быть, получишь награду.

Ответом был восторженный рев.

— Я сказала: может быть, — окоротила ликующего Иону Лидия Евгеньевна.

Удаляющиеся шаги. Тишина.

В мире, который для госпожи Лисицыной сейчас сжался до размеров деревянной клетки, не было ничего кроме мрака и плеска воды. Обидней всего гибнущей Полине Андреевне сейчас показалось то, что ее письмо владыке — пускай ошибочное в своей дедуктивной части, но все равно многое растолковывающее и проясняющее — утонет вместе с нею. Так никто и не узнает, что Василиск — не фантом и не химера, а злая игра преступного разума.

И все же нельзя было сдаваться — до самой последней минуты. Лишь когда все человеческие возможности исчерпаны, дозволяется смириться с неизбежным и довериться промыслу Божию.

Только вот возможности связанной и запертой в ловушке Полины Андреевны были куда как немногочисленны.

Вынуть кляп было нельзя, развязать руки тоже.

Так нужно попытаться распутать ноги, сказала она себе. Опустилась на корточки — и точно, пальцы нащупали на щиколотках веревку.

Увы: узлы были непростые, а какие-то особенно мудреные — должно быть, морские — и так сильно стянуты, что ногтями никак не подцепить.

Судя по плеску, вода поднялась уже почти вровень с сиденьем. Где-то совсем близко пищала мышь, но Полине Андреевне сейчас было не до женских страхов. Вцепиться бы в узел зубами! Она скрючилась в три погибели, взялась покрепче за тряпку, что стягивала лицо, потянула книзу — чуть не вывихнула нижнюю челюсть, да еще от рывка в грудь кольнуло чемто острым.

Что это?

Спицы, вязальные спицы. Ведь под рубашкой мешочек с рукодельем.

Лисицына быстро сунула руки снизу под рубашку, нащупала торбочку, а выдернуть спицу было делом одной секунды.

Теперь подцепить узел острым металлическим концом, потянуть, ослабить.

Холодная вода лизала подметки, понемногу просачиваясь внутрь башмаков.

Есть! Ноги свободны!

Руки, правда, развязать не удастся, но зато теперь можно было вытянуть их вверх.

Сначала развязала тугой платок и выдернула изо рта опостылевший кляп. Потом приподнялась на цыпочки, уперлась сцепленными кулаками в крышку.

Ах! Люк был закрыт на засов. Даже теперь из трюма не выбраться!

Но в отчаянии Полина Андреевна пребывала недолго. Она плюхнулась на колени (в стороны полетели брызги), согнулась и стала шарить по полу.

Вот он, лом. Лежит там, где его бросил Иона.

Снова выпрямиться во весь рост, размахнуться — и в крышку, со всей мочи.

Железо проломило трухлявый люк насквозь. Еще несколько ударов, и засов выскочил из пазов. Лисицына откинула дверцу, увидела над собой предрассветное небо. Воздух был скучным, промозглым, но от него пахло жизнью.

Вцепившись пальцами в край отверстия, Полина Андреевна подтянулась, оперлась о край одним локтем, потом другим — не больно-то это было и трудно для гимнастической учительницы.

Когда уже сидела на палубе, заглянула в дыру. Там колыхалась черная, мертвая вода, прибывавшая всё быстрей и быстрей — должно быть, пробоины расширились от напора.

Что это за пятнышко на поверхности?

Присмотрелась — мышь. Единственная уцелевшая, прочие потонули. Да и эта барахталась из последних сил.

Гадливо скривившись, чудодейственно спасенная Полина Андреевна свесилась вниз, подцепила ладонью серую пловчиху (оказалась та самая, корнохвостая) и поскорей отшвырнула подальше от себя, на палубу.

Мышь встряхнулась, будто собачка, даже не оглянулась на свою избавительницу, припустила по трапу на берег.

И правильно сделала — палуба осела уже чуть ли не вровень с озером.

Госпожа Лисицына осмотрелась вокруг. Увидела полузатонувшие баркасы, торчащие из воды мачты, догнивающие на мелководье деревянные остовы.

Кладбище рыбацких лодок и шняк — вот что это было такое, вот куда притащил на погибель свою добычу обезумевший от страсти капитан Иона.

Тут же появился и он сам, легок на помине.

Из блеклого тумана, покачивающегося над берегом, к трапу медленно двигался массивный черный силуэт.

Бег на длинную дистанцию

В глаза Полине Андреевне бросились руки монаха, неторопливо, уверенно засучивающие рукава рясы. Смысл жеста был настолько очевиден, что заново воскресшая сразу перестала вдыхать благословенный запах жизни, а, следуя примеру своей юркой подруги по несчастью, со всех ног бросилась к трапу.

Сбежала по шаткой доске на сушу, нырнула под растопыренную лапищу капитана и припустила по гальке, по камням, а после по тропинке туда, где по ее расчету должен был находиться город.

Оглянувшись, увидела, что Иона топает следом, тяжело грохочет сапогами. Только где ему было угнаться за быстроногой бегуньей! К тому же одно дело — длинная ряса, и совсем другое — легчайшие, не сковывающие движений сатиновые панталоны.

Не вызывало никаких сомнений, что, если бы сейчас происходили олимпийские состязания, эта новомодная европейская забава, медаль за быстроту бега досталась бы не преследователю, а его несостоявшейся жертве.

Госпожа Лисицына оторвалась на двадцать шагов, потом на пятьдесят, на сто. Вот уж и топота почти было не слышно. Однако всякий раз, оглядываясь, она видела, что упрямый капитан всё бежит, бежит и сдаваться не думает.

Тропинка была совершенно пустынна, по обе ее стороны простирались голые луга — ни единого дома, лишь приземистые хозяйственные постройки — темные, безлюдные. Кроме как на собственные ноги, рассчитывать было не на что.

Ноги исправно отталкивались от упругой земли: раз-два-три-четыре-вдох, раз-два-три-четыре-выдох, но вот руки мешали чем дальше, тем больше. Согласно английской спортивной науке, правильный бег предполагал зеркальную отмашку, энергическое участие локтей и плеч, а какая уж тут отмашка, какое участие, если связанные запястья прижаты к груди.

Потом, когда тропинка начала понемногу подниматься вверх, перестало хватать дыхания. В нарушение правильной методы, Полина Андреевна дышала уже и ртом, и носом, да не с четвертого шага на пятый, а как придется. Несколько раз споткнулась, еле удержалась на ногах.

Топот сапог понемногу приближался, и Лисицыной вспомнилось, что новейший олимпийский артикул предусматривает кроме спринтинга, то есть бега на малое расстояние, еще и стайеринг, соревнование на длинную дистанцию. Похоже было, что в стайеринге победа скорее досталась бы брату Ионе.

Туман растаял, да и рассвет потихоньку набирал силу, так что наконец стало видно, какую именно дистанцию предстоит одолеть. Слева, в версте, если не в полутора, сонно серел колокольнями город. Так далеко выбившейся из сил Полине Андреевне было нипочем не добежать, вся надежда, что повстречается кто-нибудь и спасет. А вдруг не повстречается?

Направо, не далее чем в трехстах шагах, на утесе белела одинокая башенка, по виду маяк. Должен же там кто-то быть!

Полубегом-полушагом, задыхаясь, она кинулась к узкому каменному строению. Надо бы крикнуть, позвать на помощь, но на это сил уже не было.

Лишь когда до маяка оставалось всего ничего, Лисицына увидела, что окошки крест-накрест заколочены, двор порос бурой травой, а изгородь наполовину завалилась.

Маяк был заброшенный, нежилой!

Она пробежала еще немножко — уже безо всякого смысла, просто с разгона. Споткнулась о кочку и упала прямо перед скособоченной створкой открытых ворот.

Подняться не хватило мочи, да и что толку? Вместо этого оперлась на локти, запрокинула голову и закричала. Не чтоб позвать на помощь (кто здесь услышит?), а от отчаяния. Вот она я, Господи, инокиня Пелагия, в миру Полина Лисицына. Пропадаю!

Выплеснув страх, повернулась навстречу приближающемуся топоту.

Капитан от погони не очень-то и запыхался, только физиономия еще красней сделалась.

Прижав к груди руки (получилось — будто молит о пощаде), Полина Андреевна проникновенно сказала:

— Брат Иона! Что я вам сделала? Я ваша сестра во Христе! Не губите живую душу!

Думала, не ответит.

Но монах остановился над лежащей, вытер рукавом лоб и пробасил:

— Свою душу погубил, что ж чужую жалеть?

Оглядевшись, поднял с обочины большой ребристый камень, занес над головой. Госпожа Лисицына зажмуриваться не стала, смотрела вверх. Не на своего убийцу — на небо. Оно было хмурое, строгое, но исполненное света.

— Эй, любезный! — послышался вдруг звонкий, спокойный голос.

Полина Андреевна, уже смирившаяся с тем, что ее рыжая голова сейчас разлетится на скорлупки, изумленно уставилась на Иону. Тот, по-прежнему держа над собой булыжник, повернулся в сторону маяка. И точно — голос донесся с той стороны.

Дверь башни, прежде затворенная, была нараспашку. На низком крылечке стоял барин в шелковом халате с кистями, в узорчатых персидских шлепанцах. Видно, прямо с постели.

Лисицына барина сразу узнала. Да и как не узнать! Разве забудешь это смелое лицо, эти синие глаза и золотую прядь, косо падающую на лоб?

Он, тот самый. Спаситель котят, смутитель женского спокойствия.

Что за наваждение!

Искушение святой Пелагии

— Положи камешек, раб божий, — сказал писаный красавец, с интересом разглядывая дюжего монаха и лежащую у его ног молодую женщину. — И поди сюда, я надеру тебе уши, чтоб знал, как обращаться с дамами.

Он был просто великолепен, произнося эти дерзкие слова: худощавый, стройный, с насмешливой улыбкой на тонких губах. Давид, бросающий вызов Голиафу, — вот какое сравнение пришло в голову растерявшейся от быстроты событий госпоже Лисицыной.

Однако, в отличие от библейского единоборства, камень был в руках не у прекрасного героя, а у великана. Издав глухое рычание, сей последний развернулся и метнул снаряд в невесть откуда взявшегося свидетеля.

Тяжелый камень наверняка сбил бы блондина с ног, но тот проворно отстранился, и булыжник ударил в створку открытой двери, расколов ее надвое, после чего упал на крыльцо, стукнулся одна за другой обо все три ступеньки и зарылся в грязь.

— Ах, ты так! Ну, гляди, долгополый.

Лицо рыцаря сделалось из насмешливого решительным, подбородок выпятился вперед, глаза блеснули сталью. Чудесный заступник бросился к монаху, принял изящную боксерскую стойку и обрушил на широченную морду капитана целый град точных, хрустких ударов, к сожалению, не произведших на Иону никакого впечатления.

Верзила отмахнулся от напористого противника, как от назойливой мухи, потом схватил его за плечи, приподнял и отшвырнул на добрых две сажени. Зрительница только ойкнула.

Блондин немедленно вскочил на ноги, сорвал с себя неуместный при подобном положении дел халат. Рубашки под халатом не было, так что взору Полины Андреевны открылись поджарый живот и мускулистая, поросшая золотистыми волосами грудь. Теперь боец стал еще больше похож на Давида.

Видимо, поняв, что голыми руками с этаким медведем ему не сладить, обитатель маяка повернулся вправо, влево — не сыщется ли поблизости какого-нибудь орудия. На удачу, подле сарая с провисшей дырявой крышей в траве валялась старая оглобля.

В два прыжка Давид подлетел к ней, схватил обеими руками и описал над головой свистящий круг. Кажется, шансы противоборцев уравнялись. Полина Андреевна воспряла духом, приподнялась с земли и вцепилась зубами в веревку. Скорее развязать руки, скорее прийти на помощь!

Голиаф оглобли нисколько не испугался — шел прямо на врага, сжав кулаки и наклонив голову. Когда импровизированная дубина обрушилась ему на темя, капитан и не подумал уклониться, лишь слегка покачнулся. Зато оглобля переломилась пополам, словно спичка.

Капитан снова схватил противника за плечи, разбежался и швырнул, но уже не на землю, а об стену маяка. Просто поразительно, как блондин от такого сотрясения не лишился чувств!

Шатаясь, он вскарабкался на крыльцо — хотел ретироваться в дом, где у него, вполне возможно, имелось какое-нибудь другое оружие защиты, более эффективное, чем трухлявая оглобля. Но Иона разгадал намерение красивого барина, с ревом ринулся вперед и настиг его.

Исход поединка сомнений уже не вызывал. Одной ручищей монах прижал бедного паладина к дверному стояку, а другую не спеша отвел назад и сжал в кулак, готовясь нанести сокрушительный и даже, вероятно, смертельный удар.

Тут госпожа Лисицына наконец справилась с путами. Вскочила на ноги и с пронзительным, высочайшей ноты визгом понеслась выручать своего защитника. С разбега прыгнула капитану на плечи, обхватила руками, да еще и укусила в шею, оказавшуюся соленой на вкус и жесткой, будто вяленая вобла.

Иона стряхнул невесомую даму с себя, как медведь собаку: резко дернул туловищем, и Полина Андреевна отлетела в сторону. Но от рывка капитан, стоявший на краю крылечка, утратил равновесие, покачнулся, взмахнул обеими руками, и Давид не упустил выгодного, неповторимого случая — что было сил боднул детину лбом в подбородок.

Падение богатыря с, в общем-то, невеликой высоты смотрелось монументально, словно свержение Вандомской колонны (Полина Андреевна видела когда-то картинку, на которой парижские коммунары валят бонапартов столп). Брат Иона грохнулся спиной оземь, а затылком впечатался в тот самый бугристый камень, которым не так давно пытался воспользоваться как орудием убийства. Это соприкосновение сопровождалось ужасающим треском; великан остался недвижным, широко раскинув могучие руки.

— Спасибо Тебе, Господи, — с чувством прошептала госпожа Лисицына. — Это справедливо.

Однако в ту же минуту устыдилась своей кровожадности. Подошла к лежащему, присела, подняла вялое веко — проверить, жив ли.

— Жив, — вздохнула она с облегчением. — Это же надо такой крепкий череп иметь!

Соратник по схватке спустился по ступенькам, сел на крыльцо, брезгливо посмотрел на разбитые костяшки пальцев.

— Да черт с ним. Хоть бы и сдох.

Не спеша, с интересом рассмотрел даму в перепачканном нижнем белье. Полина Андреевна покраснела, прикрыла ладонью свой постыдный синячище.

— А-а, вдова-невеста, — тем не менее узнал ее красавец. — Знал, что свидимся — и свиделись. Ну-ка, ну-ка. — Он отвел в сторону ее ладонь, присвистнул. — Какая у вас кожа нежная. Только упали, и сразу кровоподтек.

Осторожно (показалось даже — нежно) провел пальцем по синей коже. Госпожа Лисицына не отодвинулась. Объяснять, что синяк не свежий, а вчерашний, не стала.

Удивительный блондин смотрел прямо в глаза, его губы пытались раздвинуться в веселой улыбке, но не совсем успешно, потому что из угла рта стекали алые капли.

— Вы храбрая, я таких люблю.

— Повернитесь-ка, — тихо сказала Полина Андреевна, переводя взгляд с его лица на расцарапанное плечо. — Ну вот, у вас вся спина ободрана. Кровь. Нужно обмыть и перевязать.

Тут он засмеялся, уже не обращая внимания на разбитую губу. Щели меж белыми зубами тоже были красны от крови.

— Тоже еще сестра милосердия выискалась. На себя бы посмотрели.

Встал, одной рукой обнял даму за плечи, другой подхватил под колени, вскинул на руки и понес в дом. Полина Андреевна хотела воспротивиться, но после всех нервных и физических испытаний сил у нее совсем не осталось, а прижиматься к теплой, твердой груди решительного человека было покойно и отрадно. Только что, еще минуту назад, всё было плохо, просто ужасно, а теперь всё правильно и хорошо — примерно такое чувство владело сейчас госпожой Лисицыной. Можно больше ни о чем не думать, не волноваться. Есть некто, знающий, что нужно делать, готовый взять все решения на себя.

— Спасибо, — прошептала она, вспомнив, что еще не поблагодарила своего избавителя. — Вы спасли меня от верной смерти. Это настоящее чудо.

— Именно что чудо. — Красавец блондин осторожно положил ее на топчан, накрытый медвежьей шкурой. — Вам, сударыня, повезло. Я поселился здесь всего неделю назад. Маяк давно необитаем. Потому и запустение, уж не взыщите.

Он обвел рукой комнату, которая Полине Андреевне в ее нынешнем блаженном состоянии показалась необычайно романтичной. В половине единственного окна вместо отсутствующего стекла была вставлена свернутая бурка, зато через вторую половинку открывался превосходный вид на озеро и синеющий поодаль Окольний остров. Из обстановки в помещении имелись лишь колченогий стол, накрытый великолепной бархатной скатертью, мягкое турецкое кресло с грудой подушек и уже упоминавшийся топчан. В почерневшем от копоти камине постреливали не догоревшие за ночь поленья. Единственным украшением голых каменных стен был пестрый восточный ковер, на котором висели ружье, кинжал и длинный узорчатый чубук.

— Как же вы здесь живете один? Почему? — не вполне вежливо спросила спасенная. — Ах, простите, мы ведь не познакомились. Я — Полина Андреевна Лисицына, из Москвы.

— Николай Всеволодович, — поклонился хозяин, а фамилии не назвал. — Живу я здесь преотлично. Что же до причины... Тут людишек нет, только ветер и волны. Однако поговорим после. — Он налил в миску из самовара горячей воды, взял со стола чистый платок. — Сначала займемся вашими ранениями. Соблаговолите-ка приподнять рубашку.

Поднимать рубашку Полина Андреевна, конечно, отказалась, но промыть лицо, ссадины на локтях и даже стертые веревкой щиколотки позволила. Брат милосердия из Николая Всеволодовича был не очень умелый, но старательный. Глядя, как осторожно он снимает с ее ноги мокрый башмак, госпожа Лисицына растроганно захлопала ресницами и не обиделась на врачевателя за то, что он при этом больно нажимает пальцем на ушибленную косточку.

— Я не могу даже выразить, насколько я вам признательна. А более всего за то, что вы не раздумывая и ни в чем не разбираясь бросились выручать совершенно незнакомого человека.

— Ерунда, — махнул рукой хозяин, промывая царапину на лодыжке. — Тут и говорить не о чем.

И видно было, что не рисуется — действительно не придает своему замечательному деянию никакого значения. Просто поступил естественным для себя образом, как тогда, с котенком. Это пленяло больше всего.

Полина Андреевна старалась не поворачиваться к герою обезображенной половиной лица и потому была вынуждена смотреть на него все время искоса.

Ах, до чего же он ей нравился! Если бы, пользуясь интимностью создавшейся ситуации, Николай Всеволодович позволил себе хоть один игривый взгляд, хоть одно нескромное пожатие, госпожа Лисицына немедленно бы вспомнила о бдительности и долге, но заботы хозяина были неподдельно братскими, и сердце упустило момент занять оборону.

Когда Полина Андреевна спохватилась, что смотрит на Николая Всеволодовича не совсем таким взглядом, как следовало бы, и перепугалась, было уже поздно: сердце колотилось много быстрей положенного, а от прикосновения пальцев импровизированного лекаря по телу растекалась опасная истома.

Самое время было помолиться Господу об укреплении духа и преодолении искушения, но в комнате не оказалось ни иконы, ни самого маленького образка.

— Ну вот, — удовлетворенно кивнул Николай Всеволодович. — По крайней мере воспаления не будет. А теперь вы.

И повернулся к лежащей даме своей голой исцарапанной спиной.

Начались испытания еще худшие. Сев на топчане, Полина Андреевна стала протирать белую кожу своего спасителя, едва сдерживаясь, чтобы не погладить ее ладонью.

Особенно нехороши были то и дело возникавшие паузы. За годы монашества она и запамятовала, что они опасней всего, такие перерывы в разговоре. Сразу слышно собственное учащенное дыхание, и в висках начинает стучать.

Полина Андреевна вдруг застеснялась своей неодетости, оглянулась по сторонам — что бы такое накинуть. Не нашла.

— Холодно? — спросил Николай Всеволодович не поворачиваясь. — А вы набросьте бурку, больше все равно ничего нет.

Госпожа Лисицына подошла по холодному полу к окну, закуталась в тяжелую пахучую овчину. Стало немного поспокойней, и ветер из дыры приятно остужал раскрасневшееся лицо.

Вдали, у основания Постной косы, стояла кучка монахов, чего-то ждали. Потом дверь Прощальной часовни отворилась, вышел человек без лица, в черном, заостренном кверху одеянии. Собравшиеся поклонились ему в пояс. Он перекрестил их, направился к берегу. Только теперь Полина Андреевна заметила лодку с гребцом. Черный человек сел на нос, спиной к Ханаану, и челн поплыл к Окольнему острову. Там, у самой воды, встречали еще двое таких же безлицых, в схимнических куколях.

— Брат Клеопа везет в скит нового схимника, — сказала Лисицына подошедшему Николаю Всеволодовичу, щурясь (футляр с очками так и остался на полу заколоченного павильона, вместе с платьем). — Зовут его отец Иларий. Торопится покинуть земную юдоль. Ученый человек, много лет изучал богословие, а главного про Бога не понял. Господу от нас не смерть, а жизнь нужна...

— Весьма своевременная ремарка, — шепнул ей в самое ухо Николай Всеволодович, а потом внезапно взял за плечи и развернул к себе.

Спросил насмешливо, глядя сверху вниз:

— Так чья вы вдова и чья невеста?

Не дожидаясь ответа, обнял и поцеловал в губы.

В этот миг Полине Андреевне почему-то вспомнилась страшная картина, виденная очень давно, еще в детстве. Ехала маленькая Полинька с родителями в гости, в соседнее именье. Мчались быстро, с ветерком, по заснеженной Москве-реке. Впереди катили сани с подарками (дело было на Святки). Вдруг раздался сухой треск, на гладкой белой поверхности проступила черная трещина, и неодолимая сила потянула туда упряжку — сначала сани с кучером, потом всхрапывающую, бьющую передними копытами лошадь...

Тот самый, навсегда врезавшийся в память треск послышался Полине Андреевне и теперь. Снова увиделось, как воочию: из-под чистого, белого подступает темное, страшное, обжигающее и разливается все шире, шире.

Затрепетав, она уперлась руками в грудь соблазнителя, взмолилась:

— Николай Всеволодович, милый, сжальтесь... Не мучайте меня! Нельзя мне этого. Никак нельзя!

И так искренне, по-детски безыскусно это было сказано, что сладчайший искуситель объятья расцепил, сделал шаг назад, шутливо поклонился.

— Уважаю вашу преданность жениху и более не смею на нее покушаться.

Вот теперь Полина Андреевна его поцеловала, но не в губы — в щеку. Всхлипнула:

— Спасибо, спасибо... За... за милосердие.

Николай Всеволодович сокрушенно вздохнул.

— Да, жертва с моей стороны велика, ибо вы, сударыня, необыкновенно соблазнительны, особенно с этим вашим синяком. — Он улыбнулся, заметив, что дама поспешно повернула голову вбок и скосила на него глаза. — Однако в благодарность за мою героическую сдержанность по крайней мере скажите, кто сей счастливец. Кому вы храните столь непреклонную верность, невзирая на уединенность места, чувство искренней благодарности, о котором вы поминали, и, прошу прощения, вашу опытность — ведь вы не барышня?

Несмотря на легкость тона, чувствовалось, что самолюбие прекрасного блондина задето. Поэтому — и еще потому, что в этакую минуту не хотелось лгать — Полина Андреевна призналась:

— Мой жених — Он.

А когда Николай Всеволодович недоуменно приподнял брови, пояснила:

— Иисус. Вы видели меня в мирском платье, но я монахиня, Его невеста.

Она ждала чего угодно, но только не того, что последовало.

Лицо красавца, до сего момента спокойное и насмешливое, вдруг исказилось: глаза вспыхнули, ресницы затрепетали, на скулах проступили розовые пятна.

— Монахиня?! — вскричал он. — Христова невеста?

Алый язык возбужденно облизнул верхнюю губу. Издав диковинный, зловещий смешок, преобразившийся Николай Всеволодович придвинулся вплотную.

— Кому угодно уступил бы, пускай. Но только не Ему! Ну-ка, поглядим! Я-то сумел бы защитить свою невесту, а вот сумеет ли Он?

И уже безо всякой нежности, с одной только грубой страстью накинулся на опешившую даму. Разорвал на груди рубашку, стал покрывать лобзаньями шею, плечи, грудь. Предательница-бурка немедленно сползла на пол.

— Что вы делаете? — в ужасе закричала госпожа Лисицына, запрокидывая голову. — Ведь это злодейство!

— Обожаю злодейства! — проурчал святотатец, гладя ее по спине и бокам. — Это мое ремесло! — Он снова хохотнул. — Позвольте представиться: Ново-Араратский Сатана! Я прислан сюда взболтать этот тихий омут, повыпускать из него чертей, которые водятся здесь в изобилии!

Собственная шутка Николаю Всеволодовичу очень понравилась. Он зашелся в приступе судорожного, маниакального смеха, а Полина Андреевна вздрогнула, осененная новой догадкой.

Ведь что такое вся эта история с воскресшим Василиском? Чудовищный, кощунственный розыгрыш для впечатлительных дурачков! Женщине подобное лицедейство, рассчитанное на постороннюю публику, не свойственно. Женщине всегда нужен кто-то вполне определенный, кто-то конкретный, а не случайные зрители или случайные жертвы. Тут чувствуется истинно мужская безличностная жестокость, игра извращенного мужского честолюбия. А сколько нужно ловкости и изобретательности, чтобы устроить комедию с призраками и водохождением! Нет, «императрица Хананская» и ее тугодумный раб здесь ни при чем.

— Так это всё вы? — задохнулась Полина Андреевна. — Вы...?! Какая ужасная, безжалостная шутка! Сколько зла вы сотворили, сколько людей погубили! И всё это просто так, от скуки? Вы и впрямь Сатана!

Правая щека Николая Всеволодовича задергалась в нервном тике — лицо будто отплясывало какой-то дьявольский канкан.

— Да, да, я Сатана! — прошептали тонкие алые губы. — Отдай себя Сатане, Христова невеста!

Легко поднял женщину на руки, бросил на медвежью шкуру, сам навалился сверху. Полина Андреевна подняла руку, чтобы вцепиться насильнику ногтями в глаза, и вдруг почувствовала, что не сможет — это было стыднее и хуже всего.

Дай мне силу, взмолилась она своей покровительнице, святой Пелагии. Благородная римлянка, просватанная за императорского сына, предпочла лютую смерть грехопадению с красавцем язычником. Но лучше уж биться в раскаленном медном быке, чем позорно обессилеть в объятьях соблазнителя!

— Прости, прости, спаси, — лепетала бедная госпожа Лисицына, винясь перед Вечным Суженым за проклятую женскую слабость.

— Охотно! — хмыкнул Николай Всеволодович, разрывая на ней панталоны.

Но оказалось, что и Небесный Жених умеет оберегать честь Своей нареченной.

Когда Полине Андреевне казалось, что всё пропало и спасенья нет, снаружи донесся громкий голос:

— Э-эй, Чайльд-Гарольд! Вы тут от холода не околели? Вон и дверь у вас расколота. Я вам плед привез и корзину от мэтра Армана с завтраком! Эй, господин Терпсихоров, вы что, еще спите?

Николая Всеволодовича с его жертвы словно ураганом сбросило.

Лицо хозяина башни опять, уже во второй раз, изменилось почти до неузнаваемости — из демонического стало перепуганным, как у нашкодившего мальчишки.

— Ай-ай! Донат Саввич! — причитал удивительный богоборец, натягивая халат. — Ну, будет мне на орехи!

Интересные люди — 2

Еще не поверив в чудо, Полина Андреевна быстро поднялась, кое-как запахнула на себе лоскуты разорванного белья и бросилась к двери.

У кривой изгороди стоял доктор Коровин, привязывая к столбу ворот уздечку крепкого пони, запряженного в двухместную английскую коляску. Донат Саввич был в соломенном канотье с черной лентой, светлом пальто. Взяв из коляски большой сверток и корзину, обернулся, но растерзанную даму (впрочем, инстинктивно отпрянувшую вглубь дома) пока еще не заметил — уставился на лежащего в беспамятстве брата Иону.

— Монаха напоили? — покачал головой доктор. — Всё кощунствуете? Прямо скажем, невелико святотатство, до настоящего Ставрогина вам пока далеко. Право, господин Терпсихоров, бросили бы вы эту роль, она вам совсем...

Тут Коровин разглядел высовывающуюся из-за выступа женщину в неглиже и не договорил. Сначала захлопал глазами, потом нахмурился.

— Ага, — сказал он сурово. — Даже так. Этого следовало ожидать. Ну конечно, ведь Ставрогин большой ходок. Доброе утро, сударыня. Боюсь, мне придется вам кое-что объяснить...

Эти слова Донат Саввич произносил, уже поднимаясь на крыльцо, — и снова не договорил, потому что узнал свою позавчерашнюю гостью.

— Полина Андреевна, вы? — остолбенел доктор. — Вот уж не... Господи, что это с вами? Что он с вами сделал?!

Окинув взглядом избитое лицо и жалкий наряд дамы, Коровин ринулся в комнату. Корзину и плед отшвырнул в сторону, схватил Николая Всеволодовича за плечи и так тряхнул, что у того замоталась голова.

— А это, батенька, уже гнусность! Да-с! Вы перешли все границы! Разорванная рубашка — понятно. Соблазнитель, африканская страсть и всё такое, но зачем женщину по лицу бить? Вы не гениальный актер, вы просто мерзавец, вот что я вам скажу!

Блондин, которого Донат Саввич назвал Терпсихоровым, жалобно воскликнул:

— Клянусь, я не бил!

— Молчите, негодяй! — прикрикнул на него Коровин. — С вами я решу после.

Сам же кинулся к Полине Андреевне, которая из этого странного диалога поняла только одно: как ни был страшен Николай Всеволодович, а владелец клиники, видно, еще страшней. Иначе с чего бы Ново-Араратский Сатана так его испугался?

— Ба, плохо дело, — вздохнул доктор, видя, что дама затравленно от него пятится. — Ну что вы, милая Полина Андреевна, это же я, Коровин. Неужто вы меня не узнаете? Не хватало мне еще одной пациентки! Позвольте, я накину на вас вот это.

Он поднял с пола плед, бережно укутал в него госпожу Лисицыну, и та вдруг разрыдалась.

— Ах, Терпсихоров, Терпсихоров, что же вы натворили, — приговаривал Донат Саввич, поглаживая плачущую женщину по рыжим волосам. — Ничего, милая, ничего. Клянусь, я оторву ему голову и поднесу вам на блюде. А вас сейчас отвезу к себе, напою тонизирующим отваром, сделаю успокаивающий укольчик...

— Не надо укольчик, — всхлипнула Полина Андреевна. — Лучше отвезите меня в пансион.

Коровин покачал головой. С ласковой укоризной, как неразумному дитяте, сказал:

— В таком виде? И слушать не стану. Надо вас осмотреть. Вдруг где перелом или ушиб? А если, не дай Бог, сотрясение мозга? Нет уж, милая, я клятву Гиппократа давал. Едем-едем. Где ваше платье?

Он посмотрел вокруг, даже под топчан заглянул. Лисицына молчала, обмякший, несчастный Николай Всеволодович тоже.

— Ну ладно, к черту платье. Найдем там для вас что-нибудь.

Полуобнял Полину Андреевну за плечи, повел к выходу. Сил сопротивляться у нее не было, да и потом, в самом деле, не появляться же в городе в этаком дезабилье?

Донат Саввич почему-то начал с извинений. Пустив лошадку легкой рысью, виновато сказал:

— Ужасное происшествие. Даже не знаю, как оправдываться. Ничего подобного у меня никогда еще не случалось. Разумеется, вы вправе жаловаться властям, подать на меня в суд и прочее. Для моей клиники это чревато неприятностями, возможно, даже закрытием, но mea culpa*, так что мне и ответ нести.

— Вы-то здесь при чем? — удивилась Полина Андреевна, подбирая мерзнущие ноги — башмаки остались на маяке, да что от них толку, сырых и размокших. — Почему вы должны отвечать за преступления этого человека?

Она уже собиралась открыть доктору всю правду про Черного Монаха, но не успела — Коровин сердито взмахнул рукой и заговорил быстро, взволнованно:

---

* моя вина *(лат.)*

— Потому что Терпсихоров — мой пациент и предстать перед судом не может. Он находится на моем
попечении и моей ответственности. Ах, как же я мог
так ошибиться в диагнозе! Это совершенно непрости-
тельно! Упустить латентную агрессивность, да еще какую! С кулаками на женщину — это просто скандал! В
любом случае, отправляю его обратно в Петербург. В
моей клинике буйным не место!

— Кто ваш пациент? — не поверила своим ушам
Лисицына. — Николай Всеволодович?

Доктор горько усмехнулся.

— Он так вам представился — Николай Всеволодович? Ну разумеется! Ох, дознаюсь я, кто ему эту пакость подсунул!

— Какую пакость? — совсем растерялась Полина
Андреевна.

— Видите ли, Лаэрт Терпсихоров (это, разумеется,
сценический псевдоним) — один из моих самых занят-
ных пациентов. Он был актером — гениальным, что
называется, от Бога. Играя в спектакле, совершенно
перевоплощался в персонажа. Публика и критики были
в восторге. Известно, что самые лучшие из актеров —
те, у кого ослаблена индивидуальность, кому собственное «я» не мешает мимикрировать к каждой новой
роли. Так вот у Терпсихорова собственное «я» вообще
отсутствует. Если оставить его без ролей, он будет с
утра до вечера лежать на диване и смотреть в потолок,
как, знаете, марионетка лежит в сундуке у кукольни-
ка. Но стоит ему войти в роль, и он оживает, заряжа-
ется жизнью и энергией. Женщины влюблялись в Терпсихорова до безумия, до исступления. Он был трижды
женат, и всякий раз брак продолжался несколько недель, самое большее пару месяцев. Потом очередная
жена понимала, что ее избранник — ноль, ничтоже-

ство, и полюбила она не Лаэрта Терпсихорова, а литературного героя. Дело в том, что из-за патологического недоразвития личности этот актер так вживался в каждую очередную роль, что не расставался с нею и в повседневной жизни, додумывая за автора, импровизируя, изобретая новые ситуации и реплики. И так до тех пор, пока ему не дадут разучивать следующую пьесу. Поэтому первая его жена выходила за Чацкого, а потом вдруг сделалась подругой жизни Хлестакова. Вторая потеряла голову от Сирано де Бержерака, а вскоре попала к Скупому Рыцарю. Третья влюбилась в меланхоличного Принца Датского, а он возьми да превратись в хлыщеватого графа Альмавиву. После третьего развода Терпсихоров ко мне и обратился. Он очень любил свою последнюю жену и от отчаяния был на грани самоубийства. Говорил: «Я брошу театр, только спасите меня, помогите стать самим собой!»

— И что же, не вышло? — спросила Полина Андреевна, увлеченная странной историей.

— Отчего же, вышло. Настоящий, беспримесный Терпсихоров — тень человека. С утра до вечера пребывает в пассивности, хандре и глубоко несчастен. На счастье, мне в руки попала одна переводная книжка, сборник рассказов, где описан сходный случай. Там же предложен и рецепт — разумеется, в шутку, но идея показалась мне продуктивной.

— А что за идея?

— С психиатрической точки зрения совершенно здравая: не всегда нужно распрямлять искривление психики — это может растоптать индивидуальность. Нужно из слабости сделать силу. Ведь любая вмятина, если повернуть ее на 180 градусов, превращается в возвышенность. Раз человек не может без лицедейства и живет полнокровной жизнью, только играя какую-то роль, надо обеспечить его постоянным репертуаром. И роли подбирать сплошь такие, в которых блистают лучшие, возвышеннейшие качества человеческой души. Никаких Хлестаковых, Скупых Рыцарей или, упаси Боже, Ричардов Третьих.

— Так «Николай Всеволодович» — это Николай Всеволодович Ставрогин, из романа «Бесы»? — ахнула госпожа Лисицына. — Но зачем вы выбрали для вашего пациента такую опасную роль?

— Вовсе я ее не выбирал! — досадливо воскликнул доктор. — Я очень тщательно слежу за его чтением, я знаю, какая роль может его увлечь, и потому уже год единственная книга, которую ему дозволялось читать, — роман того же господина Достоевского «Идиот». Из всех персонажей романа под амплуа Терпсихорова подходит только князь Мышкин. И Лаэрту роль пришлась по вкусу. Он превратился в тишайшего, совестливейшего Льва Николаевича Мышкина, лучшего из обитателей Земли. Всё шло прекрасно до тех пор, пока какой-то безобразник не подсунул ему «Бесов», а я просмотрел. Ну, конечно, Ставрогин много авантажней князя Мышкина, вот Терпсихоров и сменил репертуар. Байронизм, богоборчество, поэтизация Зла в драматическом смысле куда привлекательней вялого христианского всепонимания и всепрощения. Когда я спохватился, поздно было — Лаэрт уже переродился, пришлось приспосабливаться. На время кризиса отселил его подальше от остальных пациентов, стал подбирать какое-нибудь чтение поярче «Бесов». Надо сказать, это весьма непростая задача. Но я не предполагал, что Ставрогин может быть настолько опасен, и недооценил творческую фантазию Лаэрта. И все же Ставрогин, избивающий женщин, — это что-то слишком уж смелая трактовка образа. Все-таки аристократ.

— Он меня не бил, — тихо сказала госпожа Лисицына, догадавшаяся, откуда у бедного сумасшедшего появился нехороший роман. Это же отец Митрофаний дал Алеше в дорогу — из педагогических целей, а вышло вон что!

Чувствуя себя до некоторой степени соучастницей (к чтению романов владыку приохотила именно она), Полина Андреевна попросила:

— Не выгоняйте Николая Всеволодовича, он не виноват. Я не стану жаловаться.

— Правда? — просиял Коровин и погрозил пальцем невидимому Терпсихорову. — Ну, ты у меня теперь будешь Сахарную Голову из «Синей птицы» разучивать! — Однако тут же снова повесил голову. — Приходится признать, что целитель душ из меня неважный. Слишком немногим мне удается помочь. Случай Терпсихорова тяжел, но не безнадежен, а вот как спасать Ленточкина — ума не приложу.

Лисицына вздрогнула, поняв, что исчезновение Алеши еще не обнаружено, — и промолчала.

Одноколка уже катила по сосновой роще, меж разноцветных и разностильных домиков клиники. Из-за поворота показался докторский особняк, у подъезда которого стояла запряженная четверкой приземистая карета — черная, с золотым крестом на дверце.

— Высокопреподобный пожаловал, — удивился Донат Саввич. — С чего бы? Обычно к себе приглашает, загодя. Видно, случилось что-нибудь особенное. Я вас, Полина Андреевна, в свою приватную половину проведу, скажу, чтобы вами занялись. А сам, уж простите покорно, в кабинет, к островному властителю.

Однако по-коровински не вышло. Архимандрит, должно быть, увидел подъехавшую коляску в окно и вышел встречать в прихожую. Да не вышел — выле-

тел: весь черный, разъяренный, угрожающе стучащий
посохом. На растерзанную особу женского пола взгля-
нул мельком, брезгливо скривился и отвел глаза —
будто боялся осквернить взгляд лицезрением этакого
непотребства. Узнал щедрую богомолицу или нет, было
непонятно. Если и узнал, нестрашно, успокоила себя
госпожа Лисицына — решит, что взбалмошной барынь-
ке опять крокодил приснился.

— Здравствуйте, отче. — Коровин наклонил голову, глядя на гневного настоятеля с веселым недоумением. — Чему обязан нежданной честью?

— Договор нарушаете? — грохнул своим жезлом об
пол Виталий. — А договор, сударь, он дороже денег!
Вы мне что обещали? Что не станет она братию тро-
гать! И что же?

— Да, и что же? — спросил ничуть не устрашенный доктор. — Что такого ужасного стряслось?

— «Василиск» утром не вышел! Капитана нет! В
келье нет, на пристани нет, нигде нет! Пассажиры
шумят, в трюме груз неотложный — монастырская
сметана, а вести пароход некому! — Высокопреподобный схватился за наперсный крест — видно, чтобы
напомнить себе о христианской незлобивости. Не помогло. — Я провел дознание! Иону вчера вечером видели с этой вашей блудницей вавилонской!

— Если вы о Лидии Евгеньевне Борейко, — спокойно ответил Донат Саввич, — то она отнюдь не
блудница, у нее другой диагноз: патологическая ква-
зинимфомания с обсессионной навязчивостью и де-
фицитолибидностью. Иными словами, она из разря-
да записных кокеток, которые кружат мужчинам
голову, но к своему телу их ни в коем случае не под-
пускают.

— Был уговор! — оглушительно взревел Виталий. — До монахов моих ее не допускать! Пусть бы на приезжающих упражнялась! Был уговор или нет?

— Был, — признал доктор. — Но может быть, ваш Иона сам себя повел с нею не по-монашески?

— Брат Иона — простая, бесхитростная душа. Я сам его исповедую, все его грехи немудрящие до донышка знаю!

Коровин прищурился.

— Говорите, простая душа? Я тут у Лидии Евгеньевны в спальне пакетик кокаина нашел, и еще два пустых, со следами порошка. Знаете, кто эту гадость ей с материка доставляет? Ваш мореплаватель.

— Ложь!!! Тот, кто вам ее сообщил, — клеветник и оглогольник!

— Сама же Лидия Евгеньевна и призналась. — Донат Саввич махнул рукой в сторону озера. — А ваш пропавший агнец, простая душа, сейчас валяется, вдребезги пьяный, у старого маяка. Можете отправиться туда и удостовериться сами. Так что госпожа Борейко в неотправлении парохода неповинна.

Архимандрит только очами сверкнул, но препираться далее не стал. Черным смерчем выскочил наружу, хлопнул дверцей кареты. Крикнул:

— Пошел! Ну!

Карета рванула с места, разбрасывая гравий из-под колес.

— Так Борейко тоже ваша пациентка? — растерянно спросила Полина Андреевна.

Доктор поморщился, прислушиваясь к удаляющемуся бешеному грохоту копыт.

— Как бы не сказал теперь, что это Терпсихоров капитана спаивает... Что, простите? А, Борейко. Ну разумеется, она моя пациентка. Неужто по ней не видно?

Довольно распространенная акцентуация женской личности, обыкновенно именуемая femme fatale, однако же у Лидии Евгеньевны она доведена до крайности. Эта девушка постоянно должна ощущать себя объектом желания елико возможно большего количества мужчин. Именно чужое вожделение приносит ей чувственную удовлетворенность. Прежде она жила в столице, но после нескольких трагических историй, закончившихся дуэлями и самоубийствами, родители вверили ее моему попечению. Островная жизнь Лидии Евгеньевне на пользу. Гораздо меньше возбудителей, почти нет искушений, а главное — полностью отсутствуют соперницы. Она ощущает себя первой красавицей этого замкнутого мирка и потому спокойна. Иногда попробует свои чары на ком-нибудь из приезжих, удостоверится в собственной неотразимости, и ей довольно. Ничего опасного в этих маленьких шалостях я не вижу. На монахах Борейко обещала не экспериментировать — за нарушение предусмотрены строгие санкции. Видно, этот Иона действительно сам виноват.

— Маленькие шалости? — грустно усмехнулась госпожа Лисицына и рассказала доктору про «императрицу Ханаанскую».

Коровин слушал — только за голову хватался.

— Ужасно, просто ужасно! — сказал он убитым голосом. — Какой чудовищный рецидив! И ответственность опять целиком на мне. Мой эксперимент с ужином втроем следует признать полнейшей неудачей. Вы тогда не дали мне возможности объяснить... Видите ли, Полина Андреевна, отношения психиатра с пациентами противоположного пола строятся по нескольким моделям. Одна, весьма эффективная, — использование инструмента влюбленности. Моя власть над Борейко, мой рычаг влияния на нее состоит в том, что я раззадориваю в ней честолюбие. Я — единственный мужчина, который остается совершенно безучастным ко всем ее фамфатальным хитростям и чарам. Если б не моя неприступность, Лидия Евгеньевна давно бы уже сбежала с острова с каким-нибудь обожателем, но пока ей не удалось меня завоевать, она никуда не денется, честолюбие не позволит. Время от времени эту язву необходимо поливать рассолом, что я и попытался сделать с вашей помощью. Эффект, увы, превзошел мои ожидания. Вместо того чтобы слегка взревновать от знаков внимания, которые я оказываю привлекательной гостье, Борейко впала в параноидально-истерическое состояние, усмотрев в вашем приезде целый заговор. В результате вы чуть не поплатились жизнью. Ах, я никогда себе этого не прощу!

Донат Саввич так расстроился, что сердобольной госпоже Лисицыной еще и пришлось его утешать. Она договорилась даже до того, что будто бы сама во всем виновата — нарочно раздразнила бедную психопатку (отчасти это было правдой). А что до врачебной ошибки, то у кого их не бывает, особенно в таком тонком деле, как излечение болезней души. В общем, кое-как успокоила приунывшего доктора.

В кабинете тот вызвал звонком дежурного врача. Мрачно сказал:

— Лидию Евгеньевну Борейко немедленно ко мне. Приготовьте инъекцию транквилиума — вероятен припадок. Пусть главная сестра подберет для госпожи Лисицыной какую-нибудь обувь, одежду. И непременно релакс-массаж с лавандовой ванной.

Синий, зеленый, желтый, бледно-палевый

В общем, итог всех ночных и утренних потрясений выходил такой: осталась Полина Андреевна, как старуха из сказки, у разбитого корыта.

В главном деле, ради которого она приехала в Новый Арарат, ничегошеньки не продвинулось. А досаднее всего было то, что целых два раза в короткое время всей душой поверила сначала в одну версию, потом в другую, и неизвестно еще, какая из них нелепей. Никогда прежде с проницательной сестрой Пелагией не приключалось этакого конфуза. Конечно, имелись особенные обстоятельства, препятствовавшие спокойной работе мысли, но все равно после, на отдохнувшую голову, было стыдно.

Результаты расследования по Черному Монаху выходили печальные.

Перво-наперво безвременно погибшие: сначала напуганный до кондрашки адвокат Кубовский; потом жена бакенщика с выкинутым малюткой; утопившийся бакенщик; застреленный Лагранж; наконец, бедный Алеша Ленточкин.

Кубовского увезли на пароходе в окованном цинком гробу; несчастную мать с нерожденным малюткой зарыли в землю; Феликс Станиславович лежит в морге, обложенный глыбами льда; тела утопленников уволокло невесть куда темными подводными теченьями...

А разве отрадней участь помутившегося рассудком Матвея Бенционовича?

В последующие дни, памятуя о судьбе Алексея Степановича (которого коровинские санитары искали по всему Ханаану, да так и не нашли), госпожа Лисицына наведывалась к Бердичевскому часто, но утешаться было нечем — Бердичевскому становилось всё хуже. Посетительницу он то ли не узнавал, то ли она его совсем не интересовала. Сидели друг напротив друга, молчали. Потом Полина Андреевна с тяжелым сердцем шла восвояси.

Ужасная, полная роковых событий ночь закончилась полнейшим фарсом. Ну и еще, конечно, строгим наказанием виновных.

Высокопреподобный разжаловал брата Иону из капитанов в кочегары, а для начала посадил на месяц остыть в скудной, на хлебе, воде и молитве.

Доктор Коровин поступил со своими подопечными не менее сурово.

Лидии Евгеньевне было воспрещено (тоже в течение целого месяца) пользоваться пудрой, духами, помадами и надевать черное.

Актер Терпсихоров был помещен под домашний арест с одной-единственной книгой, тоже сочинением Федора Достоевского, но безобидным, повестью «Бедные люди» — чтоб забыл опасную роль «гражданина кантона Ури» и увлекся образом сладостного, тишайшего Макара Девушкина. На третий день Полина Андреевна навестила узника и была поражена произошедшей с ним переменой. Былой соблазнитель улыбнулся ей мягкой, задушевной улыбкой, назвал «голубчиком» и «маточкой». Честно признаться, эта метаморфоза визитершу расстроила — в прежней роли Терпсихоров был куда интересней.

Из прочих событий, достойных упоминания, следует отметить появление в одной московской газете либерального толка статьи о ново-араратских чудесах и о дурной славе Окольнего скита. Не иначе кто-то из богомольцев донес. Впервые четки, вырезанные святыми схимниками, остались в монастырской лавке нераскупленными. Отец Виталий велел устроить дешевую распродажу, понизив цену сначала до девяти рублей девяносто девяти копеек, а потом и до четырех девяносто девяти. Только тогда купили, но и то не все. Это был скверный признак. В городе уже в открытую говорили, что скит стал неблагостен, нечист, что надобно его на время закрыть, воспретить доступ на Окольний остров хотя бы на год — и посмотреть, не успокоится ли святой Василиск.

Правда, заступник и без того вроде как угомонился: по воде больше не ходил, никого в городе не пугал, но это, возможно, из-за того, что ночи стояли сплошь темные, безлунные.

Что до госпожи Лисицыной, то она в этот период затишья почти все время пребывала в глубокой задумчивости и по большей части бездействовала. С утра подолгу рассматривала свое ушибленное лицо в зеркале, отмечая перемену в цвете кровоподтека. Дни были похожи один на другой и отличались, кажется, только этим. Сама для себя она именно так их и называла, по цвету.

Ну, первый из тихих дней, последовавший за ночью, когда Полину Андреевну сначала чуть не утопили, а затем чуть не обесчестили, не в счет — его, можно сказать, не было. После ванны, массажа и расслабляющего нервы укола страдалица проспала чуть не сутки и в пансион воротилась лишь на следующее утро, посвежевшая и окрепшая.

Посмотрелась в туалетное зеркало. Увидела, что отметина на лице уже не багрово-синяя, а просто синяя. Так нарекла и весь тот день.

В «синий» день, пополудни, Полина Андреевна в павильоне переоделась в послушническое облачение (которое вместе с прочими вещами благополучно провалялось на полу с самого позавчерашнего вечера), то и дело поневоле оглядываясь на мрачные силуэты автоматов.

Оттуда худенький низкорослый монашек отправился к Постной косе — дожидаться лодочника. Брат Клеопа появился вовремя, ровно в три часа, и, увидев

Пелагия, очень обрадовался — не столько самому послушнику, сколько предвкушаемому бакшишу. Сам спросил деловито:

— Ну что, нынче поплывешь или как? Рука-то всё болит. — И подмигнул.

Получил рублевик, рассказал, как вчера утром отвозил старца Илария на Окольний, как двое схимников встретили нового собрата: один молча облобызал — то есть, стало быть, ткнулся куколем в куколь, а схиигумен громко провозгласил: «Твоя суть небеса, Феогноста»

— Почему «Феогноста»? — удивился Пелагий. — Ведь святого отца зовут Иларий?

— Я и сам вначале не уразумел. Думал, Израиль совсем немощен стал, в именах путается. Это у него соскитников так звали, Феогност и Давид. Но когда отцу эконому слова схиигумена передал с этим своим рассуждением, тот меня за непочтительность разбранил и смысл растолковал. Первые-то три слова — «Твоя суть небеса» — уставные, сулящие царствие небесное, из псалома Ефамова. Так скитоначальник всегда нового схимника встречать должен. А последнее слово вольное, от себя, для монастырских ушей предназначенное. Отец эконом сказал, что старец нас извещает, кто из братии на небеса восшел. Не Давид, значит, а Феогност.

Пелагий подумал немного.

— Отче, вы ж давно лодочником. И прошлого схимника тоже, надо полагать, на остров возили?

— На Пасху, старца Давида. А перед тем, в прошлый год на Успенье, старца Феогноста. Допрежь того старца Амфилохия, перед ним Геронтия... Или, погоди, Агапита? Нет, Геронтия... Много я их, заступников наших, переправил, всех не упомнишь.

— Так схиигумен, наверно, всякий раз нового старца так встречал — про усопшего сообщая. Вы просто запамятовали.

— Ничего я не запамятовал! — осердился брат Клеопа. — «Твоя суть небеса» помню, было. А имени после того никогда не называл. Это уж после, по всяким околичностям проясняется, кто из отшельников душу Господу воротил. Для нас, живых, они все и так уж упокойники, братией отпетые и в Прощальную часовню препровожденные. Мог бы и не говорить Израиль. Видно, скорую кончину чует, сердцем размягчел.

Поплыли на остров: Клеопа на одном весле, Пелагий на другом.

Вышел им навстречу старец Израиль, принял привезенное, передал нарезанные со вчерашнего четки, сказал:

— Вострепета Давиду сердце его смутна.

Пелагию показалось, что последнее слово схиигумен будто бы медленнее и громче произнес и смотрел при этом не на Клеопу, а на его юного помощника, хотя поди разбери, через дырки-то.

Едва отплыли, послушник тихонько спросил:

— Что это он изрек-то? В толк не возьму.

— «Вострепета Давиду сердце его» — это про старца Давида. Видно, тот сызнова сердцем хворает. Как Давид в скит определился, схиигумен часто стал из Первой книги Царств речения брать, где про царя Давида многое записано. Имя то же, вот и слову лишнему сбережение. А последнее какое было? «Смутна»? Ну, это пускай отец эконом разгадывает, у него голова большая.

Вот и весь «синий» день. Прочие его происшествия и упоминать незачем — больно уж малозначительны.

* * *

Следующий день был «зеленый». То есть не совсем зеленый, не листвяного цвета, а скорее морской волны — синяк начал густую синеву терять, бледнеть и вроде как подзеленился.

В три часа Пелагий вручил брату Клеопе два полтинника. Поплыли.

Лодочник передал схиигумену для старца Давида лекарство. Израиль взял, подождал чего-то еще. После тяжело вздохнул и сказал нечто вовсе уж странное, впрямую глядя на рыжего монашка:

— Имеяй ухо да слышит кукулус.

— Что-что? — переспросил Пелагий, когда старец уковылял прочь.

Клеопа пожал плечами.

— «Имеяй ухо да слышит» я разобрал — из «Апокалипсиса» это, хоть и не пойму, к чему сказано, а что он в конце присовокупил, не разобрал. «Ку-ку» какое-то. Видно, прав я был про Израиля-то, зря отец эконом меня невежей ругал. Старец-то того. — Он покрутил пальцем у виска. — Ку-ку кукареку.

Судя по напряженно сдвинутым бровям, Пелагий придерживался иного мнения, однако спорить не стал, сказал лишь:

— Завтра снова поплывем, ладно?

— Плавай, пока тятькины рублики не перевелись.

Потом был «желтый» день — из зеленого повело кровоподтек в желтизну.

В сей день старец изрек так:

— Мироварец сими состроит смешение нонфацит.

— Опять по-птичьему, — резюмировал брат Клеопа. — Скоро вовсе на говор птах небесных перейдет.

Эту нелепицу я запоминать не стану, навру отцу эконому что-нибудь.

— Погодите, отче, — встрял Пелагий. — Про мироварца — это, кажется, из книги Иисуса сына Сирахова. «Мироварец» — лекарь, а «смешение» — лекарство, по-ученому микстура. Только вот к чему «нонфацит», не ведаю.

Он несколько раз повторил: «нонфацит», «нонфацит» и умолк, никаких бесед с лодочником больше не вел. На прощанье сказал:

— До завтра.

А назавтра лицо Полины Андреевны было уже почти совсем пристойным, лишь немножко отсвечивало бледно-палевым. Того же оттенка был и день — мягкосолнечный, с туманной дымкой.

Пелагию так не терпелось поскорей на Окольний, что он всё частил веслом, загребал сильней нужного, из-за чего лодку заворачивало носом. В конце концов за бестолковое усердие получил от брата Клеопы подзатыльник и пыл поумерил.

Схиигумен ждал на берегу. Про микстуру Пелагий, похоже, угадал верно — старец взял бутылочку и кивнул. А сказал послушнику вот что:

— Не печалися здрав есть монакум.

Монашек кивнул, будто именно эти слова и ожидал услышать.

— Ну, слава Господу, вроде болящему получшало, — говорил на обратном пути Клеопа. — Ишь как Давида-то обозвал — «монахум». Чудит святой старец... Что завтра-то, придешь? — спросил лодочник у странно молчаливого нынче отрока.

Тот как не слышал.

Это, стало быть, было в «бледно-палевый» день, а потом настал день последний, когда всё закончилось.

Столько в этот последний день всякого произошло, что помогай Господь не сбиться и ничего не упустить.

День последний. Утро

Начнем обстоятельно, прямо с утра.

В девятом часу, когда еще толком не рассвело, с озера донесся протяжный гудок — это прибыл из Синеозерска пароход «Святой Василиск», с новым капитаном, из наемных. Госпожа Лисицына к этому времени уже попила кофей и сидела перед зеркалом, с удовольствием разглядывая свое совершенно чистое лицо. Повернется то так, то этак, всё не нарадуется. Пароходный гудок она слышала, но значения не придала.

А зря.

После унылого, раскатистого сигнала миновал какой-нибудь час, ну, может, чуть больше, и в комнату к Полине Андреевне, которая за это время успела позавтракать, одеться и уже готовилась ехать навещать Бердичевского, постучал монах, келейник архимандрита Виталия.

— Высокопреподобный отец настоятель просит вас к нему пожаловать, — поклонился чернец и вежливо, но непреклонно присовокупил. — Сей же час. Карета ждет.

На вопросы удивленной богомолицы отвечал уклончиво. Можно сказать, вовсе не отвечал — так, одними междометиями. Но по виду посланца Лисицына предположила, что в монастыре стряслось что-нибудь необычайное.

Не хочет говорить — не нужно.

Поколебавшись, брать ли с собой саквояж, все же оставила. Ехать в монастырь с оружием смертоубийства сочла кощунством. В убережение от любопытной прислуги замотала револьвер в кружевные панталончики и засунула на самое дно. Поможет ли, нет — Бог весть.

Доехали быстро, в десять минут.

Выйдя из экипажа и оглядев монастырский двор, Полина Андреевна удостоверилась: точно, стряслось.

Монахи не ходили степенно, уточкой, как в обыкновенное время, а бегали. Кто мел и без того чистую мостовую, кто тащил куда-то перины и подушки, а удивительнее всего было видеть, как в соборную церковь протрусили, подобрав рясы, певчие архимандритова хора во главе с пузатым и важным регентом.

Что за чудеса!

Провожатый повел даму не в настоятельские палаты, а в архиерейские, которые предназначались для наиважнейших гостей и в обычное время пустовали. Тут в сердце Полины Андреевны что-то шевельнулось, некоторое предчувствие, но сразу же было подавлено как несбыточное и чреватое разочарованием.

А все ж таки оно не обмануло!

В трапезной солнце светило из окон в лицо вошедшей и в спины сидящим за длинным, накрытым белой скатертью столом, поэтому поначалу Лисицына увидела лишь контуры нескольких мужей, пребывающих в чинной неподвижности. Почтительно поклонилась с порога и вдруг слышит голос отца Виталия:

— Вот, владыко, та самая особа, которую вам угодно было видеть.

Полина Андреевна быстро вытащила из футляра очки, прищурилась и ахнула. На почетном месте, в окружении монастырского начальства, сидел Митрофаний — живой, здоровый, разве что немножко осунувшийся и бледный.

Архиерей осмотрел «московскую дворянку» с головы до ног взглядом, не предвещавшим хорошего, пожевал губами. Не благословил, даже не кивнул.

— Пускай с нами откушает, я с ней после поговорю.

И повернулся к настоятелю, продолжив прерванную беседу.

Лисицына села на самый край ни жива ни мертва — и от радости, и, конечно, от страха. Отметила, что седины в бороде преосвященного стало больше, что щеки запали, а пальцы сделались тонки и слегка подрагивают, чего раньше не водилось. Вздохнула.

Брови епископа сурово похаживали вверх-вниз. Понятно было, что гневается, но сильно ли — на глаз не определялось. Уж Полина Андреевна смотрела-смотрела на своего духовного отца молящим взором, но внимания так и не удостоилась. Заключила: гневается сильно.

Снова вздохнула, но менее горько, чем в первый раз. Стала слушать, о чем говорят архиерей и настоятель.

Беседа была отвлеченная, о богоспасаемой общине.

— Я в своих действиях, ваше преосвященство, придерживаюсь убеждения, что монах должен быть как мертвец среди живущих. Неустанные труды во благо общины да молитвы — вот его бытование, и больше ничего не надобно, — говорил Виталий, видно, отвечая на некий вопрос или, может быть, упрек. — Оттого я с братией строг и воли ей не даю. Когда постриг

принимали, они сами от своей воли отказались, во славу
Божию.

— А я с вашим высокопреподобием согласиться не
могу, — живо ответил Митрофаний. — По-моему, монах должен быть живее любого мирянина, ибо он-то и
живет настоящей, то есть духовной жизнью. И вы к
своим подопечным должны с почтением относиться,
ибо каждый из них — обладатель возвышенной души.
А у вас их в темницу сажают, голодом морят, да еще,
говорят, по мордасам прикладывают. — Здесь владыка метнул взгляд на дородного инока, что сидел справа от архимандрита — Полина Андреевна знала, что
это грозный отец Триадий, монастырский келарь. —
Такое рукоприкладство я попустить не могу.

— Монахи — они как дети, — возразил настоятель. — Ибо оторваны от обычных земных забот. Мни-
тельны, суелюбопытны, невоздержанны на язык.
Многие сызмальства в обительских стенах спасают-
ся, так в душе дитятями и остались. С ними без оте-
ческой строгости невозможно.

Преосвященный сдержанно заметил:

— А вы не принимайте в монашеское звание тех,
кто жизни не изведал и себя не познал. Есть ведь у
человека и другие пути спасения кроме иноческого
служения. И путей этих бессчетное множество. Это
только простаку мнится, что монашество — самая
прямая дорога к Господу, но в Божьем мире прямая
линия не всегда наикратчайшая. Хочу вновь настоя-
тельно воззвать к вашему высокопреподобию: не ув-
лекайтесь чрезмерно строгостью. Христова церковь
должна не страх, любовь внушать. А то, глядя на
дела наших церковников, хочется из Гоголя повторить: «Грустно от того, что в добре нет добра».

Отец Виталий выслушал наставление, упрямо наклонив голову.

— А я вашему преосвященству на это не словами светского сочинителя, а речением благочестивого старца Зосимы Верховского отвечу: «Если не будем со святыми, то будем с диаволами; третьего места ведь нет для нас». Господь производит отсев человеков — кому спастись, кому погибнуть. Выбор этот суровый, страшный, как тут без строгости?

Полина Андреевна знала, что покойного оптинского старца Зосиму Верховского владыка почитает особенным образом, так что архимандритово возражение попало в цель.

Митрофаний молчал. Прочие монахи смотрели на него, ждали. Внезапно госпоже Лисицыной сделалось не по себе: она одна была здесь в мирском наряде, единственным светлым пятном среди черных ряс. Словно какая синица или канарейка, по ошибке залетевшая в стаю воронов.

Нет, сказала себе Полина Андреевна, я той же породы. И не вороны они вовсе, они о важном говорят, обо всем человечестве пекутся.

Так что скажет настоятелю Митрофаний?

— Католичество допускает еще и чистилище, потому что людей совсем хороших и совсем плохих мало, — медленно проговорил епископ. — Чистилище, конечно, нужно понимать в смысле духовном — как место очищения от налипшей грязи. Наша же православная вера чистилища не признаёт. Я долго думал, отчего такая непреклонность, и надумал. Не от строгости это, а от еще большего милосердия. Ведь вовсе черных, неотмываемых грешников не бывает, во всяком, даже самом закоренелом злодее живой огонек теплится. И наш православный ад, в отличие от католического, ни у кого, даже у Иуды, надежды не отнимает. Думается мне, что адские муки у нас не навечно задуманы. Православный ад то же чистилище и есть, потому что всякой грешной душе там свой срок отведен. Не может быть, чтобы Господь в Своем милосердии душу вечно, без прощения карал. Зачем тогда и муки, если не в очищение?

Ново-араратские отцы переглянулись, ничего на это суждение не сказали, а Полина Андреевна покачала головой. Ей было известно, что, говоря о религии, владыка частенько высказывает мысли, которые могут быть сочтены вольнодумными и даже еретическими. Меж своими ладно, нестрашно. Но перед этими начетниками? Ведь донесут, накляузничают.

А Митрофаний свою нотацию не закончил.

— И еще попеняю вашему высокопреподобию. Слышал я, что очень уж вы угождаете земным властителям, когда они вас навещают. Рассказывали мне, что в прошлый год, когда к вам великих княжон на богомолье привозили, вы будто бы к каждой святыне ковровую дорожку уложили и хор ваш перед приезжими целый концерт затеял. Это перед девочками-то малолетними! А зачем вы к генерал-губернатору самолично ездили синеозерскую дачу святить и даже чудотворную икону с собой возили?

— Ради богоугодного дела! — горячо воскликнул Виталий. — Ведь телом-то на земле живем и по земле ступаем! За то, что я их императорским высочествам угодил, монастырю от дворцового ведомства в Петербурге участок под церковь подворскую пожалован. А генерал-губернатор в благодарность колокол бронзовый пятисотпудовый прислал. Это ж не мне, многогрешному Виталию, это церкви надобно!

— Ох, боюсь я, что нашей церкви за лобызание с земной властью придется дорогую цену заплатить, —

вздохнул епископ. — И, возможно, в не столь отдаленном времени... Ну да ладно, — неожиданно улыбнулся он после короткой паузы. — Только приехал и сразу браниться — тоже не очень по-доброму выходит. Хотел бы я, отец Виталий, знаменитый ваш остров осмотреть. Давно мечтаю.

Архимандрит почтительно наклонил голову.

— Я уж и то удивлялся, чем прогневал ваше преосвященство, отчего Арарат никогда посещением не удостоите. Если б заранее известить изволили, и встречу бы достойную приготовил. А так что же — не взыщите.

— Это ничего, я парадности не любитель, — благодушно сказал архиерей, сделав вид, что не заметил в словах настоятеля скрытого упрека. — Хочу увидеть всё, как бывает в обыденности. Вот прямо сейчас и начну.

— А оттрапезничать? — встревожился отец келарь. — Рыбки нашей синеозерской, пирогов, солений, меда-пряничков?

— Благодарствуйте, доктора не велят. — Митрофаний постучал себя по левой половине груди и поднялся. — Отвары пью, кашицы скучные вкушаю, тем и сыт.

— Что ж, готов сопровождать куда велите, — поднялся и Виталий, а за ним остальные. — Карета запряжена.

Владыка ласково молвил:

— Мне ведомо, сколько у вашего высокопреподобия забот. Не тратьте время на пустое чинопочитание, мне это не лестно, да и вам не в удовольствие.

Архимандрит нахмурился:

— Так я отряжу с вашим преосвященством отца Силуана или отца Триадия. Нельзя ж вовсе без провожатого.

— Не нужно и их. Я ведь к вам не с инспекцией, как вы, должно быть, подумали. Давно желал и даже мечтал побывать у вас попросту, как обычный паломник. Бесхитростно, безо всяких начальственных видов.

Голос у владыки и в самом деле был бесхитростный, но Виталий насупился еще пуще — не поверил в Митрофаниеву искренность. Верно, решил, что епископ хочет осмотреть монастырские владения без подсказчиков и соглядатаев. И правильно решил.

Только теперь преосвященный глянул на Полину Андреевну.

— Вот госпожа... Лисицына со мной поедет, давняя моя знакомица. Не откажите, Полина Андреевна, составить компанию старику. — И как поглядит в упор из-под густых бровей — Лисицына сразу с места вскочила. — Поговорим о прежних днях, расскажете о своем житье-бытье, сравним наши впечатления от святой обители.

Нехорошим это было сказано тоном — во всяком случае, так помнилось Полине Андреевне.

— Хорошо, отче, — пролепетала она, опустив глаза.

Настоятель уставился на нее с тяжелым подозрением во взоре. Недобро усмехнувшись, поинтересовался:

— Что крокодил, матушка, боле не мучает?

Лисицына смолчала, только голову еще ниже опустила.

Выехали из ворот в той же карете, что доставила Полину Андреевну из пансиона. Пока ничего сказано не было. Преступница волновалась, не знала, с чего начать: то ли каяться, то ли оправдываться, то ли про дело говорить. Митрофаний же молчал со смыслом — чтоб прониклась.

Глядел в окошко на опрятные араратские улицы, одобрительно цокал языком. Заговорил неожиданно — госпожа Лисицына даже вздрогнула.

— Ну а крокодил — это что? Опять озорство какое-нибудь?

— Грешна, отче. Обманула высокопреподобного, — смиренно призналась Полина Андреевна.

— Грешна, ох грешна, Пелагиюшка. Много делов натворила...

Вот оно, началось. Покаянно вздохнула, потупилась.

Митрофаний же, загибая пальцы, стал перечислять все ее вины:

— Клятву преступила, данную духовному отцу, больному и даже почти что умирающему.

— Я не клялась! — быстро сказала она.

— Не лукавь. Ты мою просьбу безмолвную — в Арарат не ездить — преотлично поняла и головой кивнула, руку мне поцеловала. Это ли не клятва, змея ты вероломная?

— Змея, как есть змея, — согласилась Полина Андреевна.

— В недозволенные одежды вырядилась, сан монашеский осрамила. Шея вон голая, тьфу, смотреть зазорно.

Лисицына поспешно прикрыла шею платком, но попыталась сей пункт обвинения отклонить:

— В иные времена вы сами меня на такое благословляли.

— А сейчас не то что благословения не дал — прямо воспретил, — отрезал Митрофаний. — Так иль не так?

338   Борис Акунин

— Так...

— В полицию думал на тебя заявить. И даже оказался бы неизвинимым, не сделав этого. Деньги у пастыря похитила! Это уж так пасть — ниже некуда! На каторгу бы тебя, самое подходящее для воровки место.

Полина Андреевна не возразила — нечего было.

— И если я не объявил тебя, беглую черницу и разбойницу, в полицейский розыск на всю империю — а тебя по рыжести и конопушкам быстро бы сыскали, — то единственно из благодарности за исцеление.

— За что? — изумилась Лисицына, думая, что ослышалась.

— Как узнал я от сестры Христины, что ты, на меня сославшись, уехала куда-то, да как понял, что́ ты умыслила, сразу мое здоровье на поправку пошло. Устыдился я, Пелагиюшка, — тихо сказал архиерей, и стало видно, что вовсе он не гневается. — Устыдился слабости своей. Что ж я, как старуха плаксивая, на постели валяюсь, докторские декокты с ложечки кушаю? Чад своих несчастных в беде бросил, всё на женские плечи свалил. И так мне стыдно сделалось, что я уж на второй день садиться стал, на четвертый пошел, на пятый маленько в коляске по городу прокатился, а на восьмой засобирался в дорогу — сюда, к вам. Профессор Шмидт, который меня из Питера хоронить ехал, говорит, что отродясь не видал такого скорого выздоровления от надорвания сердечной мышцы. Уехал профессор в столицу, очень собой гордый. Теперь ему за визиты и консультации станут еще больше денег платить. А вылечила меня ты, не он.

Всхлипнув, Полина Андреевна облобызала преосвященному худую белую руку. Он же поцеловал ее в пробор.

— Ишь, напарфюмилась-то, — проворчал епископ, уже не прикидываясь сердитым. — Ладно, о деле говори.

Лисицына достала из-за пазухи письмо, протянула.

— Лучше прочтите. Тут всё самое главное. Каждый вечер приписывала. Короче и ясней выйдет, чем рассказывать. Или хотите словами?

Митрофаний надел пенсне.

— Дай прочту. Чего не пойму — спрошу.

Со всеми накопившимися чуть не за целую неделю приписками письмо было длинное, мало не на десяток страниц. Строчки кое-где подмокли, расплылись.

Карета остановилась. Возница-монах, сняв колпак, спросил:

— Куда прикажете? Из города выехали.

— В лечебницу доктора Коровина, — сказала Полина Андреевна вполголоса, чтобы не мешать читающему.

Покатили дальше.

Она жалостно рассматривала перемены в облике владыки, вызванные недугом. Ох, рано он встал с постели. Как бы снова беды не вышло. Но, с другой стороны, лежать в бездействии ему только хуже бы было.

В одном месте преосвященный вскрикнул, как от боли. Она догадалась: про Алешу прочел.

Наконец, владыка отложил листки, хмуро задумался. Спрашивать ни о чем не спрашивал — видно, толково было изложено.

Пробормотал:

— А я-то, старик ненадобный, пилюли глотал да ходить учился... Ох, стыдно.

Полине Андреевне не терпелось поговорить о деле.

— Мне, владыко, загадочные речения старца Израиля покою не дают. Там ведь что выходит-то...

— Погоди ты со своими загадками, — отмахнулся
Митрофаний. — Про это после потолкуем. Сначала
главное: Матюшу видеть хочу. Что, плох?

— Плох.

День последний. Середина

— Очень плох, — подтвердил доктор Коровин. —
С каждым днем достучаться до него все труднее. Энтропоз прогрессирует. День ото дня больной делает-
ся все более вялым и пассивным. Ночные галлюцинации прекратились, но я вижу в этом не улучшение,
а ухудшение: психика уже не нуждается в возбуж-
дениях, Бердичевский утратил способность испытывать такие сильные чувства, как страх, у него осла-
бился инстинкт самосохранения. Вчера я провел
опыт: велел не приносить ему пищи, пока не попро-
сит сам. Не попросил. Так весь день и просидел го-
лодный... Он перестает узнавать людей, если не видел их со вчерашнего дня. Единственный, кому
удавалось хоть как-то втянуть его в связный разговор, — сосед, Лямпе, но тот тоже субъект специфи-
ческий и не мастер красноречия — Полина Андреевна видела, знает. Весь мой опыт подсказывает, что
дальше будет только хуже. Если хотите, можете заб-
рать у меня больного, но даже в наимоднейшей швей-
царской клинике, хоть у самого Швангера, результат будет тот же. Увы, современная психиатрия в
подобных случаях беспомощна.

Втроем — доктор, епископ и Лисицына — они вошли в коттедж № 7. Заглянули в спальню. Две пустые

кровати — одна, Бердичевского, скомканная, вторая аккуратно застеленная.

Вошли в лабораторию. Несмотря на день, шторы задвинуты, свет не горит. Тихо.

Над спинкой кресла торчала лысеющая макушка Матвея Бенционовича, в прежние времена всегда прикрытая виртуозным зачесом, а теперь беззащитная, голая. На звук шагов больной не обернулся.

— А где Лямпе? — шепотом спросила Полина Андреевна.

Коровин голос понижать не стал:

— Понятия не имею. Как ни приду, его все нет. Пожалуй, уже несколько дней его не видел. Сергей Николаевич у нас личность самостоятельная. Должно быть, открыл еще какую-нибудь эманацию и увлечен «полевыми экспериментами» — есть у него такой термин.

Владыка остался у порога. Глядел на затылок своего духовного чада, часто-часто моргая.

— Матвей Бенционович! — позвала госпожа Лисицына.

— Вы погромче, — посоветовал Донат Саввич. — Он теперь откликается лишь на сильные раздражители.

Она во весь голос крикнула:

— Матвей Бенционович! Смотрите, кого я к вам привела!

Была у Полины Андреевны маленькая надежда: увидит Бердичевский любимого наставника и встряхнется, пробудится к жизни.

На крик товарищ прокурора оглянулся, поискал источник звука. Нашел. Но посмотрел только на женщину. Ее спутников взгляда не удостоил.

— Да? — медленно спросил он. — Что вам, сударыня?

— Раньше он про вас все время спрашивал! — в отчаянии прошептала она Митрофанию. — А теперь и не глядит... А где господин Лямпе? — осторожно спросила она, приблизившись к сидящему.

Тот произнес тускло, безразлично:

— Под землей.

— Видите? — пожал плечами Коровин. — Реакция лишь на интонацию и грамматику вопроса, с бредовым откликом. Новый этап в развитии душевной болезни.

Архиерей шагнул вперед, решительно отодвинув доктора в сторону.

— Дайте-ка. Физические повреждения мозга — сие безусловно по части медицины, а вот что до болезней души, в которую, как говорили в старину, бес вселился, — это уж, доктор, по моему ведомству. — И, властно повысив голос, приказал. — Вы вот что, оставьте-ка нас с господином Бердичевским вдвоем. И не приходите, пока не позову. Неделю не буду звать — значит, неделю не приходите. Чтоб никто, ни один человек. Понятно вам?

Донат Саввич усмехнулся:

— Ах, владыко, не по вашей это епархии, уж поверьте. Этого беса молитовкой да святой водицей не изгонишь. Да и не позволю я у себя в клинике средневековье устраивать.

— Не позволите? — прищурился архиерей, оглянувшись на доктора. — А разгуливать больным меж здоровых позволяете? Что это вы здесь, в Арарате, за смешение устроили? Не разберешь, которые из публики вменяемые. И так на свете живешь, не всегда понимаешь, кто вокруг сумасшедший, кто нет, а у вас на острове и вовсе один соблазн и смущение. Этак и здравый про самого себя засомневается. Вы лучше делайте, что вам сказано. Не то воспрещу вашему заведению на церковной земле пребывать.

Коровин далее спорить не осмелился. Развел руками — мол, делайте что хотите, — повернулся да вышел.

— Пойдем-ка, Матюша.

Епископ ласково взял больного за руку, повел из темной лаборатории в спальню.

— Ты, Пелагия, с нами не ходи. Когда можно будет — кликну.

— Хорошо, отче, я в лаборатории подожду, — поклонилась Лисицына.

Бердичевского владыка усадил на кровать, себе пододвинул стул. Помолчали. Митрофаний смотрел на Матвея Бенционовича, тот — в стену.

— Матвей, неужто вправду меня не узнал? — не выдержал преосвященный.

Только тогда Бердичевский перевел на него взгляд. Помигал, сказал неуверенно:

— Вы ведь духовная особа? Вот и панагия у вас на груди. Ваше лицо мне знакомо. Должно быть, я вас во сне видел.

— А ты меня потрогай. Я тебе не снюсь. Разве ты не рад мне?

Матвей Бенционович послушно потрогал посетителя за рукав. Вежливо ответил:

— Отчего же, очень рад.

Посмотрел на владыку еще и вдруг заплакал — тихонько, без голоса, но со многими слезами.

Проявлению чувств, пускай даже такому, Митрофаний обрадовался. Принялся поглаживать убогого по голове и сам всё приговаривал:

— Поплачь, поплачь, со слезами из души яд выходит.

Но Бердичевский, кажется, пристроился плакать надолго. Все лил слезы, лил, и что-то очень уж монотонно. И плач был странный, похожий на затяжную осеннюю морось. Преосвященный весь свой платок измочил, утирая духовному сыну лицо, а платок был изрядный, мало не в аршин.

Нахмурился епископ.

— Ну-ну, поплакал и будет. Я ведь к тебе с хорошими вестями, очень хорошими.

Матвей Бенционович покорно похлопал глазами, и те немедленно высохли.

— Это хорошо, когда хорошие вести, — заметил он.

Митрофаний подождал вопроса, не дождался. Тогда объявил торжественно:

— Тебе производство в следующий чин пришло. Поздравляю. Ты ведь давно ждешь. Теперь ты статский советник.

— Мне статским советником быть нельзя. — Бердичевский рассудительно наморщил лоб. — Сумасшедшие не могут носить чин пятого класса, это воспрещено законом.

— Еще как могут, — попробовал шутить владыка. — Я знаю особ даже четвертого и, страшно вымолвить, третьего класса, которым самое место в скорбном доме.

— Да? — немножко удивился Матвей Бенционович. — А между тем артикул государственной службы этого совершенно не допускает.

Снова помолчали.

— Но это еще не главная моя весть. — Епископ хлопнул Бердичевского по колену — тот вздрогнул и плаксиво сморщился. — У тебя ведь мальчик родился, сын! Здоровенький, и Маша здорова.

— Это очень хорошо, — кивнул товарищ прокурора, — когда все здоровы. Без здоровья ничто не приносит счастья — ни слава, ни богатство.

— Уж и имя выбрали. Подумали-подумали и назвали.... — Митрофаний выдержал паузу. — Акакием. Будет теперь Акакий Матвеевич. Чем не прозвание?

Матвей Бенционович одобрил и имя.

И опять наступила тишина. Теперь молчали с полчаса, не меньше. Видно было, что Бердичевскому безмолвие отнюдь не в тягость. Он и не двигался почти, смотрел прямо перед собой. Раза два, когда Митрофаний пошевелился, перевел на него взгляд, благожелательно улыбнулся.

Не зная, как еще пробиться через глухую стенку, архиерей завел разговор о семействе — для этой цели фотографические карточки из Синеозерска прихватил. Матвей Бенционович снимки рассматривал с вежливым интересом. Про жену сказал:

— Милое лицо, только неулыбчивое.

И дети ему тоже понравились.

— У вас очаровательные крошки, отче, — сказал он. — И как много. Я и не знал, что лицам монашеского звания дозволяется детей иметь. Жалко, мне детей заводить нельзя, потому что я сумасшедший. Закон воспрещает сумасшедшим вступать в брак, а если кто уже вступил, то такой брак признается недействительным. Мне кажется, я тоже прежде был женат. Что-то такое припо...

Тут раздался осторожный стук, и в дверь просунулось веснушчатое лицо Полины Андреевны — ужасно некстати. Владыка замахал на духовную дочь рукой: уйди, не мешай — и дверь затворилась. Но момент был упущен, в воспоминания Бердичевский так и не пустился — отвлекся на таракана, что медленно полз по тумбочке.

Шли минуты, часы. День стал меркнуть. Потом угас. В комнате потемнело. Никто больше в дверь не стучал, не смел тревожить епископа и его безумного подопечного.

— Ну вот что, — сказал Митрофаний, с кряхтением поднимаясь. — Устал я что-то. Буду устраиваться на ночь. Физика твоего все равно нет, а появится — доктор его в иное место определит.

Улегся на вторую постель, вытянул занемевшие члены.

Матвей Бенционович впервые проявил некоторые признаки беспокойства. Зажег лампу, повернулся к лежащему.

— Вам здесь не положено, — нервно проговорил он. — Это помещение для сумасшедших, а вы здоровый.

Митрофаний зевнул, перекрестил рот, чтоб злой дух не влетел.

— Какой же ты сумасшедший? Не воешь, по полу не катаешься.

— По полу не катаюсь, но бывало, что выл, — признался Бердичевский. — Когда очень страшно делалось.

— Ну и я с тобой выть буду. — Голос преосвященного был безмятежен. — Я, Матюша, теперь тебя никогда не оставлю. Мы всегда будем вместе. Потому что ты мой духовный сын и потому что я тебя люблю. Знаешь ты, что такое любовь?

— Нет, — ответил Матвей Бенционович. — Я теперь ничего не знаю.

— Любовь — это значит все время вместе быть. Особенно, когда тому, кого любишь, плохо.

— Нельзя вам здесь! Как вы не понимаете! Вы же епископ!

Ага! Митрофаний в полумраке сжал кулаки. Вспомнил! Ну-ка, ну-ка.

— Это мне, Матюша, все равно. Я с тобой останусь. И тебе больше не будет страшно, потому что вдвоем страшно не бывает. Будем с тобой оба сумасшедшие, ты да я. Доктор Коровин меня примет, случай для него интересный: губернский архиерей мозгами сдвинулся.

— Нет! — заупрямился Бердичевский. — Вдвоем с ума не сходят!

И это тоже показалось преосвященному добрым признаком — прежде-то Матвей Бенционович со всем соглашался.

Митрофаний сел на кровати, свесил ноги. Заговорил, глядя бывшему следователю в глаза:

— А я и не думаю, Матвей, что ты с ума сошел. Так, тронулся немножко. С очень умными это бывает. Очень умные часто хотят весь мир в свою голову втиснуть. А он весь туда не помещается, Божий-то мир. Углов в нем много, и преострые есть. Лезут они из черепушки, жмут на мозги, ранят.

Матвей Бенционович взялся за виски, пожаловался:

— Да, жмут. Иногда знаете как больно?

— Еще бы не больно. Вы, умные, если чего в мозгу вместить не можете, то начинаете от мозга своего шарахаться, с ума съезжать. А на что иное переехать вам не дано, потому что у человека кроме ума только одна другая опора может быть — вера. Ты же, Матюша, сколько ни повторяй «Верую, Господи», все равно понастоящему не уверуешь. Вера — это дар Божий, не всякому дается, а очень умным он достается вдесятеро труднее. Вот и выходит, что от ума ты отъехал, к вере не приехал, отсюда и всё твое сумасшествие. Что ж, веры я тебе дать не могу — не в моей власти. А на ум вернуть попробую. Чтоб у тебя Божий мир снова меж ушами помещаться мог.

Бердичевский слушал хоть и недоверчиво, но с чрезвычайным вниманием.

— Ты читать-то еще не разучился? На-ко вот, почитай, что другая умница пишет, еще поумней тебя. Про гроб почитай, про пулю, про Василиска на ходулях.

Владыка вынул из рукава давешнее письмо, протянул соседу.

Тот взял, придвинулся к лампе. Сначала читал медленно, про себя, но при этом старательно шевелил губами. На третьей странице вздрогнул, шевелить губами перестал, захлопал ресницами. Перевернув на следующую, нервно растрепал себе волосы.

Митрофаний смотрел с надеждой и тоже шевелил губами — молился.

Дочитав до конца, Матвей Бенционович яростно потер глаза. Зашелестел страницами в обратную сторону, стал читать снова. Пальцы потянулись ухватиться за кончик длинного носа — была у товарища прокурора в прежней жизни такая привычка, посещавшая его в минуты напряжения.

Вдруг он дернулся, отложил письмо и всем телом повернулся к владыке.

— Как это «Акакий»! Мой сын — Акакий? Да что за имя такое! И Маша согласилась?!

Архиерей сотворил крестное знамение, прошептал благодарственную молитву, с чувством прижался губами к драгоценной панагии.

А заговорил легко, весело:

— Наврал я, Матвеюшка. Хотел тебя расшевелить. Не родила еще Маша, донашивает.

Матвей Бенционович нахмурился:

— И про статского советника неправда?

На заливистый, с одышкой и всхлипами хохот, донесшийся из спальни, в дверь заглянули уже безо всякого стука, только не госпожа Лисицына, а доктор Коровин с ассистентом, оба в белых халатах — должно быть, после обхода. С испугом уставились на побагровевшего, утирающего слезы владыку, на встрепанного пациента.

— Вот уж не думал, коллега, что энтропическая скизофрения заразна, — пробормотал Донат Саввич.

Ассистент воскликнул:

— Это настоящее открытие, коллега!

Досмеявшись и утерев слезы, Митрофаний сказал растерянному товарищу прокурора:

— Про чин не наврал, это был бы грех неизвинительный. Так что поздравляю, ваше высокородие.

Донат Саввич пригляделся к выражению лица своего пациента и бросился вперед.

— Па-азвольте-ка. — Он присел перед кроватью на корточки, одной рукой схватил Матвея Бенционовича за пульс, другой стал оттягивать ему веки. — Что за чудеса! Что вы с ним сделали, владыко? Эй, господин Бердичевский! Сюда! На меня!

— Ну что вы так кричите, доктор? — поморщился новоиспеченный статский советник, отодвигаясь. — Я ведь, кажется, не глухой. Кстати, давно хотел вам сказать. Вы напрасно думаете, что больные не слышат этих ваших «реплик в сторону», которыми вы обмениваетесь с врачами, сестрами или посетителями. Вы же не на театральной сцене.

У Коровина отвисла челюсть, что в сочетании с насмешливой, самоуверенной маской, прочно усвоенной доктором, смотрелось довольно странно.

— Донат Саввич, у вас ужином кормят? — спросил преосвященный. — С утра маковой росинки не было. Ты как, Матвей, не проголодался?

Тот не очень уверенно, но уже без прежней тусклости ответил:

— Пожалуй, поесть неплохо бы. А где госпожа Лисицына? Я не очень отчетливо помню, что здесь было, но она меня навещала, это ведь мне не приснилось?

— Ужин после! Потом! — закричал Коровин в крайнем волнении. — Вы должны немедленно рассказать мне, что именно вы помните из событий последних двух недель! Во всех подробностях! А вы, коллега, стенографируйте каждое слово! Это очень важно для науки! Вы же, владыко, непременно откроете мне свой метод лечения. Вы ведь применили шок, да? Но какой именно?

— Ну уж нет, — отрезал Митрофаний. — Сначала ужинать. И пошлите за Пела... за Полиной Андреевной. Куда это она запропастилась?

— Госпожа Лисицына уехала, — рассеянно ответил Донат Саввич и снова затряс головой. — Нет, я решительно не слыхал и не читал ни о чем подобном! Даже в «Ярбух фюр психопатологи унд психотерапи»!

— Куда уехала? Когда?

— Еще светло было. Попросила отвезти ее в гостиницу. Хотела вам что-то сказать, да вы ее не впустили. Ах да. Перед тем писала что-то у меня в кабинете. Просила передать вам конверт и какую-то сумку. Конверт у меня здесь, в карман сунул. Только вот в который? А сумка за дверью, в прихожей.

Ассистент, не дожидаясь просьбы, уже тащил сумку — большую, клеенчатую, но, видно, не тяжелую.

Пока Донат Саввич хлопал себя по многочисленным карманам халата и сюртука, владыка заглянул внутрь.

Извлек высокие каучуковые сапоги, электрический фонарь необыкновенной конструкции (закрытый жестяными щитками в мелкую дырочку) и скатанную черную тряпку. Развернул — оказалась ряса с куколем, края которого были небрежно стянуты суровой ниткой. На груди разрез — чтоб можно было откинуть на спину, а сам колпак сшит краями, и в нем две дырки для глаз. Митрофаний недоуменно просунул палец сначала в одну, потом в другую.

— Ну что, доктор, нашли письмо? Давайте.

Нацепил пенсне. Проворчал, вскрывая заклеенный конверт:

— С утра только и делаем, что письма некоей особы читаем... Ишь накарябала — как курица лапой. Видно, торопилась очень...

Еще письмо

Кинулась к Вам, да поняла, что не ко времени. Известие у меня важное, но Ваше занятие во сто крат важней. Помоги Вам Господь вернуть Матвею Бенционовичу утраченный разум. Если преуспеете — истинный Вы кудесник и чудотворец.

Простите, что не дождалась и опять самовольничаю, но я ведь не знаю, сколько продлится Ваше лечение. Вы сказали, что это может быть целая неделя, а столько уж ждать точно невозможно. Полагаю, что и вообще ждать нельзя, ибо один Бог ведает, что у этого человека на уме.

Хоть и пишу в спешке, все же постараюсь не отклоняться от последовательности.

Дожидаясь Вас и тревожась за исход этого трудного (а вдруг и невозможного?) дела, я не находила себе места. Стала бродить по дому — сначала по одной только лаборатории, потом и по другим комнатам, что с моей стороны, конечно, неприлично, но мне все не давали покоя слова Доната Саввича о том, что он не видал Лямпе уж несколько дней. Разумеется, пациенты в клинике содержатся вольно, но все же это как-то странно. К тому же мне пришло в голову, что, слишком сосредоточившись на отце Израиле и Окольнем острове, я почти совершенно выпустила из виду лечебницу — то есть предположение о том, что преступником является кто-то из здешних обитателей. А между тем если вспомнить ту ночь, когда Черный Монах на меня напал, то поворачивает именно на эту линию.

Во-первых, кто мог знать про ходули болезненно чистоплотного пациента и про то, где их можно позаимствовать? Только человек, хорошо осведомленный в обыкновениях жителей клиники и расположении построек.

Во-вторых, кто мог знать, где именно содержится Матвей Бенционович, чтоб пугать его по ночам? Ответ тот же.

И третье. Опять-таки лишь некто, причастный к клинике, мог беспрепятственно и многократно навещать Ленточкина в оранжерее (из слов Алексея Степановича ведь ясно было, что Черный Монах к нему наведывался), а после умертвить бедного мальчика и вынести тело?

То есть, если уж быть совсем точным, сделать это мог и посторонний — проникла же я в оранжерею так, что никто не заметил, — но проще всё это было бы совершить кому-то из здешних.

Не случилось ли чего и с физиком, затревожилась я. Вдруг видел что-нибудь лишнее и теперь тоже лежит на дне озера? Мне вспомнились бессвязные речи Лямпе, в которых он страстно говорил о мистической эманации смерти, о какой-то ужасной опасности.

И я решила наведаться в гардеробную, чтобы проверить, на месте ли его верхняя одежда. Предварительно спросила у санитара, в чем обычно ходит господин Лямпе. Оказалось, всегда в одном и том же: черный берет, клетчатый плащ с пелериной, калоши и непременно большой зонт, вне зависимости от погоды.

Представьте мое волнение, когда я обнаружила все эти предметы на месте, в гардеробной! Села на корточки, чтобы рассмотреть получше калоши — иногда по засохшим комочкам грязи можно понять очень многое: давно ли они последний раз побывали за пределами дома, по какой почве ступали и тому подобное. Тут-то мне на глаза и попала клеенчатая сумка, втиснутая в темный закуток позади калошницы.

Если Вы еще не успели заглянуть в сумку, сделайте это сейчас. Там Вы обнаружите полный набор вещественных доказательств: облачение Черного Монаха; сапоги, в которых удобно «ходить по водам»; особенный фонарь, который дает яркий, но при этом рассеянный свет, направленный в стороны и вверх. Как Вы несомненно помните, нечто в этом роде я и предполагала.

В первую минуту я подумала: подбросили. Преступник подбросил. Но затем приложила калошу Лямпе к подметке сапога и убедилась — размер тот же. Нога у физика маленькая, почти женская, так что ошибки быть не могло. У меня словно раскрылись глаза. Все сошлось одно к одному!

Ну, конечно, Черный Монах — это Лямпе, сумасшедший физик. Больше, собственно, и некому. Мне следовало догадаться много раньше.

Полагаю, дело было так.

Находясь во власти маниакальной идеи о некоей «эманации смерти», якобы источаемой Окольним островом, Лямпе задумал отвадить всех от «проклятого» места. Известно, что у больных рассудком часто бывает, что безумна лишь их основополагающая идея, а при ее осуществлении они способны проявлять чудеса ловкости и хитроумия.

Поначалу физик изобрел трюк с водоходящим Василиском — спрятанная под водой скамейка, куколь, хитрый фонарь, замогильный голос, говорящий перепуганному очевидцу: «Иди, скажи всем. Быть сему месту пусту» и прочие подобные вещи. Выдумка дала эффект, но недостаточный.

Тогда Лямпе перенес свой спектакль и на сушу, причем дошло до прямого злодейства — гибели беременной жены бакенщика, а после и самого бакенщика. Сумасшествия этого рода имеют свойство усугубляться, побуждая маниака ко все более чудовищным поступкам.

Как было устроено нападение на Алешу, Феликса Станиславовича и Матвея Бенционовича, я вам уже описывала. Уверена, что именно так все и было.

Однако Лямпе боялся, что Ленточкин или Бердичевский оправятся от ужасного потрясения и вспомнят какую-нибудь деталь, могущую вывести на преступника. Поэтому продолжал пугать их и в клинике.

Ленточкин пребывал в совсем жалком состоянии, ему довольно было малости. А вот к Бердичевскому, сохранившему крупицы памяти и членораздельность, Лямпе проявил особенное внимание. Устроил так, что Матвея Бенционовича поселили к нему в коттедж, где жертва Василиска оказалась под постоянным присмотром самого Черного Монаха. Пугать по ночам Бердичевского для физика было проще простого. Вышел наружу, встал на ходули, постучал в окно второго этажа — только и забот.

И еще я вспомнила, что, когда я пробралась в спальню к Матвею Бенционовичу, кровать Лямпе была пуста. Я-то решила, что он работает в лаборатории, на самом же деле Лямпе в это время находился снаружи, переодетый Василиском, и готовился к очередному представлению. Когда я внезапно для него вылезла из форточки и спрыгнула на землю, ему не оставалось ничего другого, как оглушить меня ударом деревянного шеста.

Вот о чем я хотела Вам сообщить, когда осмелилась заглянуть в комнату. Вы меня выгнали и правильно сделали. Получилось к лучшему.

Я стала размышлять дальше. Куда подевался Лямпе? И почему без верхней одежды? Его не видали несколько дней — так уж не с той ли самой ночи, когда был убит Алексей Степанович?

Я вспомнила страшную картину: лодка, силуэт Черного Монаха, тощее обнаженное тело, переваленное через борт. И меня как пронзило. Лодка! У Лямпе была лодка!

Зачем? Уж не для того ли, чтоб тайно наведываться на Окольний остров?

Я села за стол и быстро записала все речения старца Израиля, числом шесть. Я писала вам в прежнем письме, что чувствую в этих странных словах некое тайное послание, смысл которого никак не могу разгадать.

Вот они, эти короткие реплики, день за днем.

«Ныне отпущаеши раба твоего — смерть».

«Твоя суть небеса — Феогноста».

«Вострепета Давиду сердце его — смутна».

«Имеяй ухо да слышит — кукулус».

«Мироварец сими состроит смешение — нонфацит».

«Не печалися здрав есть — монакум».

Я отделила чертой последнее слово каждой фразы, потому что оно добавлено схиигуменом от себя к цитате из Св. Писания. А что если секретное послание содержится только в заключении каждого предложения, подумала я.

Выписала последние слова строкой. Получилось вот что:

«Смерть — Феогноста — смутна — кукулус — нонфацит — монакум».

Сначала решила, что выходит чушь, но прочла второй раз, третий, и забрезжил свет.

Тут не одно послание, а два, каждое из трех слов!

И смысл первого совершенно ясен!

Смерть Феогноста смутна.

Вот что хотел сообщить монастырскому начальству старец! Что обстоятельства смерти схимника Феогноста, чье место освободилось шесть дней назад, подозрительны. Да еще и из «Апокалипсиса» после этого присовокупил: *Имеяй ухо да слышит*. Не услышали монахи, не поняли.

Что значит «смерть смутна»? Уж не об убийстве ли речь? Если так, то кто умертвил святого старца и с какой целью?

Ответ дало второе послание, над которым я ломала голову недолго. Отгадку подсказал «монакум», то есть monachum, по-латыни «монах». Стало быть, сказано на латыни!

«Кукулус» — это, верно, cucullus — куколь. А «нонфацит» — non facit. Получается: «Cucullus non facit monachum». То есть «Куколь не делает монаха», или «Не всякий, кто в куколе, — монах»!

Почему по-латыни? — еще не осознав всё значение этих слов, спросила себя я. Ведь вряд ли отец эконом, которому передают всё сказанное схиигуменом, понял бы чужой язык, да и не слишком вежественный брат Клеопа еще исковеркал бы этакую тарабарщину. Старец Израиль не мог этого не понимать.

Значит, латинское речение было обращено не к братии, а ко мне. Да и смотрел схимник в три последних дня только на меня, будто хотел особо это подчеркнуть.

Откуда он знает, что скромный монашек с подбитым глазом знает латынь? Загадка! Но так или иначе очевидно: Израиль хотел, чтобы его поняла лишь я одна. Видно, не надеялся на понятливость отца эконома.

И здесь мои мысли снова поворотили назад, к главному. Мне открылся смысл латинского иносказания. Я поняла, что хотел сказать старец! Новый носитель схимнического куколя — не отец Иларий! Это преступник, Лямпе! Вот куда он пропал, вот почему его не видно, вот почему вся его одежда на месте!

Физик перебрался на Окольний остров! А если так, то, стало быть, в ту ночь он совершил не одно убийство, а два. И мертвых тел тоже было два! Просто луна выглянула из-за туч слишком ненадолго, и я увидела лишь половину страшного ритуала. Ленточкину злодей заткнул рот навсегда, а почему пощадил Бердичевского — Бог весть. Быть может, и в ожесточившемся, безумном сердце отмирают не все чувства, и за дни, прожитые с Матвеем Бенционовичем под одной крышей, Лямпе успел привязаться к своему кроткому соседу.

Ночью маниак пробрался в Прощальную часовню, где отец Иларий в одиночестве готовился к подвигу схимничества, молился и зашивал куколь. Свершилось убийство. И утром в черном саване к лодке вышел уже не старец, а преступник.

Не знаю и даже не предполагаю, что за чудовищные фантазии владеют этим помраченным рассудком. Не намерен ли он умертвить и двух остальных схимников?

Дойдя до этой мысли, я чуть было вновь не бросилась к Вам в комнату. Ведь речь шла о жизни людей, Вы бы меня извинили! Нужно немедля отправиться в скит и изобличить самозванца!

Я уж даже взялась за ручку двери, но здесь меня охватило сомнение.

А что если я ошибаюсь? Вдруг Лямпе на Окольнем острове нет, а я побужу Вас нарушить уединенность святого скита! Последствия такого кощунства будут ужасны. Ведь восемь столетий туда не ступала нога постороннего! Такого кощунства архиерею не простят. Вас растопчут, растерзают, осрамят — уж отец Виталий расстарается. Какая будет потеря для губернии! Да что губерния — для всей православной церкви!

А с глупой любопытной бабы какой спрос? Ну, вышлют с позором на первом же пароходе, вот и вся кара.

Поэтому я решила вот что. Сейчас заеду в город, переоденусь послушником. Потом отправлюсь на Постную косу, там привязана лодка брата Клеопы. Как стемнеет (а темнеет теперь рано), поплыву на Окольний — Бог даст, никто меня с берега не увидит.

Проверю в скиту свое предположение, и назад. Если ошиблась — ничего страшного. Старцу Израилю не хватит всего Писания, чтобы наябедничать ново-араратским о моей неслыханной дерзости — по одному-то слову в день. Да они, тугодумы, еще и не сообразят.

Очень может быть, что я вернусь еще до того, как Вы выйдете из комнаты Матвея Бенционовича, надеюсь, воскрешенного к жизни Божьей милостью и Вашим мудросердием.

Не ругайте меня.

Ваша дочь Пелагия.

День последний. Вечер

Последние строки письма Митрофаний читал, схватившись рукой за бороду, а когда окончил, заметался по комнате — кинулся к двери, остановился, повернулся к Бердичевскому.

— Ай, беда, беда, Матвей! Ах, отчаянная голова, в скит отправилась! За меня, вишь, убоялась! Что в кощунстве обвинят! Не кощунства страшиться нужно, а того, что убьет он ее!

— Кто убьет? Кого? — удивился Матвей Бенционович, с отвычки еще не очень хорошо соображавший, да и как было сообразить, если письма не читал?

Преосвященный сунул ему письмо, а сам бросился к доктору:

— Скорей, скорей туда! Что ему еще одно убийство!

— Да кому «ему»? — Не мог взять в толк и Коровин.

— Физику вашему, Лямпе! Он и есть Черный Монах, теперь доподлинно установлено! И убийца тоже он! На Окольнем острове спрятался! А Пелагия, то бишь Лисицына, туда поплыла! Прямо в волчью пасть!

Товарищ прокурора, не успевший как следует вчитаться в письмо, недоверчиво покачал головой:

— Лямпе на Окольнем острове? Что вы, отче, он вовсе не там!

— А где? — обернулся Митрофаний.

— Там, — махнул рукой Бердичевский вниз. — Под землей.

Владыка так и замер. Неужто недолечил? Или снова бред начался?

— То есть, я хочу сказать, в подвале, — пояснил Матвей Бенционович. — Он себе с некоторых пор еще одну лабораторию оборудовал. Там и работает. Я ему помогал вниз листы металлические носить, с крыши отодранные. Сергей Николаевич мне что-то про эманацию толковал, какие-то у него опасные опыты, да я ничего не понимал, в оцепенении был. И приборы все теперь в подвале. Он оттуда почти не выходит. Может, раз за день выглянет, кусок хлеба съесть, и снова вниз.

Говорил следователь медленно, нелегко подбирая слова — видно, не совсем еще оправился, но на сумасшедшего был непохож.

— Где этот подвал? — спросил епископ у доктора, не зная, верить ли сказанному. Может, и подвала никакого нет?

— Вон там, пожалуйте за мной.

Донат Саввич повел остальных в прихожую, оттуда в кладовку, а из кладовки, по каменной лестнице, вниз. Было темно, ассистент зажег спичку.

— Вот дверь. Но там было пусто, и никакой лаборатории...

Не договорив, Коровин потянул ручку, и из проема заструился неземной красноватый свет. Донеслось тихое пощелкивание, звякнуло стекло.

Митрофаний заглянул внутрь.

У длинного стола, уставленного аппаратами и инструментами неясного назначения, склонилась маленькая фигура в просторной блузе. Под потолком горел фонарь, обмотанный красным фуляром, — отсюда и диковинное освещение.

Человечек, скрючившийся над столом, смотрел через какой-то хитрый микроскоп на тисочки, в которых была вертикально зажата черная металлическая пластинка. За пластинкой на специальной подставке стояла пустая колба. Нет, не пустая — на самом донышке поблескивала крошечная горка какого-то порошка или, может, мелкого песка.

Исследователь был так увлечен своими наблюдениями, что не расслышал шагов. Вид у него был чудной: на голове пожарная каска, к груди привязан цинковый таз — обычный, в каких стирают белье.

— Так вот куда каска с пожарного щита подевалась, — вполголоса сказал ассистент. — Ко мне Фролов приходил, жаловался. Я вас, Донат Саввич, из-за ерунды беспокоить не стал.

Не ответив помощнику, Коровин шагнул вперед и громко позвал:

— Господин Лямпе! Сергей Николаевич! Что это за тайны подземелья?

Маленький человек оглянулся, замахал на вошедших руками:

— Вон, вон! Нельзя! Ее ничем не остановишь! Ничем! Железо пробовал, медь пробовал, сталь, олово, теперь вот цинк — как нож через масло! Буду жесть. — Он показал на кусок кровельной жести, лежащий на краю

стола. — Потом свинец, потом серебро! Что-то ведь должно
ее удерживать!

Рядом с жестью действительно поблескивал лист
тусклого металла и — гораздо ярче — серебряный
поднос.

— Так, — констатировал Коровин. — Поднос похи-
щен из моего буфета. Да у вас, Лямпе, ко всему букету
патологий еще и клептомания! Стыдитесь, Сергей Николаевич. А еще апологет нравственности.

Физик смутился, забормотал невнятное:

— Да, нехорошо. Но где же? Время! Ведь никто, ни
один! Всё сам! А еще золота бы. Я на золото очень. И
металлы родственные! Или уж прямо платину, чтоб
подобное подобным. Но где, где?

Митрофаний вышел вперед, воззрился на тщедушного Лямпе сверху вниз. Густым, не допускающим ос-
лушания голосом сказал:

— Я вам, сударь, вопросы задавать буду. А вы отве-
чайте внятно, без утайки.

Ученый рассмотрел архиерея, склонив голову набок. Потом вдруг вскочил на стул и сдернул с лампы
красную тряпку — освещение в комнате стало обыкновенным.

Даже стоя на стуле, Лямпе был ненамного выше
величественного епископа. Странный человек полез в
карман блузы, достал большие очки с фиолетовыми
стеклами, водрузил их на нос и снова затеял осматри-
вать преосвященного, теперь еще обстоятельней.

— Ах, ах, — закудахтал он, — сколько голубого! И
оранжевый, оранжевый! Столько никогда!

Сдернул очки, уставился на Митрофания с восхищением.

— Чудесный спектр! Ах, если бы раньше! Вы сможете! Скажите им! Они такие! Даже этот! — показал

ученый на Доната Саввича. — Я ему, а он иглой! Остальные хуже! Малиновые, все малиновые! Ведь нужно что-то! И срочно! Ее не остановишь!

Владыка, хмурясь, подождал, пока Лямпе утихнет.

— Не юродствуйте. Мне всё известно. Это ваше?

И пальцем Бердичевскому: дай-ка. Товарищ прокурора, пристроившийся под лампой читать послание Пелагии, вынул из сумки рясу, сапоги, фонарь, после чего снова уткнулся в листки. Казалось, допрос его совершенно не занимает.

При виде неопровержимого доказательства Лямпе заморгал, зашмыгал носом — в общем, сконфузился, но меньше, чем раньше, когда доктор уличил его в воровстве.

— Моё, да. А как? Ведь никто! Придумал. Раз малиновые. Пусть не понимают, лишь бы не совались. Жалко.

— Зачем вы разыгрывали этот кощунственный спектакль? — повысил голос епископ. — Зачем пугали людей?

Лямпе прижал руки к груди, затараторил еще чаще. Видно было, что он изо всех сил пытается объяснить нечто очень для него важное и никак не возьмет в толк, почему его отказываются понять:

— Ах, ну я же! Малиновые, непробиваемые! Я пробовал! Я тому, безлицему! Он ни слова! Я ему! — снова показал он на Коровина. — А он меня колоть! Дрянью! Потом два дня голова! Не слышат! Глас! В пустыне!

— Это он про усыпляющий укол, который я был вынужден ему назначить, — пояснил доктор. — Какая злопамятность, ведь уже месяца три прошло. Очень он тогда перевозбудился. Пуще, чем сейчас. Ничего, сутки поспал, стал спокойнее. Совал мне тетрадку, чтоб я прочел его записи. Где там — сплошные формулы. И на полях вкривь и вкось, с тысячей восклицательных знаков, про «эманацию смерти».

— Это чтоб яснее! — в отчаянии закричал Лямпе, брызгая слюной. — Надо по-другому. Я думал! Дело не в смерти! Ничем не остановишь, вот что. Может, «пенетрация»? Потому что через всё! Но «пенетрирующая эманация» не выговоришь!

— Так вы, стало быть, не отрицаете, что наряжались Василиском, ходили по воде и светили из-за спины своим хитроумным фонарем? — перебил его владыка.

— Да, суеверием по суеверию. Раз не слышат. О, я очень хитрый.

— И бакенщику в окно грозили, гвоздем по стеклу скребли? А после в избушке напали на Ленточкина, на Лагранжа, на Матвея Бенционовича?

— Какая избушка? — пробормотал Сергей Николаевич. — Гвоздем по стеклу — бр-р-р, гадость! — Он передернулся. — К черту избушку! Про главное! Остальное чушь!

— И в окно Матвею Бенционовичу не стучали, встав на ходули?

Физик удивился:

— Зачем ходули? А стучать?

Товарищ прокурора, дочитавший письмо, негромко сказал:

— Владыко, это не мог быть Сергей Николаевич. Она ошибается. Посудите сами. Сергей Николаевич знал, что в ту ночь меня перевели со второго этажа на первый. Зачем бы ему понадобились ходули? Нет, это был кто-то другой. Некто, не осведомленный о том, что я переместился в спальню первого этажа.

Кажется, способность к логическому размышлению у Бердичевского восстановилась, и это преосвященного порадовало. Но тогда получается...

— Так был еще один Василиск? — Архиерей затряс головой, чтоб лучше думала. — Драчливый? Который ударил Пелагию, а перед тем таким же манером нападал на вас, Алешу и Лагранжа? Нелепица какая-то!

Матвей Бенционович осторожно заметил:

— К выводам я пока не готов. Однако взгляните на Сергея Николаевича. Разве у него достало бы силы поднять бесчувственное тело и переложить в гроб, стоящий на столе? Алексея Степановича еще куда ни шло, хотя тоже сомнительно, но уж меня-то определенно не поднял бы. Я ведь тяжелокостный, за пять пудов.

Митрофаний посмотрел на Бердичевского, как бы взвешивая, потом на худосочного физика. Вздохнул.

— Ну хорошо, господин Лямпе. А где же вы были той ночью? Ну, когда Матвея Бенционовича положили к вам в спальню?

— Как где? Здесь. — Ученый обвел рукой стены подвала, после чего потыкал пальцем на приборы. — Всё главное сюда. Все-таки каменные. Я — ладно, я исследователь. А ему [Лямпе кивнул на Бердичевского] не нужно. Опасно.

— Да что опасно-то? — воскликнул напряженно вслушивавшийся в бред владыка. — О какой опасности вы все время толкуете?

Лямпе умолк, косясь на доктора и нервно облизывая губы.

— Слово? — тихо спросил он преосвященного.

— Какое слово?

— Чести. Не перебивать. И не колоть.

— Слово. Перебивать не стану и уколы делать не позволю. Говорите, только медленно. Не волнуйтесь.

Но Сергею Николаевичу этого было мало.

— На этом, — показал он на грудь преосвященного, и тот, кажется, понемногу приучившийся понимать странную речь коротышки, поцеловал панагию.

Тогда Лямпе удовлетворенно кивнул и начал, изо всех сил стараясь говорить как можно яснее.

— Эманация. Пенетрационные лучи. Мое название. Маша хочет по-другому. Но мне больше так.

— Опять лучи! — простонал Донат Саввич. — Нет, господа, вы как хотите, а я крест не целовал, так что пойдемте-ка, коллега, на свежий воздух.

Оба эскулапа вышли из подвала, и Сергей Николаевич сразу стал спокойнее.

— Я знаю. Говорю не так. Все время вперед. Слова слишком медленные. Нужно более совершенную коммуникативную систему. Чтоб сразу мысль. Я думал про это. Посредством электромагнетики? Или биологического импульса? Тогда все меня поймут. Если бы прямо мысли — из глаз в глаза, это бы лучше всего. Нет, глаза плохо. — Он загорячился. — Выколоть бы глаза! Только сбивают! Но нельзя! Всё на зрении. А зрение — обман, ложная информация. Несущественное — да, но главное упускается. Убогий аппарат. — Лямпе ткнул пальцем себе в глаз. — Всего семь цветов спектра! А их тысяча, миллион, бессчетно!

Тут он замотал головой, сцепил перед собой руки.

— Нет-нет, не про то. Про пенетрацию. Я постараюсь. Медленно. Слово!

Физик испуганно посмотрел на владыку — не перестанет ли слушать, не отвернется ли. Но нет, Митрофаний слушал сосредоточенно, терпеливо.

— Там Окольний, так? — показал Сергей Николаевич вправо.

— Так, — кивнул владыка, хотя знать не знал, в какой стороне отсюда находится скит.

— Легенда, так? Василиск. Огненный перст с небес, горящая сосна.

— Да, конечно, это легенда, — согласился епископ. — Религия содержит много волшебных преданий, они отражают человеческую тягу к чудесному. Нужно воспринимать эти истории иносказательно, не в буквальности.

— Именно что буквально! — закричал Лямпе. — Буквально! Так и было! Перст, сосна! Даже угли есть! Закаменели, но видно, что ствол!

— Погодите, погодите, сын мой, — остановил его Митрофаний. — Как вы могли видеть обгорелый ствол той сосны? Вы что... — Глаза владыки расширились. — ...Вы что, были на Окольнем острове?!

Сергей Николаевич как ни в чем не бывало кивнул.

— Но... но зачем?

— Нужна была добрая эманация. Злой, серого колора, много. Не редкость. А беспримесный оранж, как ваш, почти никогда. Даже точный оттенок не мог. А нужно — для науки. Думал-думал. Эврика! Схимники — праведные, так? Себялюбие, алчность, ненависть близки к нулю, так? Значит, сильная нравственная эманация! Логика! Проверить, замерить. Как? Очень просто. Сел ночью в лодку, поплыл.

— Вы плавали в скит, чтобы измерить нравственную эманацию схимников? — недоверчиво переспросил владыка. — Этими вашими фиолетовыми окулярами?

Лямпе кивнул, очень довольный, что его поняли.

— Но ведь это строжайше воспрещено!

— Глупости. Суеверие.

Преосвященный хотел вознегодовать и даже бровями задвигал, но любопытство было сильнее праведного гнева. Не удержался, спросил тихонько:

— И что там, на острове?

— Холм, сосны, пещера. Царство смерти. Лысые. Неприятно. Но неважно, главное — шар.

— Что?

— Шар. Там так. Ход, по бокам камеры. Внутри, под верхушкой — круглая.

— Что «круглая»?

— Пещера. Туда и попал. Пробил свод. Потом дыра корнями, травой, землей, теперь не видно. А ствол еще видно. Восемьсот лет, а видно! Угли. Шар, как большая-большая тыква. Еще больше. Как... — Лямпе огляделся по сторонам. — Как кресло.

— В круглой пещере, которая под вершиной холма, лежит шар? — уточнил Митрофаний. — Что за шар?

Сергей Николаевич страдальчески вздохнул:

— Ну я ведь уже. Сверху. Пробил свод. Еще тогда, когда Василиск. Метеорит. Упал, пробил, зажег сосну. Ночью далеко видно. Вот он и увидел.

— Кто, святой Василиск? — Архиерей потер лоб. — Постойте. Вы хотите сказать, что восемьсот лет назад он видел, как на землю упало некое небесное тело. Решил, что это указующий перст Божий, пошел по воде и ночью нашел остров по пылающей сосне?

— По воде ходить нельзя, — с неожиданной связностью заметил физик. — Плотность не позволит. Не шел. На чем-то плыл. Не важно. Важно, что там. В пещере. Куда упал.

— А что там?

— Уран. Слышали? Знаете? Смолка. Месторождение.

Преосвященный подумал, кивнул.

— Да-да, я читал в «Физическом вестнике». Уран это такой природный элемент, обладающий необычными свойствами. Его и еще один элемент, радий, сейчас изучают лучшие умы Европы. А урановая смолка — это, если я не ошибаюсь, минерал, в котором содержание урана очень высоко. Так, кажется?

— Духовная особа, а следите. Хорошо, — похвалил Сергей Николаевич. — Голубая аура. Умная голова.

— Бог с ней, с моей головой. Так что смолка эта ваша?

Лямпе приосанился.

— Мое открытие. Ядро начинает делиться. Само. Нужен особенный механизм. И название придумал: «Ядерный Делитель». Невероятно трудные условия. Пока невозможно. В природе теоретически может. Но при редком стечении. А тут как раз! Редчайшее! — Он бросился к столу, зашелестел страничками пухлой тетрадки. — Вот, вот! Я ему, а он колоть! Вот! Метеорит, высочайшая температура — раз. Месторождение смолки — два! Подземные источники — три! И всё! Делитель! Природный! Заработал! Энергия ядра, по цепочке! Пошла — не остановишь! Восемьсот лет! Я Маше и Тото письмо! Нет, не верят! Думают, я с ума! Потому что из сумасшедшего дома!

— Да постойте же! — взмолился Митрофаний, у которого от напряжения на лбу выступили капли пота. — От падения метеорита в месторождение урана заработал какой-то природный механизм, начавший источать энергию. Я ничего в этом не смыслю, но предположим, всё так, как вы говорите. Однако в чем здесь опасность?

— Не знаю. Не медик. И в тетрадь не писал, потому что не знаю. Но уверен. Совершенно уверен. Я там несколько часов, а рвота, потом лихорадка. Схимники все время. Вот и умирают. Полгода, год — и смерть. Преступление! Надо закрыть! А никто. Не слушают! Я к тому, с черепом. Он на меня рукой...

— С каким черепом? — опять перестал понимать преосвященный. — Про кого это вы?

— Ну, на лбу. Вот тут. Который без лица, с дырками. Там. — Физик снова махнул рукой в сторону Окольнего острова.

— Схимник? Старец Израиль? У которого на куколе вышит череп с костями?

— Да. Главный. Нет, машет! Я к Коровину, а он иглой! Я тетрадь, а он не читает! — Голос Сергея Николаевича задрожал от давней обиды. — Думал-думал, придумал. Черный Монах. Испугаются. Проклятое место. И тогда спокойно исследовать. Без помех.

— Но как вы обнаружили эманацию? Помнится, я читал, что излучение этого рода не воспринимается органами чувств.

Лямпе горделиво улыбнулся:

— Не сразу. Сначала пробу шара. Сразу понял — метеорит. Оплавленная поверхность. Радужная. Красиво. Особенно когда фонарем. Тайна скита. Священная. Старцы секрет. Восемьсот лет. Потому, наверно, и молчание. Чтоб не проболтались. Пробу и так, и этак. Ничего. Твердость исключительная. Приплыл снова. Напильник закаленной стали. Все равно никак. Тогда алмазный напильник. Из Антверпена. Почтой. Помогло. За четверть часа — вот, три грамма. — Он показал на горку порошка в колбе. — Для анализа довольно.

— Вы выписали по почте из Антверпена алмазный напильник? — Митрофаний вытер платком испарину, чувствуя, что его голова, хоть и с голубой аурой, отказывается вмещать столько поразительных сведений. — Но ведь, должно быть, очень дорого?

— Возможно. Все равно. У Коровина денег много.

— И Донат Саввич даже не спросил, зачем вам такая диковина?

— Спросил. Я рад. Объяснять — он руками. «Про эманацию не желаю, будет вам напильник». Пускай. Главное — получил.

Владыка с любопытством посмотрел на стол.

— Где же он? Как выглядит?

Ученый небрежно махнул рукой:

— Пропал. Давно. Неважно, больше не нужен. Не перебивайте глупостями! — рассердился он. — Крест целовали! Слушайте!

— Да-да, сын мой, простите, — успокоил его преосвященный и обернулся на Бердичевского — слушает ли. Тот слушал, и превнимательно, но, судя по наморщенному лбу, мало что понимал. В отличие от епископа Матвей Бенционович новостями научного прогресса интересовался мало, кроме юридических журналов почти ничего не читал и про таинственные свойства радия и урана, разумеется, ничего не слышал.

— Так что показал анализ метеоритной субстанции? — спросил владыка.

— Платино-иридиевый самородок. Оттуда. — Лямпе ткнул пальцем в потолок. — Иногда из космоса. Но редко, а такой огромный никогда. Конечно, стальным напильником никак! Плотность двадцать два! Только алмазом. И с места никак. Пудов полтораста—двести.

— Двести пудов платины! — ахнул товарищ прокурора. — Но это же огромная ценность! Почем унция платины?

Сергей Николаевич пожал плечами.

— Понятия. А ценности никакой. Одна опасность.
За восемьсот лет пропенетрирован насквозь. Я обнаружил: лучи. — Он кивнул на колбу. — Проходят через
всё. В точности как писал Тото. Про опыт с фотоплас-
тинкой. И Маша писала. Раньше. Коровин им письмо.
Что я в сумасшедшем доме. Теперь не пишут.

— Да-да, я читал про парижские опыты с радиевым
излучением, — припомнил владыка. — Их проводил
Антуан Беккерель, и еще супруги Кюри, Пьер и Мария.

— Пьеро — малиновая голова, — отрезал Лямпе. —
Неприятный. Маша зря. Лучше старой девой. А Тото
Беккерель умный, голубой. Я же про них всё время: Маша
и Тото. Игнорамусы! И Коровин! Хорош остров! На пристань ходил, смотрел в спектроскоп. Вдруг кто умный.
Поможет. Объяснить им. У меня никак. Хорошо теперь
вы. Поняли, да?

Он смотрел на архиерея со страхом и надеждой.

— Поняли?

Митрофаний подошел к столу, осторожно взял колбу, стал смотреть на тускло поблескивающие опилки.

— Значит, самородок заражен вредными лучами?

— Насквозь. И вся пещера. Восемьсот лет! Если даже
шестьсот, всё равно. Не остров — эшафот. — Сергей Николаевич схватил преосвященного за рукав рясы. — Вы
для них начальство! Запретите! Чтоб никто! Ни один!
А тех обратно! Если не поздно. Хотя нет, их поздно. Я
слышал, недавно нового. Если в круглую не заходил,
или недолго, то еще, может, можно. Спасти. Двоих
прежних — нет. А этого еще возможно. Сколько он?
Пять дней? Шесть?

— Это он про нового схимника, насчет которого сестра Пелагия ошиблась, — пояснил озадаченно нахму-
рившемуся епископу Бердичевский. — Надо же, мне и

в голову не приходило, что ваша монашка и госпожа Лисицына — одно лицо.

— Я тебе про это после объясню, — смутился Митрофаний. — Понимаешь, Матвей, по монашескому уставу сие, конечно, вещь недопустимая, даже возмутительная, но...

— Хватит глупости, — бесцеремонно дернул архиерея за рясу Лямпе. — Тех вывезти. Новых не пускать. Только меня. Сначала нужно экранирующий материал. Ищу. Пока ничего. Медь нет, сталь нет, жесть нет. Может, свинец. Или серебро. Вы умный. Я покажу.

Он потянул владыку к столу, перелистнул тетрадку, начал водить пальцем по выкладкам и формулам. Митрофаний смотрел с интересом, а иногда даже кивал — то ли из вежливости, то ли и вправду что-то понимал.

Бердичевский тоже заглянул, поверх узкого плеча Сергея Николаевича. Вздохнул. В жилетном кармане у него тренькнуло четыре раза.

— Господи, владыко! — вскричал товарищ прокурора. — Четыре часа ночи! А Полины Андреевны, Пелагии, всё нет! Уж не случилось ли...

Он поперхнулся и не закончил вопроса — так изменилось вдруг лицо Митрофания, исказившееся гримасой испуга и виноватости.

Оттолкнув увлекательную тетрадку, владыка неблагостно подобрал рясу, с топотом бросился из подвала вверх по лестнице.

Пещера

В «Непорочной деве», куда Полина Андреевна заехала из клиники взять необходимые для экспедиции вещи, постоялицу ждала неприятность.

Меры предосторожности, принятые для убережения опасного Лагранжева наследства от суелюбопытства прислуги, не помогли. Еще в вестибюле Лисицына заметила, что дежурная служительница смотрит на нее как-то странно — то ли с подозрением, то ли со страхом. А когда заглянула в саквояж, обнаружилось, что туда лазили: простреленная перчатка лежала не так, как прежде, и револьвер тоже был завернут в панталончики несколько иначе.

Ничего, сказала себе Полина Андреевна. Семь бед — один ответ. Если ночная вылазка с рук сойдет, то и с оружием как-нибудь обойдется. Владыка уладит.

А можно поступить и того проще. Когда будет переодеваться, выложить револьвер из саквояжа и спрятать в павильоне, а коли придут монастырские мирохранители, сказать, что дуре-горничной примерещилось. Помилуйте, какое оружие, у паломницы-то?

В общем, так или иначе саквояж нужно было брать с собой.

Она положила в него несколько свечей, спички. Что еще? Да, пожалуй, ничего.

Присела на дорожку, перекрестилась — и вперед, в сгустившиеся сумерки.

На набережной у павильона пришлось долго ждать. Вечер выдался ясный, безветренный, и гуляющих было столько, что проскользнуть за дощатый домик, не привлекая внимания, никак не получалось.

Полина Андреевна прохаживалась взад-вперед, кутаясь в свой длинный плащ, и терзалась нетерпением, а публики всё не убывало. Прямо у павильона остановилась компания немолодых дам, наладилась обсуждать приезд губернского архиерея — событие по араратским меркам колоссальное. Высказывались многочисленные предположения и догадки, и ясно было, что скоро богомолицы не угомонятся.

Да нужно ли переодеваться, подумала вдруг Полина Андреевна. На Окольний остров доступ одинаково заказан что женщине, что послушнику. А если придется держать ответ, то за маскарад вдвойне. Женщине облачиться в монашеское одеяние — это мало того что кощунство, так еще, пожалуй, и уголовное преступление.

И не стала больше ждать, пошла как есть, в дамском и с саквояжем.

Как уже было сказано, вечер выдался лунный, светлый, и лодку брата Клеопы госпожа Лисицына нашла быстро.

Оглядела ханаанский берег — тихо, ни души.

Села в челн, прошептала молитву и взялась за весла.

Окольний остров наплывал из темноты — круглый, поросший соснами, что делало его похожим на ощетиненного ежа. Киль противно скрежетнул по дну, нос ткнулся в гальку.

Полина Андреевна посидела, прислушалась. Иных звуков кроме плеска воды и сонного шелеста хвои не было.

Придавила лодочную цепь тяжелым камнем. Пошла в обход островка, двигаясь немного по спирали и вверх. Если бы не луна, вряд ли нашла бы вход в скит: темную дубовую дверку, выложенную по бордюру неровными замшелыми камнями.

Дверка была проделана прямо в склоне, обращенном не к Ханаану, а к озеру, откуда по вечерам восходит солнце.

На что уж была не робкого десятка, а пришлось собраться с духом, прежде чем взялась за медное кольцо.

Легонько потянула, готовая к тому, что скит на ночь запирают на засов. Но нет, дверь легко подалась. Да и то, от кого здесь запираться?

Скрип был негромким, но в полнейшей тишине прозвучал так явственно, что кощунница затрепетала. Однако остановилась не более чем на мгновение — потянула за кольцо опять.

За дверью была темнота. Не такая, как снаружи, пронизанная серебристым светом, а настоящая, кромешная, пахнущая затхлостью и еще чем-то особенным — то ли воском, то ли мышами, то ли старым деревом. Или, может, просто накопившейся за века пылью?

Когда лазутчица шагнула вперед и затворила за собой дверь, Божий мир будто исчез, проглоченный тьмой и беззвучием, кроме странного запаха ничем о себе более не напоминал.

Полина Андреевна постояла, понюхала. Подождала, не свыкнутся ли с мраком глаза. Не свыклись — видно, свет не проникал сюда совсем, даже самый крошечный.

Достала из саквояжа спички, чиркнула, зажгла свечу.

Вглубь холма вела довольно обширная галерея, свод которой терялся во мраке. Стены ее были бугристые, беловатые, выложенные не то известняковыми глыбами, не то ракушечником. Госпожа Лисицына подняла свечу повыше и вскрикнула.

Было от чего. Никакие это оказались не глыбы, а уложенные один на другого мертвецы — штабелем, выше человеческого роста. Это были не скелеты, а высохшие от древности мощи, обтянутые кожей мумии с ввалившимися веками, запавшими ртами, благочестиво сложенными на груди руками. Увидев костлявые пальцы верхнего покойника, с длинными, загнутыми ногтями, Полина Андреевна тихонько ойкнула. Страшно!

Хотела поскорей миновать ужасное место — куда там. Ряды покойников тянулись и дальше, их тут были сотни и сотни. Те, что находились ближе ко входу, лежали почти голые, едва прикрытые истлевшими клочками одежды — видимо, эти захоронения были самыми древними; потом стены постепенно почернели, ибо схимнические саваны сохранились лучше. Но куколи, закрывавшие лица святых старцев при жизни, все были разрезаны, и госпожу Лисицыну поразило удивительное сходство всех этих мертвых голов: с гладкими черепами, безбровые, безусые, безбородые, даже лишенные ресниц, праведники были похожи друг на друга, как родные братья. И от этого открытия страх Полины Андреевны, побуждавший ее повернуться и бежать, бежать со всех ног из этого царства смерти, вдруг прошел.

Никакое это не царство смерти, сказала она себе, а врата рая. Подобие раздевалки, где светлые души оставляют свою верхнюю одежду, прежде чем войти в светлый чертог. Вон она, одежда, более им ненужная. Лежит, ветшает.

Да не очень-то и ветшает, поправила себя окрепшая духом расследовательница. Ведь эти тела принадлежали не простым людям, а святым старцам. Потому и мощи их нетленны. Тут по всему должно бы мертвечиной, разложением смердеть, а здесь если что и истлело, то разве лишь само Время. Вот что это за запах: тлен Времени.

Она шла дальше меж сложенных из трупов стен и уже ничего не боялась. А потом мощи кончились. Полина Андреевна увидела слева голую каменную стену, а справа ряд покойников был укороченным: всего три тела лежали одно на другом.

Она склонилась над верхним, увидела, что человек этот умер недавно. Меж складок разрезанного куколя поблескивала лысая макушка; голое сморщенное лицо казалось не мертвым, а спящим.

Старец Феогност. Неделя как преставился, а гниением не пахнет. Или здесь, в пещере, состав воздуха особенный? Последнюю мысль, кощунственную и несомненно подсказанную вечным сомнителем, врагом человеков, Полина Андреевна решительно изгнала. Святой старец, потому и не гниет.

Галерея вела и дальше, в кромешную тьму, понемногу поднимаясь вверх. И оттуда, из самого нутра холма, внезапно послышался едва различимый звук, тревожный и какой-то ужасно неприятный, будто вдалеке некто размеренно скреб железным когтем по стеклу.

Госпожа Лисицына поежилась. Сделала несколько шагов вперед — звук исчез. Послышалось?

Нет, через минуту коготь снова взялся за свое. Сердце ёкнуло: летучие мыши! Господи, укрепи, оборони от глупых бабьих страхов. Подумаешь — летучие мыши. Ничего в них опасного нет. И что кровь сосут, неправда, детские выдумки.

Она остановилась в нерешительности, всмотрелась в нехорошую темноту и вдруг быстро сделала несколько шагов вперед: галерея шла дальше, но в ее стенах обрисовались контуры трех дверей: двух справа, одной слева. Из-под той, что слева, пробивалась тоненькая светлая полоска.

Кельи схимников!

Женская робость перед летучими тварями сразу позабылась. До глупостей ли, когда вот оно, главное, ради чего пошла на этакую страсть!

Лисицына подкралась к двери, из-под которой просачивался свет. На ней, как и на внешней, засова не оказалось, а вот смазана дверь была исправно. Когда Полина Андреевна слегка потянула ее на себя, не скрипнула, не взвизгнула.

Свечу пришлось задуть.

Припала к узенькой щелке. Увидела грубый стол, освещенный масляной лампой. Человека, склонившегося над книгой (было слышно, как шелестнула страница). Человек сидел спиной, его голова была идеально круглой и блестящей, как у шахматной пешки.

Чтоб рассмотреть келью получше, Лисицына двинула дверь еще — на самую малость, но теперь коварной створке вздумалось пискнуть.

Скрипнул стул. Сидящий резко обернулся. Лица на фоне света было не видно, но спереди на рясе белела двойная кайма, знак схиигуменского звания. Старец Израиль!

Полина Андреевна в панике захлопнула дверь, что было глупо. Осталась в кромешной тьме и с перепугу даже забыла, в какой стороне выход. Да и как бежать, если не видно ни зги?

Так и застыла в полном мраке, из которого наполз терзающий душу скрежет: кржик-кржик, кржик-кржик. Сейчас как обмахнет по щеке перепончатым крылом!

Но стояла так недолго, всего несколько секунд.

Дверь открылась, и галерея осветилась.

На пороге стоял скитоначальник с лампой в руке. Череп у него был такой же голый, как у мертвого

Феогноста, и тоже ни бороды, ни усов — хорошо хоть имелись брови с ресницами, а то совсем бы жуть. На обнаженном лице выделялись крупный породистый нос и пухлогубый рот. А пронзительный взгляд черных глаз Полина Андреевна узнала, хоть прежде и видела его только через прорези куколя.

Старец покачал плешивой головой, сказал знакомым голосом — низким, немного сиплым:

— Пришла-таки. Разгадала. Ишь, смелая.

Не очень-то он и поразился появлению в полночном ските незваной гостьи.

Но Полина Андреевна опешила даже не от этого.

— Святой отец, вы разговариваете? — пролепетала она.

— С ними, — Израиль кивнул на двери, расположенные напротив, — нет. С собой, когда один, да. Входи. Ночью в Подходе нельзя.

— Где-где? В подходе? В подходе к чему? — Госпожа Лисицына глянула вглубь галереи. — И почему нельзя?

На первый вопрос Израиль не ответил. На второй сказал:

— Устав воспрещает. С заката до рассвета должно быть по кельям, предаваясь чтению, молитве и сну. Входи.

Он посторонился, и она ступила в келью — тесную, вырезанную в камне каморку, вся обстановка которой состояла из стола, стула и лежащего в углу тюфяка. На стене висела темная икона с мерцающей лампадкой, в углу потрескивала малая печурка, дымоход которой уходил прямо в низкий потолок. Там же, в своде, чернела щель — должно быть, воздуховодная.

Вот как спасение-то достается, жалостно подумала Лисицына, рассматривая убогое жилище. Вот где за весь человеческий род молятся.

Схимник смотрел на ночную пришелицу странно: словно ждал чего-то или, может, хотел в чем-то удостовериться. Взгляд был такой сосредоточенный, что Полина Андреевна поежилась.

— Хороша... — еле слышно проговорил старец. — Красивая. Даже лучше, чем красивая, — живая. И ничего, совсем ничего. — Он широко перекрестился и уже другим, радостным голосом возвестил сам себе. — Спасен! Избавлен! Освободил Господь!

И глаза теперь были не настороженные, испытующие — они словно наполнились светом, воссияли.

— Садись на стул, — сказал он ласково. — Дай на тебя получше посмотреть.

Она присела на краешек, взглянула на непонятного схимника с опаской.

— Вы будто ждали меня, отче.

— Ждал, — подтвердил схиигумен, ставя лампу на стол. — Надеялся, что придешь. И Бога о том молил.

— Но... Но как вы догадались?

— Что ты не инок, а женщина? — Израиль осторожно откинул капюшон с ее головы, но руку тут же убрал. — У меня на женский пол чутье, меня не обманешь. Я всегда, всю жизнь вашу сестру по запаху чуял, кожей, волосками телесными. Они с меня, правда, теперь попадали почти все, — улыбнулся старец, — но всё одно — сразу понял, кто ты. И что смелая, понял. Не побоялась послушником нарядиться, на остров заплыть. И что умная, тоже видно — взгляд острый, пытливый. А когда во второй раз приплыла, ясно мне стало: уловила ты в моих словах особенный смысл. Не то что араратские тупоумцы. И в последующие разы я уже только для тебя говорил, только на тебя уповал. Что догадаешься.

— О чем догадаюсь? О смерти Феогноста?

— Да.

— А что с ним сталось?

Израиль впервые отвел взгляд от ее лица, задвигал кожей лба.

— Умерщвлен. Сначала-то я думал, что преставился обыденным образом, что срок его подошел... Он до полудня из кельи не выходил. Я решил проведать. Смотрю — лежит на лапнике (тюфяков Феогност не признавал) недвижен и бездыханен. Он слаб был, недужен, потому я нисколько не удивился. Хотел ему рот отвисший закрыть — вдруг вижу, меж зубов ниточки. Красные, шерстяные. А у Феогноста фуляр был красный, вязаный, горло кутать. Так фуляр этот поодаль, на столе обретался, ровнехонько сложенный. Что за чудеса, думаю. Развернул, смотрю — в одном месте шерсть разодрана, нитки торчат...

— Кто-то ночью вошел, — быстро перебила госпожа Лисицына, — накрыл Феогносту лицо его же фуляром и удушил? Иначе ничем не объяснить. Старец, когда задыхался, зубами шерсть грыз, оттого и нитки меж зубов. А после убийца фуляр сложил и на столе оставил.

Схиигумен одобрительно покачал головой:

— Не ошибся я в тебе, умная ты. Враз всё прозрела. Я-то много дольше твоего размышлял. Наконец понял и вострепетал душой. Это кто ж такое злодейство учинить мог? Не я. Тогда кто? Не старец же Давид? Может, в него бес вселился, на злое дело подбил?

Но Давид еще немощней Феогноста был, от сердечной хвори с ложа почти не вставал. Куда ему! Значит, чужой кто-то. Четвертый. Так получается?

— Так, — кивнула Полина Андреевна, не спеша делиться со старцем своими предположениями — показалось ей, что святой отшельник еще не всё рассказал.

— Месяца три тому был здесь один. Как ты, ночью. Ко мне в келью заходил, — молвил Израиль, подтвердив ее догадку.

— Маленький, всклокоченный, весь дергается? — спросила она.

Старец сощурил глаза:

— Вижу, знаешь его. Да, маленький. Говорил невнятное, слюной брызгал. На блаженного похож. Только он не убивал.

При этих словах госпожа Лисицына достала из футляра очки, надела на нос и посмотрела на скитоначальника очень внимательно.

— Вы так уверенно это сказали. Почему?

— Не из таких он. Я людей хорошо знаю. И глаза его видел. С такими не убивают, да еще сонного, тайно. Не понял я, что он мне тут толковал. Про лучи какие-то. Всё плешь мою хотел поближе рассмотреть. Прогнал я его. Но араратским жаловаться не стал. Трудно им растолковать, по одному-то слову в день, да и вреда от того блаженного не было... Нет, дочь моя, Феогноста некто иной придушил. И думается мне, что я знаю, кто.

— Cucullus non facit monachum? — понимающе кивнула Полина Андреевна.

— Да. Это я уж только тебе говорил, чтоб лодочник не понял.

— А откуда вы узнали, что я понимаю по-латыни?

Старец усмехнулся своими полными губами, так мало подходящими к аскетичному, обтянутому кожей лицу.

— Что ж я, образованной женщины от кухарки не отличу? На переносье след от дужки очков — еле-еле виден, но я на мелочи приметлив. Морщинки вот здесь. — Он показал пальцем на уголки ее глаз. — Это от обильного чтения. Да что там, милая, я про женщин всё знаю. Довольно раз взглянуть, и могу всякой жизнь ее рассказать.

Не выдержала госпожа Лисицына такого апломба, хоть бы даже и от святого старца.

— Ну уж и всякой. Что же вы про мою жизнь скажете?

Израиль склонил голову набок, будто проверяя некое, отчасти уже ведомое ему знание. Заговорил неспешно:

— Лет тебе тридцать. Нет, скорее тридцать один. Не барышня, но и не замужняя. Думаю, вдова. Возлюбленного не имеешь и не хочешь иметь, потому что... — Он взял оторопевшую слушательницу за руки, посмотрел на ногти, на ладонь. — Потому что ты монахиня или послушница. Выросла ты в деревне, в каком-нибудь среднерусском поместье, но потом жила в столицах и была вхожа в высокое общество. Более всего хочешь единственно только жизнью духовной жить, но тяжело тебе это, потому что ты молода и силы в тебе много. А главное — в тебе много любви. Ты вся ею, непотраченной, наполнена. Так она из тебя и выплескивается. — Старец вздохнул. — Подобных тебе женщин я больше всего ценил. Драгоценней их на свете ничего нет. А несколько времени назад, тому лет пять или шесть, была у тебя большущая беда, огромное горе, после которого ты и надумала из мира уйти. Посмотри-ка мне в глаза. Да, вот так... Вижу, вижу, что за горе. Сказать?

— Нет! — вздрогнула Полина Андреевна. — Не нужно!

Старец улыбнулся мягкой, отрешенной улыбкой.

— Ты не удивляйся, волшебства здесь никакого нет. Ты, наверно, слышала. Я в монахи из заядлых сладострастников подался. Весь смысл моего прежнего существования в женщинах был. Любил я Евино племя более всего на свете. Нет, не так: кроме женщин ничего другого не любил. Сколько себя помню, всегда такой был, с самого раннего малолетства.

— Да, я слышала, что прежде вы были неслыханный Дон Гуан, будто бы познали тысячу женщин и даже некий атлас про них составили.

Она смотрела на высохшего старика с боязливым любопытством, вовсе не подобающим особе монашеского звания.

— Атлас — пустое, циничная шутка. И что с тысячью женщин переспал — чушь. Это невелика доблесть — арифметикой брать. Всякий может, и недорого встанет, если трехрублевыми блудницами не брезговать. Нет, милая, одного тела мне всегда мало было, хотелось еще и душой овладеть.

Заговорив о женщинах, отшельник преобразился. Взгляд стал ласковым, мечтательным, рот искривился печальной улыбкой, да и сама речь сделалась свободнее, будто не схимник говорил, а обыкновенный мужчина.

— Ведь что в женщинах волшебнее всего? Бесконечное многообразие. И я с каждой, кого любил, делался не таким, как прежде. Как лягушка, что принимает градус окружающей среды. За это они меня и

любили. За то, что я, пусть ненадолго, но только для
нее существовал и был с нею одно. Да как любили-то!
Я их любовью жил и питался, как вурдалак живой
кровью. Не от сладострастия голова кружилась, а от
знания, что она сейчас ради меня душу свою бессмертную отдать готова! Что я для нее больше Бога! Только
женщины так любить и умеют. — Схиигумен опустил
голову, покаянно вздохнул. — А как завладею телом и
душой, как кровью напьюсь, тут мне вскоре и скучно
становилось. Чего я никогда не умел и за подлость
почитал — любящим прикидываться. И жалости к тем,
кого разлюбил, не было во мне вовсе. Грех это великий, сердце приручить, а потом с размаху об землю
кинуть. Разбиватель сердец — это только звучит красиво, а хуже преступления на свете нет... И ведь знал я
это всегда. По капле, год за годом во мне яд сей копил-
ся. А когда наполнилась чаша, стала через край пере-
ливаться, было мне просветление — уж не знаю, на
благо или на муку. Верно, на то и на другое. Раскаял-
ся я. Была одна история, я ее тебе после расскажу,
только про себя сначала закончу... Пошел я ради спасения души в монастырь, но не было мне спасения,
ибо и в монастырях суетного много. Тогда вознамерился сюда, в Василисков скит. Ждал своего череда четыре года, дождался. Теперь вот два года здесь спасаюсь,
всё никак не спасусь. Одному мне из всех, кто отсюда
прежде возносился, такое длинное испытание — за
грехи мои. Я ведь, знаешь, в монашестве муку какую претерпел? — Старец с сомнением поглядел на
Полину Андреевну, словно не решаясь, говорить или
нет. — Скажу. Ты ведь не девица малоумная. Плотское меня терзало. Неотступно, во все годы иночества.
Денно и особенно нощно. Вот какое было мне испытание, по делам моим. Шептали монахи — уж не ведаю,

откуда прознали, — что в Василисковом скиту Господь перво-наперво от чувственного томления избавляет, чтобы агнцев своих помыслами очистить и к себе приблизить. И точно, других схимников плотское быстро освобождало, а меня ни в какую. Что ни ночь — видения сладострастные. Тут у всех волос на голове и теле не держится, быстро вылезает, такое уж это место. А я дольше всех волоса носил. Уж игуменом стал, всех пережил — тогда только выпали.

— А почему падают волосы? — спросила госпожа Лисицына, сострадательно глядя на лысое темя мученика.

Тот пояснил:

— Это особенная милость Божья, как и избавление от плотострастия. В первые недели старцев сильно вши да блохи одолевают — мыться-то нам устав не позволяет. А без волос куда как облегченней, и руки от постыдного чесания для благоговейного молитвосложения освобождаются. — Он благочестиво сложил перед собой ладони, показывая. — Меня же насекомые более года терзали. И не было мукам моим конца, и повторял я вслед за Иовом: «Тлею духом носим, прошу же гроба и не улучаю». Не было мне гроба и прощения. Только недавно лучше стало. Чувствую, телом ослаб. Хожу трудно, чрево пищи не держит, и утром, как встану — в голове всё кружится. — Израиль восторженно улыбнулся. — Это значит, близко уже. Недолго избавления ждать. А еще с недавних пор по главному моему мучению мне облегчение вышло. Беса плотского отозвал Господь. И сны мне ныне снятся светлые, радостные. Когда тебя увидел, молодую, красивую, послушал себя — ничто во мне не шелохнулось. Стало быть, очистил меня Господь. Очистил и простил.

Полина Андреевна порадовалась за святого старца, что ему теперь стало легче душу спасать, однако же пора было повернуть разговор к насущному.

— Так что вы мне, отче, загадкой своей латинской сказать хотели? Что новый ваш собрат — не Иларий, а некто другой, пробравшийся сюда обманом?

Израиль просветленно улыбался, всё ещё не отойдя мыслями от своего скорого блаженства.

— Что, дочь моя? А, про Илария. Не знаю, мы ведь друг другу лица не показываем, а говорить нам не дозволено. Что нужно — знаками изъясняем. Видал я когда-то в монастыре ученого брата Илария, но давно это было. Ни осанки, ни даже роста его не помню. Так что он это или не он, мне неведомо, но одно я знаю наверное: новый старец сюда не душу спасать прибыл. Четок не режет, из кельи днем вовсе носа не кажет. Я заходил, манил на совместное молитвенное созерцание (молитва это у нас такая, безмолвная). Он лежит, спит. На меня рукой махнул. Повернулся на бок и дальше спать. Это днем-то!

— А что он ночью делает? — быстро спросила Лисицына.

— Не ведаю. Ночью я здесь, в келье. Устав строг, выходить не дозволяет.

— Но обет молчания-то вы со мной нарушили! Неужто же никогда ночью в галерею не ходили?

— Никогда, — строго ответил схиигумен. — Ни единого раза. И не выйду. А что с тобой говорю пространно, так на то особенная причина есть...

Он замялся, вдруг закрыл лицо ладонями. Умолк.

Подождав, сколько хватило терпения, Полина Андреевна поинтересовалась:

— Что за особенная причина?

— Хочу у тебя прощения просить, — глухо ответил старец сквозь сомкнутые руки.

— У меня?!

— Другой женщины мне уж больше не увидеть... — Он отнял руки от лица, и Полина Андреевна увидела, что глаза старца Израиля мокры от слез. — Господь-то меня испытал и простил, на то он и Бог. А я перед вами, сестрами моими, тяжко виноват. Как буду мир покидать, Женщиной не прощенный? Всех своих мерзостных деяний тебе не перескажу — долго будет. Лишь та история, про которую поминал уже. Она тяжелей всего на сердце давит. История, с которой мое прозрение началось. Выслушай и скажи только, может ли меня женская душа простить. Мне того и довольно будет...

Исповедь разбивателя сердец

И стал рассказывать.

«История-то одна, а женщин было две. Первая еще девочка совсем. Росточком мне едва до локтя, тоненькая, хрупкая. Ну да у них такие не редкость.

Я тогда свое кругосветное путешествие завершал, на четыре года растянувшееся. Начал с Европы, а заканчивал на краю света, в Японии. Много повидал. Не скажу «всякого и разного», скажу лучше «всяких и разных», так точнее будет.

В Нагасаки, а после в Иокогаме нагляделся я на тамошних гейш и *джоро* (это блудницы ихние). А уж когда собрался дальше плыть, ничем в Японии не заинтересовавшись, увидал я в доме одного туземного чиновника его младшую дочку. И так она на меня смотрела своими узкими глазенками — будто на гориллу какую зверообразную, что взыграл во мне всегдашний азарт. А вот это будет интересно, думаю. Такого у меня, пожалуй, еще и не бывало.

Девица воспитания самого строгого, самурайского, вдвое меньше меня, чуть не вчетверо моложе, я в ее глазах волосатый монстр, и к тому же лишен главного своего оружия, языка — объясняться мы с ней вовсе не могли, ни по-каковски.

Что ж, задержался в Токио, стал у чиновника этого чаще в доме бывать. Подружились. О политике рассуждаю, кофе с ликером пью и к дочке приглядываюсь. Ее, видно, только начали к гостям выпускать — очень уж дичилась. Как, думаю, к этакой лаковой шкатулочке ключик подобрать?

Ничего, подобрал. Опыта не занимать было, а пуще того — знания женского сердца.

Обычным образом понравиться я ей не мог, очень уж непохож на мужчин, которых она привыкла видеть. Значит, на непохожести и сыграть можно.

Сказала мне как-то мамаша, в шутку, что дочка меня с медведем сравнивает — очень, мол, большой и в бакенбардах.

Что ж, медведь так медведь.

Купил в порту у моряков живого медвежонка — бурого, сибирского — и привез ей в подарок. Пускай к волосатости попривыкнет. Мишка славный был, озорной, ласковый. Моя японочка с утра до вечера с ним игралась. Полюбила его очень: гладит, целует, он ее языком лижет. Отлично, думаю. Зверя полюбила, так и меня полюбит.

Она и вправду на дарителя стала уж по-другому смотреть, без опаски, а с любопытством. Вроде как сравнивает со своим любимцем. Я нарочно ходить стал вперевалочку, бакенбарды попушистее расчесывать, голосу зычности прибавил.

Вот уж и друзья мы с ней стали. Она меня Куматя́ном прозвала, это «медведь» по-ихнему.

Дальше что ж. Обычное дело — томится девочка от праздности, от телесного цветения. Хочется ей нового, неизведанного, необычайного. А тут экзотичный чужестранец. Всякие занятные штучки показывает, со всего света привезенные. Открыточки с Парижем да Петербургом, небочёсы чикагские. А главное, после мишкиной шерсти перестала она мною в физическом смысле брезговать. То за руку возьмет, то по усам погладит — любопытно ей. А девичье любопытство — материал горючий.

Ну да не буду подробности рассказывать, неинтересно. Главная трудность в том заключалась, чтоб мне с ней, выражаясь по-научному, в один биологический вид попасть, внутри которого возможно скрещивание. А как мы с ней стали уже не японочкой и заморским медведем, а невинной девицей и опытным мужчиной, дальше пошло всё обыденное, многократно мною прежде осуществленное.

В общем, когда из Японии отплывали, японочка со мной была — сама напросилась. Так родители, поди, и не узнали, куда их дочка исчезла.

До Владивостока любил я ее сильно. И после, когда железной дорогой ехали, тоже. Но на середине Сибири мне ее детская страсть прискучивать стала. Ведь даже не поговоришь ни о чем. Она же, наоборот, только пуще любовью распалялась. Бывало, ночью проснусь — не спит. Подопрется локтем и смотрит, смотрит на меня своими щелками. В женщинах любовь жарче всего полыхает, когда они чувствуют в тебе начинающееся охлаждение, это давно известно.

Когда к Питеру подъезжали, я уж видеть ее не мог. Голову ломал, куда сплавить? Назад к родителям? Так ведь то не обычные papan и maman, а самураи. Еще порешат девчонку, жалко. Куда ж ее? Языков кроме своего птичьего наречия она не знает. Отступного дать? Не возьмет, да и в покое не оставит, больно прилипчива. Делать ничего не умеет, кроме того, чему я ее усердно в каюте да в купе обучал.

От этой мысли и решение нашлось. Слышал я от одного поездного попутчика, что за время моего отсутствия в Петербурге новое заведение появилось, некоей мадам Поздняевой. Фешенебельный бордель с барышнями, привезенными из многих стран: тут тебе и итальянки, и турчанки, и негритянки, и аннамитки — кто хочешь. Большим успехом среди петербуржцев пользуется.

Я съездил к Поздняевой для знакомства. Убедился, что обхождение с девушками хорошее. Хозяйка сказала, что часть заработка кладет каждой в банк, на особый счет. На следующее же утро сдал свою малютку хозяйке с рук на руки. Для почину положил на ее имя тысячу рублей.

Только не пошли японочке эти деньги впрок. Когда поняла, куда я ее привез и что обратно забирать не намерен, прыгнула из окна головой вниз, на мостовую. Побилась там немножко, как выброшенная на берег рыбка, да и затихла.

Я, как узнал, конечно, опечалился, но не то чтобы очень сильно, потому что к тому времени успел новой целью увлечься, самой недостижимой из всех.

Целью этой была не кто иная, как та самая мадам Поздняева, владелица заведения. Когда я с ней про японочку переговоры вел, большое она на меня впечатление произвела. Немолодая уже была, лет сорока, но гладкая, неукоснительно за собой следящая и, по глазам понятно, всё на свете перевидавшая. Каждого мужчину насквозь видит и ни одного в грош не ставит. Сердце — камень, душа — пепелище, ум — арифметическая машина.

Смотрел я на эту устрашающую особу и понемногу распалялся. Всякие меня женщины любили, а такая, холодная да жестокая, никогда. Или уж она вовсе на любовь не способна? Тем заманчивей в этой золе покопаться, не до конца угасший уголек отыскать и бережно, тихонечко, раздуть его, разогреть до всепожирающего пламени. Если получится, вот это будет истинный подвиг Геракла.

Не один месяц у меня на осаду сей Трои ушел. Тут для начала потребно, рассудил я, чтобы она на меня иначе, чем на прочих мужчин, взглянула. Наш брат для госпожи Поздняевой делился на две категории: те, от кого нельзя ничем поживиться в силу возраста, бедности или болезни, и те, кто хочет и может платить за разврат. Первые для нее не существовали вовсе, а вторых она презирала и нещадно обирала. Как я после выяснил, и шантажом не брезговала (были у нее в заведении всякие хитрые устройства для подглядывания и фотографирования).

Значит, нужно было занять место между двумя мужскими категориями: мол, поживиться за мой счет можно, но продажной любви мне не нужно. А еще подобные женщины, кто огонь с водой прошел и всего сам достиг, очень на тонкую лесть падки.

И повадился я ездить в ее вертеп чуть не каждый день. Но к барышням не ходил, сидел с хозяйкой, вел умные, циничные разговоры в том духе, какой мог ей понравиться. И всякий раз деньги оставлял — щедро, вдвое против обычной платы.

Она в недоумение пришла. Всё никак не могла меня к определенному мужскому разряду пришпилить. Потом вообразила, будто я в нее влюблен, и сразу преисполнилась ко мне еще большим презрением, чем к прочим своим клиентам. Как-то раз со смехом говорит: «Что это вы так миндальничаете? Удивляюсь я на вас. На застенчивого непохожи. Я, слава Богу, не инженю какая-нибудь. Коли хотите ко мне в постель, так и скажите. Вы столько денег переплатили, что я из одной учтивости вам не откажу». Я вежливо поблагодарил, приглашение принял, и отправились мы в ее спальню.

Странное получилось любовное свидание: оба друг друга своим искусством впечатлить хотят, и оба холодны. Она — потому что давно уж выгорела вся. Я — потому что мне от нее другое нужно. Под конец, обессилев, она сказала: «Не пойму я вас». И это был первый шаг к победе.

Ходить я к ней после того не перестал, но в спальню не напрашивался, а она не приглашала. Приглядывалась ко мне, всматривалась, будто хотела что-то давно позабытое выискать.

Стал ее понемногу о прошлом расспрашивать. Не о женском, упаси Боже. О детстве, о родителях, о подружках гимназических. Нужно было, чтоб она вспомнила иное время, когда в ней еще душа и чувства не омертвели. Мадам Позднярва сначала отвечала коротко, неохотно, но потом стала разговорчивей — только слушай. Уж что-что, а слушать я умел.

Так я вторую ступеньку преодолел, доверие ее завоевал, а это само по себе было свершением не из малых.

И когда она меня в свой будуар во второй раз позвала, несколько недель спустя, то вела себя уже совсем по-другому, без механистики. В конце же вдруг взяла и расплакалась. Ужасно сама удивилась — говорит, тринадцать лет ни единой слезинки уронить не могла, а тут на тебе.

Такой любви, какой меня Позднява одарила, я никогда прежде не знал. Будто дамбу какую прорвало, и подхватило меня потоком, и понесло. Это было истинное чудо — наблюдать, как мертвая душа оживает. Словно в засохшей пустыне из песка, из растрескавшейся земли вдруг забили чистые ключи, полезли пышные травы, и раскрылись невиданной красоты цветы.

Бордель свой она закрыла. Деньги, сводничеством накопленные, девушкам раздала, отпустила их на все четыре стороны. Фототеку свою зловещую истребила. А сама переменилась так — не узнать. Помолодела, посвежела — ну прямо девочка. С утра всё пела, смеялась. И плакала, правда, тоже часто, но без горечи — просто выходили нерастраченные за столько лет слезы.

И я ее любил. Никак не мог на дело своих рук нарадоваться.

Месяц радовался, два.

На третий радоваться устал.

Как-то утром (она спала еще) вышел из дому, сел в фиакр и на вокзал. В Париж укатил. А ей оставил записку: мол, квартира до конца года оплачена, деньги в шкатулке, прости-прощай.

Потом мне рассказывали, что она, проснувшись и записку прочтя, выскочила из дому в одной рубашке, побежала куда-то по улице и больше на квартиру не возвращалась.

Из-за границы я через полгода вернулся, зимой уже. Снял дом, зажил по прежнему обычаю, но что-то уже во мне происходило, не было мне от привычных забав радости.

А однажды ехал я через Лиговку на некую загородную виллу и увидел у дороги, в канаве, ее, Поздняеву — грязную, паршивую, с седыми волосами, почти без зубов. Она-то меня видеть не могла, потому что валялась мертвецки пьяная.

В ту самую минуту невидимая чаша и переполнилась. Затрепетал я весь, холодным потом покрылся, увидел пред собой разверзшийся ад. Устрашился и усовестился.

Велел подобрать бродяжку, разместить в хорошей комнате. Приезжал к ней, прощения просил. Но моя прежняя возлюбленная опять переменилась. Не было в ней больше любви, только злоба да алчность. Засох расцветший сад, иссяк чудесный источник. И понял я, что худшее из злодейств — даже не погубить живую душу, а душу умершую к жизни воскресить и потом снова, уже окончательно, уничтожить.

Отписал я на несчастную всё состояние, а сам в монахи ушел, себя из осколков склеивать да от грязи отчищать. Вот и вся моя история.

А теперь скажи мне, сестра моя, есть за мои преступления прощение или нет?»

Полина Андреевна, потрясенная рассказом, молчала.

— Это одному Господу ведомо... — сказала она, избегая смотреть на раскаявшегося грешника.

— Бог-то простит. Я знаю. А может, и простил уже, — нетерпеливо проговорил Израиль. — Вот ты, женщина, скажи: можешь ли *ты* меня простить? Только правду говори!

Она попробовала уклониться:

— Многого ли мое прощение стоит? Ведь мне-то вы зла не делали.

— Многого, — твердо, как о давно обдуманном, сказал схиигумен. — Если ты простишь, то и они простили бы.

Хотела Полина Андреевна сказать ему утешительные слова, но не смогла. То есть выговорить их было бы очень даже нетрудно, но знала она: почувствует старец неискренность, и от этого только хуже выйдет.

От молчания отшельник потемнел лицом. Тихо молвил:

— Знал я... — Положил сидящей руку на плечо. — Вставай. Иди. Возвращайся в мир. Нельзя тебе здесь. И еще повиниться хочу. Я ведь тебя нарочно сюда, в скит, заманил. Не из-за Феогноста и не из-за Илария. Суета это — кто убил, зачем убил. Господь воздаст каждому по делам его, и ни одно деяние, ни доброе, ни злое, не останется без воздаяния. А слова таинственные, завлекательные говорил я тебе затем, что хотел перед смертью еще раз Женщину увидеть и прощения попросить... Попросил, не получил. Значит, так тому и быть. Иди.

И уж не терпелось ему, чтобы гостья ушла, оставила его в одиночестве — стал к двери подталкивать.

Ступив в галерею, госпожа Лисицына снова услыхала едва различимый противный скрежет.

— Что это? — спросила она, передернувшись. — Летучие мыши?

Израиль безразлично ответил:

— Летучих мышей здесь не водится. А что в пещере ночью творится, мне не ведомо. Место такое, что всякое может быть. Ведь не что-нибудь, кус сферы небесной.

— Что? — удивилась Полина Андреевна. — Кус небесной сферы?

Старец поморщился, кажется, досадуя, что сказал лишнее.

— Тебе про это знать не положено. Уходи. Про то, что здесь видела, никому не рассказывай. Да ты не станешь, ты умная. Не заплутай только. К выходу направо идти.

Дверь захлопнулась, и Полина Андреевна оказалась в полной темноте.

Зажгла свечку, прислушалась к непонятному звуку. Пошла.

Только не направо — налево.

Василиск

Галерея, которую старец Израиль назвал Подходом, вела дальше, постепенно поднимаясь все выше. Теперь по обе стороны были голые стены, и Полина Андреевна подумала, что здесь достанет места еще на многие сотни мертвых тел.

Звук делался явственней и невыносимей — будто железный коготь скреб не по стеклу, а по беззащитному, обнаженному сердцу. Один раз, не выдержав, Лисицына даже остановилась, поставила саквояж на землю и зажала уши, хоть и был риск, что от зажатой в пальцах свечи вспыхнут волосы.

Не вспыхнули, но на висок капнуло воском, и это горячее, живое прикосновение укрепило Полине Андреевне нервы.

Она двинулась дальше.

Галерея, до сего момента почти прямая или, во всяком случае, лишенная зримых изгибов, вдруг сделала поворот на девяносто градусов.

Госпожа Лисицына выглянула из-за угла и замерла.

Впереди мерцал неяркий свет. Разгадка странного скрежета была совсем рядом.

Задув свечу, Полина Андреевна прижалась к самой стене, осторожно шагнула за угол.

Кралась на цыпочках, беззвучно.

Проход расширился, превратившись в круглую пещеру, высокий свод которой терялся во мраке.

Но, впрочем, вверх Полина Андреевна даже не взглянула — настолько поразила ее открывшаяся взору картина.

Посреди пещеры лежал идеально круглый шар, на треть ушедший в землю. Размером он был, пожалуй, с большой снежный ком из тех, что дети кладут в основание зимней бабы. Поверхность сферы переливалась радужными разводами — и фиолетовым, и зеленым, и розовым. Зрелище это было настолько чудесным, настолько неожиданным после долгого блуждания во мраке, что Лисицына ахнула.

Рядом стоял фонарь. Он-то и подсвечивал поблескивающую гладь, заставляя ее вспыхивать бликами и искорками.

Между фонарем и шаром скрючилась черная, мерно покачивающаяся тень. Тошнотворный скрежет раздавался точно в такт ее маятникообразным движениям.

Полина Андреевна сделала еще шажок, но в этот самый миг звук вдруг оборвался, и в наступившей тишине шорох подошвы показался оглушительным.

Сгорбленная фигура застыла, словно прислушиваясь. Сделала бережное движение, как бы гладя шар или осторожно сметая с него что-то.

Что делать? Замереть на месте, надеясь, что обойдется, или броситься наутек?

Госпожа Лисицына стояла в крайне неудобной позе: одна нога выставлена вперед и держит всю тяжесть тела, другая на носке.

А тут еще неудержимо защекотало в носу. Чихание-то она подавила, сильно нажав пальцем на основание носа, но судорожного вдоха сдержать не смогла.

Черный человек (если это, конечно, был человек) сделал быстрое движение, смысл которого Полина Андреевна поняла не сразу. Лишь когда верхняя часть силуэта из круглой стала заостренной, поняла: это он натянул на голову куколь.

Таиться было уже ни к чему. Убегать же госпожа Лисицына не стала.

Пошла прямо на распрямившегося во весь рост схимника (теперь-то видно было, что это именно схимник); тот попятился.

Немного не дойдя до узкой черной тени, Полина Андреевна остановилась — так страшно блеснули в прорезях куколя глаза. Должно быть, именно так сверкает взгляд василиска. Не святого праведника Василиска, а кошмарного посланца преисподни, с жабьим туловом, змеиным хвостом и петушьей головой. Чудища, от смертоносного взора которого трескаются камни, вянут цветы и падают замертво люди.

— Вот вы, оказывается, какой, Алексей Степано-вич, — молвила Полина Андреевна, содрогнувшись.

Черный монах не шелохнулся, и тогда она продол-жила — негромко, безо всякой поспешности:

— Да вы это, вы. Больше некому. Я сначала на Сергея Николаевича Лямпе подумала, но сейчас, ког-да одна через Подход в темноте шла, прозрела. Это часто бывает: когда очи слепы, ум и душа лучше ви-деть начинают, не отвлекаются на мнимости. Не дота-щить было вас Сергею Николаевичу от оранжереи до озера. Сил у него, тщедушного, не хватило бы, да и далеко. Опять же изречение Галилеево про измерение неизмеряемого, что я на тетрадке с формулами виде-ла, мне покою не давало. Где я его прежде-то слыша-ла? И вспомнила, только сейчас вспомнила где. Из вашего третьего письма это. Стало быть, к тому вре-мени вы в лаборатории у Лямпе уже побывали и в тетрадку его заглядывали. Тут-то всё у меня и выст-роилось, всё и прояснилось. Жаль только, что не рань-ше. — Полина Андреевна подождала, не скажет ли чего-нибудь на это схимник, но он молчал. — В пер-вый же день вы нашли спрятанную под водой скамей-ку и в письме про это «пикантнейшее обстоятельство» намекнули: мол, завтра всё раскрою и эффектно пре-поднесу вам всю нехитрую разгадку. Ночью вы отпра-вились выслеживать «Черного Монаха» и преуспели. Проследили мистификатора до лечебницы, чтобы выз-нать, кто это. Увидели лабораторию, заинтересовались. Сунули нос в записи... Я-то там ничего не поняла, в формулах этих, а вы разобрались. Недаром вас в уни-верситете в Фарадеи прочили. Что-то там написано было про пещеру и шар этот такое, отчего все ваши планы переменились и начали вы свой собственный спектакль разыгрывать. — Она опасливо посмотрела на таинственно посверкивающую сферу. — Что ж в этом шаре есть такого особенного, если вы из-за него на этакую страсть пошли, столько людей погубили?

— Всё, — сказал схимник, стянул уже ненужный колпак и тряхнул кудрявой головой. — В этом шаре есть всё, что я пожелаю. Полнейшая свобода, слава, богатство, счастье! Во-первых, в этом кругляше по самому малому счету шестьсот тысяч золотников драгоценнейшего в мире металла, и каждый золотник — это месяц привольной жизни. Во-вторых, и в-главных, благодаря полоумному коротышке у меня есть такой проект, такая идея! Никто кроме меня не оценит и не поймет! Когда из университета выгнали, я уж думал, всему конец. Но нет, вот оно, мое будущее. — Он обвел рукой пещеру. — Ни степеней не нужно, ни многолетнего ассистентства при каком-нибудь доморощенном светиле. Заведу собственную лабораторию, в Швейцарии. Разработаю эманационную теорию сам! Никто мне не указ, денег ни у кого клянчить не нужно! О, мир еще узнает Ленточкина! — Алексей Степанович наклонился, любовно погладил переливчатую поверхность. — Жаль, мало платино-иридия напилить успел. Ну да ничего, на мои цели хватит и того, что есть.

Он повернулся к Полине Андреевне, и впалые щеки, на которых не осталось и следа былых ямочек, сморщились в подобии улыбки.

— Рановато вы меня выследили, сестрица. Зато хоть выговорюсь, а то всё сам с собой бормочу. Так недолго и вправду мозгами закваситься. Вы особа резвого ума, сумеете оценить мой замысел. Разве плохо придумано? Особенно про первозданную наготу, а? Надо же было как-то на Ханаане зацепиться, пока все не подготовлю. Днем в Эдеме отдыхаю, ананасы кушаю (ух, осточертели, проклятые), ночью из-под кустика рясу достану и давай Черным Монахом по острову шастать, обывателей пугать. Главное — никаких подозрений. Отлично поработали василисками на пару с господином Лямпе — всех любопытствующих и молебствующих с берега расшугали. Эх, мне бы месяцок еще, я бы не пять, а пятьдесят или сто фунтов натер. Тогда можно было бы не лабораторию, а целый исследовательский центр развернуть. Условия работы природного делителя известны и подтверждены опытами Лямпе, — проговорил он вполголоса, уже не ей, а самому себе. — Теперь можно попытаться создать делитель искусственный — денег на первое время хватит, а там и толстосумы раскошелятся....

— Что такое «делитель»? — настороженно спросила Лисицына.

Алексей Степанович встрепенулся, одарил ее еще одной жухловатой улыбкой.

— Этого вы все равно не поймете. Лучше отдайте должное изяществу решения задачи. Как красиво всё было устроено, а? Сидит в стеклянных хоромах тихий идиот, наг яко ангелы небесные, и загадками говорит, глупых карасей на место рыбалки в тихую избушку подманивает. А там цоп крючком, да колотушкой по лбу, да в ведерко! Я знаю, что вы, мамзель Пелагия, всегда меня терпеть не могли, но согласитесь: прелесть как задумано.

— Да, изобретательно, — не стала оспаривать Полина Андреевна. — Только очень уж безжалостно. За жестокость я вас и недолюбливала. Не понравилось мне, как безобразно вы проректору за обиду свою отомстили.

Алексей Степанович прошелся по пещере, потряхивая уставшими от работы пальцами.

— Да уж, конечно. Князь Болконский так не поступил бы. Потому и в Бонапарты не вышел. А я выйду. Вот он, мой Тулон. — Ленточкин снова кивнул на чудесный шар. — Я с этой точкой опоры тот, другой шар, куда более объемный, перевернуть смогу. Эх, надо было вас тогда ходулей посильней шарахнуть. Всего шесть ночей у шара провел. А теперь придется отсюда ноги уносить. Ничего, и того, что имеется, для моей идеи хватит.

Он похлопал себя по груди, остановившись у черного зёва галереи. Поднес ко рту руку, лизнул ладонь — она вся сочилась лопнувшими кровавыми мозолями. Но внимание госпожи Лисицыной привлекли не мозоли, а странная длинная полоска, блеснувшая в пальцах Алексея Степановича.

— Что это у вас?

— Это? — Он показал узкий клинок, весь усыпанный ослепительными точками. — Напильник с алмазной крошкой. Ничем другим платино-иридий не возьмешь. У добрейшего Лямпе позаимствовал. Он, конечно, совершеннейший болван, но за идею ядерного делителя и за анализ метеоритного вещества ему спасибо.

Полина Андреевна про идею не поняла, и про «метеоритное вещество» тоже, но спрашивать не стала — только теперь увидела, что в результате своего якобы случайного перемещения по пещере Ленточкин перегородил ей единственный путь к отступлению.

— Меня тоже убьете? — тихо спросила она, зачарованно глядя на сверкающий напильник. — Как Лагранжа, как Феогноста, как Илария?

Алеша прижал руку к груди, словно оправдываясь.

— Я зря никого не убиваю, только по необходимости. Лагранж сам виноват, что у него башка была такая крепкая — оглушить не получилось, пришлось стрелять. Феогност мне мешал в скит перебраться, мое место занимал. А Илария братия и так уже, как мертвого, отпела...

Сверкнули белые зубы — и стало ясно, что изобретательный юноша вовсе не оправдывается, а шутит. Впрочем, улыбка тут же исчезла. И голос стал серьезным, недоумевающим:

— Я одного в толк не возьму. На что вы рассчитывали, когда сюда вошли? Ведь знали уже, что увидите тут не хилого Лямпе, а меня! На рыцарство по отношению к даме, что ли, надеялись? Зря. Я ведь, сестрица, при всем желании оставить вас в живых не смогу. Мне хотя бы сутки нужны — чтоб ноги с архипелага унести.

Он сокрушенно вздохнул, но сразу вслед за тем подмигнул и осклабился — оказалось, опять дурачился.

— А по всей правде сказать, если б даже и не это соображение, я бы вас все равно кончил. Мне и не жалко вас совсем, мышь пронырливая. Да и на что мне в моей будущей научной славе этакая свидетельница?

Алексей Степанович высоко поднял руку с напильником, и тот рассыпал разноцветные брызги — точь-в-точь волшебная палочка из сказки.

— Вы только взгляните, мамзель Пелагия. Это ж прекрасная грёза — от такой красоты смерть принять. Сама Клеопатра обзавидовалась бы. А до чего остер — запросто вашу рыжую голову от уха до уха проткнет. Подложу вас в штабель, под какого-нибудь сушеного праведника, — мечтательно прищурился Алеша. — Схимники не сразу заметят. Только когда протухать начнете. Вы же не праведница, вам-то нетленность не гарантирована? — Он расхохотался. — И вам отрадно. Хоть после смерти под мужчиной полежите.

Полина Андреевна попятилась, прикрыв грудь саквояжем, как щитом. Пальцы в панике зашарили по замочку.

— Уходите, Алексей Степанович. Не берите еще одного греха на душу, и так уж сколько назлодействовали. Я вам именем Христовым поклянусь, что до завтра, до трех часов пополудни, ничего предпринимать не стану. Вы успеете утренним пакетботом покинуть остров.

Щелкнула никелированными шариками, сунула руку в саквояж. Там, завернутый в панталоны, лежал Лагранжев револьвер. Стрелять, конечно, она не будет, но для острастки сгодится. Тогда и поймет Алеша, на что она рассчитывала, входя одна в опасную пещеру.

Алексей Степанович сделал несколько быстрых шагов вперед, и Полина Андреевна вдруг поняла: не размотать ей тонкий шелк, не успеть. Надо было раньше оружие доставать, когда по галерее шла.

Уперлась спиной в бугристую стену. Дальше отступать было некуда.

Лжесхимник не торопился. Встал перед съежившейся женщиной, словно бы примериваясь, куда ударить — в ухо, как грозился, в шею или в живот.

Масло в фонаре почти догорело и свету давало самую малость. За спиной Алеши чернела сплошная тьма.

— Что набычилась? — усмехнулся Алексей Степанович. — Хотела бы боднуть, да Бог рог не дал? А коли так, нечего было на корриду лезть, корова ты безрогая. — И пропел из модной оперы, занеся напильник на манер тореадорской шпаги. — «To-ré-ador, prends garde à tois!»

И захлебнулся мелодией, рухнул как подкошенный под ударом суковатого посоха, обрушившегося на его кудрявую голову.

Там, где только что стоял Алеша, чуть подальше, чернела высокая тень в остроконечном колпаке. Полина Андреевна хотела вскрикнуть, да только воздух ртом втянула.

— Устав из-за тебя нарушил, — раздался ворчливый голос старца Израиля. — Ночью из кельи вышел. Грехом насилия оскоромился. А всё потому, что знаю: женщины твоего типа упрямы и любопытны до безрассудства. Нипочем бы ты в мир не вернулась, пока всё тут носом своим конопатым не разнюхала. Что ж, гляди, коли пришла. Вот он, сколок небесный, который мы, схимники, сотни лет оберегаем. Знак это, ниспосланный основателю нашему святому праведнику Василиску. Только гляди, никому про это ни слова. Уговор?

Госпожа Лисицына молча кивнула, ибо после всех ужасов дар словесный к ней еще не вернулся.

— А кто сей отрок? — спросил схиигумен, опершись на посох и склоняясь над упавшим.

Ответить она не успела.

Стремительно приподнявшись, Алеша вонзил отшельнику напильник в середину груди. Выдернул и ударил снова.

Израиль повалился на своего убийцу. Зашарил руками по земле, но ни встать, ни даже приподнять голову уже не мог.

Всего несколько мгновений понадобилось Ленточкину, чтоб сбросить с себя костлявое тело старца и встать на ноги, но и того было довольно, чтобы Полина Андреевна отбежала от стены на середину пещеры, выхватила из саквояжа револьвер и сбросила с него скользкий шелк. Саквояж кинула на пол, вцепилась в рифленую рукоятку обеими руками и прицелилась в Алексея Степановича.

Тот смотрел на нее безо всякой боязни. Криво усмехнулся, потирая ушибленный затылок. Выдернул из груди отшельника клинок — безо всякого усилия, будто из масла.

— Умеете из огненного оружья стрелять, сестрица? — спросил Ленточкин игриво. — А на какую пипочку нажимать, знаете?

Он небрежно, вразвалочку шел прямо на нее. Алмазы на клинке потускнели от крови и уже не сверкали.

— Знаю! Револьвер «смит и вессон» сорок пятого калибра, шестизарядный, центрального огня, с курком двойного действия, — выпалила госпожа Лисицына сведения, почерпнутые из баллистического учебника. — Пуля весом три золотника, начальная скорость сто саженей в секунду, с двадцати шагов пробивает трехдюймовую сосновую доску.

Жаль только, голос срывался.

Но ничего, и так подействовало.

Алексей Степанович замер. Озадаченно посмотрел в черную дыру дула.

— А где «кольт» тридцать восьмого калибра? — спросила Полина Андреевна, развивая успех. — Тот, из которого вы застрелили Лагранжа? Дайте сюда, только медленно и рукоятью вперед.

Когда Алеша не послушался, она ничего больше говорить не стала, а взвела курок. Щелчок, вроде бы не такой уж и громкий, в пещерной тишине прозвучал до чрезвычайности внушительно.

Убийца вздрогнул, бросил напильник на землю и выставил руки ладонями вперед.

— У меня его нет! В воду выкинул, в ту же ночь! Не прятать же его было в оранжерее? Еще садовник бы нашел.

Осмелевшая расследовательница грозно качнула длинным стволом:

— Лжете вы! Ведь не побоялись же василисково одеяние прятать?

— Подумаешь — ряса и ряса, да сапоги старые. Если б кто нашел, не придал значения. Ах! — всплеснул вдруг руками Алексей Степанович, с ужасом глядя куда-то за спину Лисицыной. — Ва... Василиск!

Увы, клюнула Полина Андреевна на нехитрую, мальчишескую уловку. На всякого мудреца отмерено довольно простоты. Обернулась заполошно, вглядываясь в тьму. Ну как и вправду тень святого заступника явилась свое сокровище защитить?

Тени-то никакой не было, а вот ловкий Алеша, воспользовавшись моментом, пригнулся да и припустил к галерее.

— Стой! — закричала Полина Андреевна страшным голосом. — Стой, не то застрелю!

И сама тоже хотела в Подход кинуться.

Стон помешал. Тяжкий, полный невыразимого страдания.

Повернулась она и увидела, что старец Израиль на локоть оперся, тянет к ней дрожащую исхудалую руку.

— Не уходи, не покидай меня так...

Она колебалась всего мгновение.

Пускай убегает. Милосердие важнее и возмездия, и даже самое справедливости. Да и потом, что толку за злодеем гнаться? А ну как не остановится? Не стрелять ведь в него за это. Опять же, куда ему деться на Клеопиной лодчонке с тонкими веслами? Ну, доплывет до Ханаана. На большую-то землю ему все равно не попасть.

И выбросив из головы несущественное, Полина Андреевна подошла к умирающему, села наземь и положила голову старца себе на колени. Осторожно сняла куколь. Увидела слабо подрагивающие ресницы, беззвучно шевелящиеся губы.

Фонарь напоследок вспыхнул ярко и погас. Пришлось свечку зажечь, к камню прилепить.

А старец тем временем приготовился душу на волю отпустить, уж руки на груди сложил.

Только вдруг жалостно шевельнул бровями. Посмотрел на Полину Андреевну со страхом и мольбой. Губы прошептали одно-единственное слово:

— Прости...

И теперь она его простила — безо всякой натуги, просто простила и все, потому что смогла. А еще наклонилась и поцеловала в лоб.

— Хорошо, — улыбнулся старец, смежил веки.

Через несколько минут они раскрылись вновь, но взгляд был уже угасшим, мертвым.

Когда госпожа Лисицына вышла на берег, чтоб посмотреть, успел ли Алексей Степанович доплыть до Ханаана на Клеопиной лодке, ее ждало две неожиданности. Во-первых, лодчонка была там же, где она ее оставила — в совершенной сохранности. А во-вторых, от противоположного берега к Окольнему острову, дружно загребая веслами, плыла целая флотилия. Скрипели уключины, кряхтели гребцы, ярко пылали факелы.

На носу передней лодки, воинственно потрясая посохом, стоял преосвященный Митрофаний. Его длинная борода развевалась, теребимая свежим ветром.

Эпилог

К РАДОСТИ ВСЕХ СКОРБЯЩИХ

Тот же самый ветер, да не просто свежий, как в проливе, а сильный и напористый, дул и по другую сторону Окольнего острова, на озерном просторе.

Молодой человек в рясе, с откинутым на спину куколем, вытянул спрятанную меж двух валунов вертлявую «качайку», сел в нее, оттолкнулся веслом, а когда немножко отгреб от берега, бросил весло на дно лодчонки. Вместо этого поднял легкую мачту, подставил попутному ветру белый парус, и легкий челн понесся по волнам с отменной скоростью — пожалуй, порезвее парохода, тем более что пароходу пришлось бы петлять фарватером, а «качайке» мели были нипочем.

У путешественника при себе имелся компас, по которому он то и дело сверялся, очевидно, боясь в темноте сбиться с курса. Время от времени поворачивал руль или изменял угол паруса, но когда над подернутым дымкой озером заалело восходящее солнце, молодой человек совершенно успокоился.

Дело в том, что первый же, еще робкий луч светила, прочертив линию до горизонта, зажег на краю неба золотую искорку, которая больше уже не гасла. То была колокольня Радости Всех Скорбящих, главного храма города Синеозерска, в ясный день видная за тридцать верст. Стало быть, лодка в ночи не заблудилась, выплыла точно туда, куда следовало.

Кормчий выровнял нос «качайки», чтоб шла прямехонько к Радости, а сам замурлыкал веселую песенку.

Всё складывалось как нельзя более удачно. Еще два часа, и плаванию конец. Что переменится ветер, непохоже. Жаль, конечно, что не успел наскрести побольше драгоценных опилок, но и так фунтиков пять будет.

Маленький, но увесистый мешочек висел под рясой, у подвздошья. Шею немного натерло веревкой, но это была ерунда. Пять фунтов — то есть без малого пятьсот золотников, каждый по...

Расчеты пришлось прервать, потому что вдруг накатила тошнота. Перегнувшись через борт, молодой человек зарычал и забулькал, сотрясаемый спазмами. Потом обессиленно сполз на дно, вытер испарину, беззаботно улыбнулся. Приступы дурноты и слабости в последнее время посещали его часто — верно, от плохой пищи и нервного возбуждения. Отдохнуть, подкормиться, и всё пройдет.

Он яростно потер виски, отгоняя головокружение. Меж пальцев осталась прядь вьющихся волос, и это расстроило юношу куда больше, чем предшествующий приступ. Впрочем, ненадолго. Еще бы, сказал он себе. Месяц голову не мыл. Как еще звероящеры не завелись. Ничего, третьим классом до Вологды, скромненько, а там приодеться да в хорошую гостиницу, чтоб с ванной, с рестораном, с куафюрной.

А лабораторию лучше устроить не в Швейцарии — в Америке. Спокойнее. Само собой, взять другое имя. К примеру, «мистер Бэзилиск», чем плохо?

Он засмеялся, да неудачно — повело в долгий мучительный кашель. Вытер губы, завернул черный куколь вокруг шеи поплотнее. Может, и к лучшему, что дольше на острове не задержался. Вот-вот ударят холода, и так осень выдалась небывало долгой. Застудить легкие было бы некстати. Некогда болеть-то.

Новая лучевая физика открывает перспективы, которые не способны охватить жалким умишком полоумный Лямпе и парижские лабораторные крысы. «Лучи Смерти»! Только идиоту мог прийти в голову подобный бред. Это всего лишь новый вид энергии, не более опасный, чем магнитное или электрическое излучение. Неисчислимая мощь атомного ядра — вот в чем ключ. Кто раньше это понял, тот будет владеть миром. И возраст отличный, двадцать четыре года, как у Бонапарта.

Солнце вспыхнуло на темени триумфатора, где просвечивала круглая проплешина, очень похожая на тонзуру.

Следующий роман серии

«Провинціальный детективъ»

«ПЕЛАГИЯ И КРАСНЫЙ ПЕТУХ»